ENTRE O CÉU
E A TERRA

CB020059

Nora Roberts

Romances

A Pousada do Fim do Rio
O Testamento
Traições Legítimas
Três Destinos
Lua de Sangue
Doce Vingança
Segredos
O Amuleto
Santuário
Resgatado pelo Amor
A Villa
Tesouro Secreto
Pecados Sagrados
Virtude Indecente
Bellíssima
Mentiras Genuínas
Riquezas Ocultas
Escândalos Privados
Ilusões Honestas
A Testemunha
A Casa da Praia
A Mentira

Trilogia do Sonho

Um Sonho de Amor
Um Sonho de Vida
Um Sonho de Esperança

Trilogia do Coração

Diamantes do Sol
Lágrimas da Lua
Coração do Mar

Trilogia da Magia

Dançando no Ar
Entre o Céu e a Terra
Enfrentando o Fogo

Trilogia da Gratidão

Arrebatado pelo Mar
Movido pela Maré
Protegido pelo Porto

Trilogia da Fraternidade

Laços de Fogo
Laços de Gelo
Laços de Pecado

Trilogia do Círculo

A Cruz de Morrigan
O Baile dos Deuses
O Vale do Silêncio

Trilogia das Flores

Dália Azul
Rosa Negra
Lírio Vermelho

NORA ROBERTS

ENTRE O CÉU E A TERRA

Tradução
Renato Motta

9ª edição

BERTRAND BRASIL
Rio de Janeiro | 2017

Copyright © 2001, Nora Roberts

Título original: *Heaven and Earth*

Texto revisado segundo o novo
Acordo Ortográfico da Língua Portuguesa

2017
Impresso no Brasil
Printed in Brazil

CIP-BRASIL. CATALOGAÇÃO NA FONTE
SINDICATO NACIONAL DOS EDITORES DE LIVROS, RJ.

R549e
9ª ed.

Roberts, Nora, 1950-
Entre o céu e a terra / Nora Roberts; tradução de Renato Motta. - 9ª ed. - Rio de Janeiro: Bertrand Brasil, 2017.
23cm. (Trilogia da Magia; 2)

Tradução de: Heaven and earth
Sequência de: Dançando no ar
Continua com: Enfrentando o fogo
ISBN 978-85-286-1046-8

1. Ficção americana. I. Motta, Renato. II. Título.

16-37464

CDD - 813
CDU - 821.111(73)-3

Todos os direitos reservados pela:
EDITORA BERTRAND BRASIL LTDA.
Rua Argentina, 171 - 2º andar - São Cristóvão
20921-380 - Rio de Janeiro - RJ
Tel.: (021) 2585-2000 - Fax: (021) 2585-2084

Não é permitida a reprodução total ou parcial desta obra, por quaisquer meios, sem a prévia autorização por escrito da Editora.

Atendimento e venda direta ao leitor:
mdireto@record.com.br ou (21) 2585-2002

A todas as minhas irmãs,
não de sangue, mas de coração.
É aí que está a magia.

É rápido como uma sombra, curto como um sonho;
Breve como o relâmpago na noite fria,
Que com melancolia revela tanto o céu quanto a terra.
E antes que o homem consiga dizer:
"Veja!"
Os dentes da noite o devoram.
E assim, depressa, tudo o que é luminoso
Desaparece em meio à perplexidade.

— William Shakespeare

Prólogo

Ilha das Três Irmãs
Setembro de 1699

Ela invocou a tempestade.

As ondas de vento, os dardos dos raios, a fúria do mar, que eram prisão e proteção. Invocou as forças que viviam dentro dela e também todas as que moravam do lado de fora. A luz e a escuridão.

Magra e alta, com seu manto levantado para trás como asas, ficou ali, sozinha na praia fustigada pelo vendaval. Sozinha, mas com sua fúria e seu pesar. E o seu poder. Era o poder que a preenchia naquele momento, corria por dentro dela em selvagens e poderosos golpes, como um amante enlouquecido.

E, afinal, talvez fosse exatamente isso.

Ela abandonara marido e filhos para ir para aquele lugar, deixou-os sob o efeito de um encantamento de sono que os manteria a salvo e sem saber o que acontecera. Porque, depois de ter feito o que viera fazer, jamais poderia retornar a eles. Nunca mais poderia segurar nas mãos o rosto daqueles a quem amava.

Seu marido iria sentir muito pesar e luto por ela, e seus filhos iriam chorar. Mas ela não poderia voltar para eles. E não poderia, nem iria, voltar atrás no caminho que escolhera.

O pagamento tinha que ser feito. E a justiça, por mais dura que fosse, tinha que ser finalmente cumprida.

Ela ficou ali, com os braços estendidos abraçando a tempestade que havia criado. Seus cabelos voavam soltos e frenéticos, feixes escuros que açoitavam a noite como chicotes.

— Você não deve fazer isso!

Uma mulher apareceu a seu lado, brilhando de modo tão ofuscante na noite tempestuosa quanto o fogo que levava em seu nome. Seu rosto era pálido, e seus olhos estavam escuros com o que poderia ser descrito como medo.

— Já começou.

— Então interrompa tudo. Pare agora, irmã, antes que seja tarde demais. Você não tem o direito de fazer isso.

— Não tenho o direito?! — E aquela que se chamava Terra girou o corpo em torvelinho, seus olhos brilhantes de coragem e ódio. — E quem teria mais direito do que eu? Quando eles assassinaram as inocentes em Salem, perseguiram-nas, caçaram-nas e enforcaram-nas, não fizemos nada para impedi-los.

— Quando você impede um temporal, provoca um dilúvio. Você sabe disso! Nós criamos este lugar. — E aquela que se chamava Fogo abriu os braços, como para abraçar toda a ilha que balançava no mar. — E o criamos para nossa própria segurança e sobrevivência, para defender a nossa Arte da Magia.

— Segurança? Você ainda consegue falar de segurança e sobrevivência, agora que nossa irmã está *morta*?

— E eu sofro e sinto um imenso pesar por ela, tanto quanto você. — Implorando, ela cruzou as mãos sobre o peito. — Meu coração chora tanto quanto o seu. As filhas dela estão em nossa companhia, agora. Você vai abandoná-la e também as suas próprias filhas?

Havia uma loucura em Terra, devastando seu coração como o vento rasgava seus cabelos. Ainda que reconhecesse tudo isso, não conseguia sobrepujar o ódio.

— Ele não vai ficar sem punição! — afirmou. — Não vai mais continuar vivendo, já que *ela* morreu.

— Se fizer algo de mal a alguém, quebrará seus votos sagrados. Terá corrompido seus poderes, e o que enviar para a noite voltará para você, multiplicado por três.

— Sim, eu sei. A justiça tem seu preço.

— Mas não esse preço. Jamais um preço tão alto. Seu marido vai perder a mulher, seus filhos vão perder a mãe. E eu vou perder outra irmã adorada. Pior, muito pior do que tudo isso, você vai quebrar a lealdade a tudo o que somos aqui. Ela não iria querer isso. Essa não teria sido a resposta dela.

— Sim, ela preferiu morrer a se proteger. E morreu por causa do que era, por causa do que somos. Nossa irmã renegou seu juramento pelo que chamava de "amor". E foi isso o que a matou.

— Foi escolha dela! — Uma escolha que ainda amargava a garganta de Fogo, mesmo depois de ter sido engolida. — Além do mais, ela não machucou ninguém. Faça isso agora; use seus dons desse modo sombrio e você vai estar se arruinando. E essa maldição vai se estender a todas nós.

— Não posso mais viver aqui, escondida. — Havia lágrimas em seus olhos agora, e, sob a luz dos relâmpagos, era possível ver que eles estavam vermelhos como sangue. — Não posso voltar atrás. Esta é a minha escolha. Meu destino. Vou tirar a vida dele por ela e amaldiçoá-lo para todo o sempre.

E clamando por vingança, lançando-se para o ar como uma flecha brilhante e mortal disparada por um arco retesado, aquela que era conhecida como Terra sacrificou a própria alma.

Capítulo Um

Ilha das Três Irmãs
Janeiro de 2004

A areia, em blocos congelados pelo frio, ia sendo esmagada sob seus pés enquanto ela corria, ao longo da praia em forma de meia-lua. As ondas que chegavam deixavam uma espuma flocada, cheia de bolhas, sobre a superfície, formando uma crosta que mais parecia renda esfarrapada. Acima, as gaivotas gritavam incessantemente.

Seus músculos estavam quentes e se movimentavam de modo harmonioso, fluidos como engrenagens lubrificadas, enquanto ela seguia já no terceiro quilômetro de sua corrida matinal. Seus passos tinham um ritmo rápido e disciplinado, e a respiração saía-lhe da boca em plumas brancas de vapor que voltavam agudas e frias como cacos de gelo.

Ela se sentia ótima!

A areia hibernal não tinha nenhuma outra marca de pegada, apenas as dela, e estavam todas impressas, as mais recentes por cima das anteriores, as novas cobrindo as velhas, enquanto ela continuava a correr de um lado para o outro por toda a extensão do suave declive junto à linha d'água, naquela praia de alto inverno.

Se ela tivesse escolhido fazer seus quase seis quilômetros de corrida em linha reta, teria atravessado a Ilha das Três Irmãs de um lado a outro e na porção mais larga.

Essa ideia sempre a deixava satisfeita.

O pequeno pedaço de terra a poucos quilômetros do litoral de Massachusetts pertencia totalmente a ela. Cada monte, cada rua, cada penhasco e cada praia recortada. A delegada Ripley Todd sentia muito mais do que uma mera afeição pela Ilha das Três Irmãs, pela sua pequena cidade, por seus habitantes e o bem-estar deles. O que ela sentia era uma espécie de responsabilidade.

Conseguia agora ver o sol que se levantava e espichava seus reflexos de encontro às vitrines na frente das lojas da Rua Alta. Dali a duas horas, as lojas estariam todas abertas, e as pessoas caminhariam ao longo das ruas, cuidando de seus afazeres.

Não havia muito movimento de turistas em janeiro, mas alguns visitantes chegariam do continente pela barca, dariam uma olhada nas lojas, dirigiriam seus carros pelo litoral até os penhascos e comprariam um pouco de peixe recém-pescado, no cais. Basicamente, porém, o inverno na ilha era apenas para os residentes permanentes.

Era a estação do ano da qual ela mais gostava.

No fim da praia, onde a areia acabava abruptamente junto ao muro de pedra pouco abaixo da cidade propriamente dita, ela fez meia-volta e continuou correndo sobre a areia endurecida. Botes de pesca velejavam em um oceano que tinha um tom azul-claro de gelo. A tonalidade do azul iria mudar, à medida que a luz ficasse mais forte e o céu tomasse uma coloração mais intensa. Ela jamais deixava de se fascinar com a miríade de cores que a água do mar conseguia exibir.

De repente, avistou o barco de Carl Macey e viu uma figura na proa, diminuta como um boneco de brinquedo, que acenou em sua direção com alegria. Ela respondeu à saudação, sem diminuir a marcha, e continuou correndo. Com menos de três mil habitantes permanentes, não era muito difícil saber quem era quem, ali na ilha.

Logo depois, diminuiu um pouco o ritmo, não apenas para começar a esfriar a musculatura aos poucos, mas também para prolongar aqueles maravilhosos momentos de solidão matinal. Frequentemente fazia suas corridas no início da manhã acompanhada pela cadela de seu irmão, Lucy, só que naquele dia ela saíra de mansinho e sozinha.

Ficar sozinha era outra coisa da qual gostava muito.

Além do mais, ela precisava clarear as ideias. Havia muito sobre o que pensar. Alguns assuntos ela preferia não enfrentar, de modo que atirava os pequenos aborrecimentos e problemas para longe daquele momento que era só dela. O que precisava ser enfrentado não era exatamente um problema. Ela não poderia chamar de "problema" algo que a deixava feliz.

Seu irmão acabara de chegar da lua de mel, e nada poderia tê-la deixado mais satisfeita do que ver o quanto Zack e Nell estavam felizes juntos. Depois das dificuldades pelas quais tinham passado e que quase lhes custaram tudo, vê-los assim aconchegados, juntos e morando na casa onde ela e o irmão haviam sido criados era satisfação pura.

Além do mais, nos últimos meses, desde o último verão, quando Nell pusera um fim à sua longa fuga e aos seus medos, abrigando-se na ilha, as duas tinham se transformado em grandes amigas. Era ótimo ver como Nell florescera desde então e se tornara mais forte.

Mas, deixando toda a pieguice e o sentimentalismo de lado, pensou Ripley, havia um pequeno espinho nessa linda rosa. E o nome desse espinho era Ripley Karen Todd.

O fato é que recém-casados não deviam ser obrigados a compartilhar o seu ninho de amor com a irmã do noivo.

Ela não havia parado para pensar muito a respeito desse assunto antes da cerimônia de casamento; e até mesmo depois disso, quando estava no cais acenando para eles durante a partida para a lua de mel de uma semana nas Bermudas, ela não conseguira analisar todo o quadro.

Mas quando retornaram, aninhados, bronzeados e cheios de paixão, ainda encobertos pela neblina particular da felicidade da lua de mel, então tudo ficou claro para Ripley.

Recém-casados precisam de privacidade. Eles jamais conseguiriam ter momentos ardentes de sexo quente e espontâneo no chão da sala de visitas, por exemplo, porque ela poderia entrar de repente, a qualquer hora do dia ou da noite.

É claro que nenhum dos dois mencionara nada a respeito. Mas também jamais mencionariam um assunto delicado como esse. Aqueles dois mereciam usar uma plaquinha de mérito no peito com as palavras *Sou uma pessoa muito legal*. Essa plaquinha, pensou Ripley, era algo que jamais conseguiria prender no próprio peito.

Parou, pensativa, e começou a usar as pedras que afloravam na outra ponta da praia como apoio enquanto fazia alongamentos para fortalecer a barriga das pernas, os tendões e os quadríceps.

Seu corpo era esbelto, com um tônus muscular forte como o de uma jovem tigresa. Ripley tinha orgulho dele, do seu controle total sobre cada músculo. Ao se curvar para tocar os pés, flexionando o tronco, o gorro de esqui que enterrara na cabeça caiu sobre a areia, e os cabelos, da cor de carvalho envernizado, vieram à tona.

Ela os usava compridos, porque assim não era obrigada a apará-los continuamente, cuidar deles nem criar penteados elegantes. Tudo isso era apenas mais um tipo de controle.

Seus olhos tinham o tom forte de verde-garrafa. Quando ela estava com boa disposição, brincava um pouco com o rímel e o delineador. Depois de considerar por muitos anos a questão, chegara à conclusão de que os olhos eram a melhor parte do seu rosto, feito de vários elementos que não combinavam e linhas muito angulosas.

Era ligeiramente dentuça, porque desprezava solenemente o uso do aparelho ortodôntico. Tinha ainda a testa alta e sobrancelhas escuras e quase horizontais, típicas das mulheres do lado materno da família.

Ninguém a poderia acusar de ser *bonita*. Era uma palavra muito suave, e Ripley se sentiria ligeiramente insultada se alguém a usasse para se referir a ela. Preferia saber que possuía um rosto forte e *sexy*. O tipo de rosto que tinha o poder de atrair os homens... Quando ela estava a fim de um.

O que, refletiu, não acontecia havia vários meses.

Em parte, algumas das causas foram os preparativos do casamento, depois os planos da viagem, o tempo que ela levara para ajudar Zack e Nell a desatar todos os nós jurídicos para que eles pudessem enfim se casar. Por outro lado, ela era forçada a admitir, havia a sua própria sensação de desconforto e aborrecimento, um sentimento que se instalara desde a noite do Dia das Bruxas, quando ela abrira antigas feridas em sua couraça, feridas que ela mesma, deliberadamente, havia costurado e selado muitos anos antes.

Mas isso não podia ter sido evitado, reconhecia agora. Ela fez apenas o que precisava ser feito. Simplesmente não tinha a menor intenção de repetir a grande atuação. Não importava quantos olhares incentivadores e sorrisos afetados Mia Devlin lançasse em sua direção.

Pensar em Mia fez surgir em Ripley uma ideia interessante.

Mia estava com o chalé vazio e disponível. Nell o alugara durante alguns meses, mas o deixara ao se casar com Zack. Mesmo detestando a ideia de ter qualquer tipo de ligação com Mia, ainda que fossem apenas relações de negócios, o chalé amarelo poderia se transformar em uma solução perfeita.

Era pequeno, privativo e simples.

A ideia fazia perfeito sentido, decidiu ela, e começou a subir os gastos degraus da escadaria de madeira em zigue-zague que levavam até sua casa. Era uma situação irritante, mas seria algo bem prático para ela. Além disso, talvez não fizesse mal algum se ela esperasse um pouco, durante mais alguns dias, e depois deixasse escapar a notícia de que estava procurando um lugar para alugar. Quem sabe algum outro local, algo que não pertencesse a Mia, acabasse caindo em seu colo?

Animada com essa possibilidade, Ripley foi pulando com energia todos os degraus escada acima e depois completou o exercício com uma pequena corrida até a varanda dos fundos.

Nell já deveria estar cozinhando a essa hora, ela sabia, da mesma forma que sabia que a cozinha já estaria totalmente embebida com os cheiros do paraíso. A grande vantagem daquela situação era que ela não tinha que sair em campo à caça de um café da manhã decente, que já estaria ali, pronto e esperando por ela. Delicioso, aromático e maravilhoso. Era só pedir.

Ao chegar à porta e estender a mão para alcançar a maçaneta, Ripley viu, através do vidro, Zack e Nell. Estavam entrelaçados um no outro, pensou, como uma hera que tivesse se enroscado no mastro de uma bandeira. Mais do que isso, estavam completamente enrolados, um no outro.

— Ai, puxa vida!...

Soltando o ar baixinho, deu alguns passos para trás, e a seguir voltou até a varanda, fazendo uma entrada tão barulhenta quanto possível, pisando duro como se usasse ferraduras, cantarolando e assobiando bem alto. Isso ia dar tempo para eles se desgrudarem um do outro. Pelo menos, ela esperava que sim.

Mas isso ia funcionar só agora; não resolveria o problema maior. Ela teria de lidar com o assunto do chalé com Mia, afinal de contas.

Resolveu que tentaria fazer com que tudo soasse o mais casual possível. Pelo seu jeito de pensar, se Mia descobrisse ou sequer desconfiasse que Ripley estava realmente interessada no chalé amarelo, certamente iria se recusar a alugá-lo para ela.

Era uma pessoa totalmente do contra.

Evidentemente, a melhor forma de conseguir algum tipo de acordo seria pedir a Nell que interviesse em seu favor. Mia tinha um ponto fraco em relação a Nell. A ideia, porém, de precisar de alguém para preparar o caminho era simplesmente insuportável para Ripley. O melhor a fazer era dar uma passada na livraria de Mia, como quem não quer nada, do jeito que já se acostumara a fazer quase todos os dias desde que Nell tinha assumido o cargo de cozinheira e doceira na cafeteria.

Desse jeito, ela conseguiria um sensacional almoço e ainda faria algumas incursões nesse assunto, de uma só tacada.

Ripley caminhava com determinação e passo forte ao longo da Rua Alta, mais pressionada pela resolução de resolver o problema de uma vez do que pelo vento que soprava forte. As ondas bruscas de ar se infiltravam pelos seus cabelos, os quais ela geralmente usava presos em um rabo de cavalo e enfiados pela abertura traseira do seu boné.

Ao chegar à porta da loja "Livros e Quitutes", parou e apertou os lábios.

Mia havia redecorado a vitrine principal da livraria. Uma base coberta por um tecido franjado, o toque sutil de um vermelho profundo, um par de castiçais altos com velas grossas e vermelhas estava instalado entre pilhas de livros que pareciam organizadas de forma aleatória. É claro, porém, que Mia jamais fazia coisa alguma de forma aleatória, e Ripley era obrigada a reconhecer que o efeito obtido ali era o de um lugar aconchegante e caseiro, extremamente hospitaleiro. E sutilmente... muito sutilmente... *sexy.*

Está muito frio aí fora, a vitrine parecia anunciar. *Entre aqui, se instale, compre alguns bons livros para levar para casa e, quando chegar, se enrosque em uma poltrona para lê-los.*

O que quer que Ripley pudesse dizer a respeito de Mia (e ela podia dizer muito), uma coisa era inegável: ali estava uma mulher que entendia do seu ramo de negócios.

Ao entrar na loja aquecida, automaticamente desenrolou o cachecol e o tirou do pescoço. As prateleiras pintadas em um tom forte de azul estavam cheias de livros coloridos, perfeitamente arrumados como em uma sala de estar. Pequenas vitrines de vidro exibiam lindas miudezas e curiosos objetos magnetizados, supostamente criados para atrair toda a poeira do ambiente. A lareira estava acesa, com chamas estáveis e reconfortantes. Uma outra manta, similar à da vitrine da rua, só que azul, estava atirada sobre uma das poltronas fundas com um descuido que era apenas aparente, pois escondia um equilíbrio estético quase artístico.

É, pensou ela, Mia conhecia de fato o seu ofício.

Ainda havia mais. Outras prateleiras portavam velas de vários formatos e tamanhos. Fundas tigelas transparentes estavam cheias de pedras e cristais misturados. Caixas coloridas com baralhos de tarô e runas estavam à mostra, aqui e ali.

Mais uma vez, tudo muito sutil, Ripley reparou com um franzir das sobrancelhas. Mia não anunciava que a proprietária do lugar era uma bruxa, mas também não se preocupava em esconder o fato. Ripley imaginava que o fator curiosidade, tanto dos turistas quanto dos moradores do local, contribuía em muito para o faturamento anual da loja.

Mas isso não era da sua conta.

Por trás do imenso balcão da máquina registradora, todo entalhado, a principal funcionária de Mia e responsável pelo caixa, Lulu, estava acabando de registrar a compra de um cliente. Então, colocando os óculos com armação de prata na ponta do nariz, lançou um olhar por cima deles na direção de Ripley.

— Procurando algo para preencher a mente hoje, em vez de apenas a barriga?

— Não. Já tenho muita coisa em minha mente.

— Quem lê mais, sabe mais.

— Só que eu... — Ripley sorriu — ... já sei tudo!

— É... Eu sempre achei que você soubesse de tudo, mesmo. De qualquer modo, acabamos de receber um livro novo esta semana que tem tudo a ver com você: *101 maneiras de conquistar alguém*. E é *unissex!*

— Lulu... — Ripley lhe lançou um olhar arrogante enquanto subia as escadas que levavam ao segundo andar da loja. — Fui eu que escrevi esse livro.

— É mesmo? — Lulu caiu na gargalhada e respondeu bem alto: — Só que eu não tenho visto você acompanhada, nos últimos tempos.

— Não estou a fim de companhia ultimamente.

Havia mais livros no segundo andar, e outros clientes curiosos, espalhados, dando uma olhada neles. Só que, ali em cima, a cafeteria era a grande atração. Ripley já estava sentindo o aroma delicioso da sopa do dia, que parecia algo encorpado, substancial e bem-temperado.

Os clientes da manhã, que já haviam atacado os brioches, salgadinhos ou o que mais Nell tivesse sonhado em trazer para aquele dia, já estavam dando a vez aos que formavam a multidão para o almoço. Em um dia como aquele, Ripley imaginava que eles estariam procurando por algo bem quente, nutritivo e saboroso, antes de se regalarem gulosamente com uma das sobremesas pecaminosas de Nell.

Deu uma olhada no balcão envidraçado e suspirou. Mãe-benta. Ninguém em seu juízo perfeito conseguiria recusar mãe-benta, mesmo sabendo que as outras opções eram igualmente tentadoras: bombinhas, tortas de frutas, cookies crocantes, e o que parecia ser um bolo feito de várias camadas de puro "pecado" cremoso.

A artista por trás dessas iguarias estava atendendo a um pedido. Seus olhos eram de um azul-claro muito expressivo e seus cabelos formavam um halo curto dourado em torno de um rosto que brilhava de saúde, paz e bem-estar. Pequenas covinhas apareciam rapidamente em suas bochechas quando ela sorria, o que estava acontecendo no momento em que Nell encaminhava um cliente para uma das mesas ao lado das grandes janelas.

O casamento, pensou Ripley, parecia combinar com algumas pessoas. Nell Channing Todd era uma delas.

— Oi. Você parece muito animada hoje — comentou Ripley.

— Sinto-me ótima! O dia está simplesmente voando. A sopa do dia é *minestrone*, e o sanduíche é um...

— Vou ficar com a sopa — interrompeu Ripley. — Porque estou precisando urgentemente de uma daquelas mães-bentas para assegurar minha felicidade. E vou tomar um café também, para acompanhar.

— Já está chegando... E eu estou assando um presunto tender para o jantar de hoje, lá em casa — acrescentou. — Portanto, nada de beliscar pizzas no caminho de volta.

— Certo, certo, claro! — E, dizendo isso, se lembrou do segundo motivo de ter ido até o restaurante: negócios. Girando o corpo, lançou um olhar panorâmico pela loja. — Ainda não vi a Mia por aqui, em parte alguma.

— Está trabalhando no escritório. — Nell serviu uma concha de sopa, colocando ao lado um pãozinho quente, com a casca crocante. — Estou esperando que ela venha aqui para a loja a qualquer momento. Nós duas saímos de casa hoje de manhã com tanta pressa que nem deu tempo de conversarmos. Aconteceu alguma coisa, Ripley?

— Não, não exatamente. — Talvez fosse uma atitude grosseira começar a fazer preparativos para mudar de casa sem comentar alguma coisa com Nell antes. Ripley ficou se perguntando se isso era um assunto ligado, de alguma forma, à área de traquejo social, um terreno traiçoeiro para ela. — Nell... Será que eu vou atrapalhar o seu trabalho se eu fizer essa boquinha lá dentro da cozinha? — perguntou. —Assim posso conversar com você enquanto como, e você continua fazendo as suas tarefas.

— Claro. Vamos lá para dentro. — Levou a bandeja com a comida, depositando-a sobre a mesa de trabalho. — Tem certeza de que não há nada errado?

— Tenho — tranquilizou Ripley. — É que está um frio danado lá fora, aqui na cozinha está mais quentinho. Aposto que você e Zack se arrependeram de não ter ficado lá pelo sul até a chegada da primavera.

— Ah... A lua de mel foi perfeita! — Só de pensar nisso, Nell sentia um ponto de calor brilhando dentro dela. — Mesmo assim, é muito bom voltar para casa. — Nell abriu a porta do refrigerador industrial, enquanto segurava uma das saladas do dia. — Tudo o que eu mais quero na vida está aqui. Zack, a família, os amigos, uma casa toda minha. Há um ano eu jamais teria acreditado que poderia estar aqui e com a certeza de que em pouco mais de uma hora estarei largando o serviço e indo para um lar.

— Bem, você conquistou tudo isso.

— Foi mesmo. — Os olhos de Nell ficaram com um tom mais escuro e concentrado, e neles Ripley conseguia ver a fonte de uma força insuspeitada; uma força que todos, até mesmo Nell, haviam subestimado. — Só que eu não consegui isso sozinha. — O agudo soar da sineta do balcão a alertou de que alguém acabara de chegar e estava à espera para ser atendido. — Não deixe a sopa esfriar!

Ela saiu, sorridente, levantando a voz com alegria para cumprimentar o cliente.

Ripley tomou a primeira colherada e suspirou de contentamento ao sentir o sabor. Resolveu se concentrar no almoço e pensar a respeito dos outros problemas mais tarde. Mal tinha acabado de tomar a segunda ou terceira colherada quando ouviu Nell chamar Mia, que estava chegando.

— Ripley está lá na cozinha. Acho que ela quer falar com você.

Droga, droga, droga!, pensou Ripley, baixando o rosto para a sopa e se fazendo de ocupada, enchendo a boca.

— Ora, ora, ora. Seja bem-vinda e fique à vontade. — Mia Devlin, com sua exuberante cabeleira ruiva cascateando sobre os ombros e se esparramando sobre um vestido longo em um tom marcante de verde-folha, estava apoiada com leveza no portal. Seu rosto era uma visão milagrosamente esculpida, suas maçãs do rosto eram salientes e elegantes, sua boca, com lábios cheios que pareciam desenhados, estava pintada de um vermelho tão arrojado quanto os cabelos. A pele era lisa e parecia cremosa, e os olhos tinham um tom de cinza semelhante ao de fumaça clara.

No momento, esses mesmos olhos estavam encarando Ripley quase preguiçosamente, mas uma das sobrancelhas estava levantada, formando um arco perfeito e quase sarcástico.

— Eu já estou à vontade, Mia — replicou Ripley, continuando a comer. — Pensei que a cozinha fosse território exclusivo de Nell, a essa hora do dia. Se soubesse que você anda por aqui, já estaria procurando asas de morcego ou dentes de dragão aqui dentro da minha sopa.

— O problema é que é muito difícil encontrar dentes de dragão nesta época do ano. Em que posso ajudá-la, delegada?

— Em nada. Eu é que tive uma ideia, algo que me passou pela cabeça, e talvez possa ser útil para você.

— Agora eu fiquei curiosa! — Alta e magra, foi até a mesa e se sentou junto de Ripley. Usava um daqueles sapatos altos com salto-agulha dos quais tanto se orgulhava, conforme Ripley notou. Jamais conseguira imaginar o motivo que levava uma pessoa a colocar seus pés inocentes em uma câmara de tortura como aqueles sapatos sem estar com uma arma apontada para a cabeça.

Partindo um pedaço do pão e colocando-o na boca com cuidado, começou a mastigar alto e falou:

— Mia, você perdeu uma inquilina, quando Nell e Zack se enforcaram. Pelo que eu sei, ainda não fez nada até agora para voltar a alugar o chalé amarelo, e já que eu estou pensando em arrumar um lugar para morar sozinha, talvez eu possa ajudá-la a resolver esse problema.

— Então me conte a sua ideia. — Fazendo uma cara de curiosa, Mia pegou um pedacinho do pão de Ripley e deu uma mordida.

— Ei, estou pagando por este pão!

— Sua casa está um pouco lotada, então? — perguntou Mia, ignorando a observação sobre o pãozinho.

— Bem, a casa é muito grande. — Ripley deu de ombros, enquanto colocava o resto do pãozinho fora do alcance de Mia. — Acontece que você possui um bom lugar, e ele está desocupado. É um pouco apertado, mas eu também não preciso de muitos cômodos. Estou disposta a negociar um contrato de aluguel com você.

— Um contrato de aluguel?... Mas para alugar o quê? — perguntou Nell, que acabara de voltar à cozinha e foi direto até a geladeira pegar alguns ingredientes para preparar um pedido de sanduíche.

— Alugar o chalé amarelo — respondeu Mia, na hora. — Ripley está procurando um lugar para morar.

— Ué... Mas você já tem um lugar para morar — disse Nell, e virou-se para trás. — Um lugar em sua casa, morando conosco.

— Não vamos continuar com lenga-lenga. — Era tarde demais para se arrepender por não ter falado com Mia em particular. — É que eu estava pensando que seria legal ter um lugarzinho pequeno só para mim, e já que Mia está com um local vazio e precisando de um novo inquilino...

— Ao contrário... — disse Mia suavemente. — Nem eu nem minhas propriedades estão precisando de coisa alguma.

— Então você não quer que eu lhe faça um favor? — Ripley levantou os ombros. — Eu não me importo de ajudar.

— Ah... É tanta consideração de sua parte se preocupar assim comigo! — O tom de voz de Mia era de uma candura de algodão-doce. Isso era sempre um mau sinal. —Acontece que eu acabei de conseguir um novo inquilino para o chalé, há menos de dez minutos, e já me comprometi com ele.

— Conversa-fiada! Você estava no escritório, e Nell não comentou comigo que tinha mais alguém lá dentro com você.

— Foi tudo pelo telefone — continuou Mia. — Eu estava falando com um cavalheiro de Nova York. Um doutor. Assinamos um contrato para três meses de aluguel, via fax. Espero que isso alivie suas desconfianças.

— Como eu disse, por mim tudo bem, eu só queria ajudar. — Mas Ripley não foi rápida o bastante para esconder que ficara aborrecida.— Que diabos um médico está vindo fazer aqui na Ilha das Três Irmãs por três meses? Nós já temos um médico residente na ilha.

— Ele não é médico. E doutor porque tem um doutorado, e, já que você está tão interessada, ele está vindo para cá a trabalho. O Dr. Booke é um pesquisador de fenômenos paranormais e mal pode esperar para passar algum tempo em uma ilha que foi arrancada do continente por bruxas.

— Aqui, ó!... — respondeu Ripley, ainda sem acreditar.

— Sempre tão sucinta e refinada! — Divertida com a situação, Mia se levantou. — Bem, o meu trabalho por aqui já está encerrado. Agora, preciso ver se consigo levar um pouco de alegria à existência de mais alguém. —

Deslizou até a porta, vacilando um segundo antes de se virar e completar:

— Ah, e mais uma coisa. O nosso bom doutor chegará amanhã mesmo. Estou certa de que ele vai adorar conhecê-la, Ripley.

— Fique com os seus esquisitos caçadores de fantasmas longe de mim. Droga! — Ripley provou a sua mãe-benta, resmungando. — Ela bem que deve estar adorando isso!

— Não saia daí. — Nell já estava levando o pedido. — Peg vai chegar em cinco minutos para o turno dela. Quero falar com você.

— Tenho que fazer a ronda.

— Aguente só um pouco mais.

— Isso quase arruinou meu apetite — reclamou Ripley, mas conseguiu devorar toda a mãe-benta.

Pouco mais de quinze minutos depois, já estava do lado de fora novamente, caminhando a passos largos, com Nell colada a seu lado.

— Precisamos conversar melhor sobre esse assunto.

— Olhe, Nell, não é nada demais. É que eu estava apenas pensando...

— Sei, você estava apenas pensando. — Nell puxou o gorro de lã mais para baixo, para cobrir as orelhas. — E não falou nada sobre isso, nem para mim nem para Zack. Quero saber por que é que você acha que não pode permanecer em sua própria casa.

— Certo, certo. — Ripley colocou os óculos escuros e encurvou ligeiramente os ombros para frente, enquanto seguiam pela Rua Alta em direção à delegacia. — É que me parece que, quando as pessoas se casam, precisam de um pouco de privacidade.

— Mas aquela é uma casa muito grande! Nós não ficamos no caminho uns dos outros. Se você ainda fosse do tipo doméstico, eu conseguiria entender que você se sentisse deslocada por eu ficar tanto tempo ocupando a cozinha.

— Essa é a menor das minhas preocupações.

— Exatamente. Você nem mesmo cozinha! E espero que não esteja pensando que eu me sinto ofendida por preparar toda a comida da casa sem ajuda de ninguém.

— Não, claro que não. Eu sei que você não se sente ofendida, até gosta... E eu sou muito grata por isso, Nell. Sou mesmo.

— Então é porque eu me levanto cedo demais?

— Não.

— Talvez seja porque eu peguei um dos quartos vazios para usar como escritório para o Bufê das Três Irmãs?

— Não! Pare com isso. Puxa, ninguém estava usando aquele quarto, afinal. — Ripley se sentiu como se estivesse sendo sistematicamente atacada por um bastão de veludo. — Olhe, escute, o problema não é a cozinha nem o quarto que nem era usado, e também não se trata do seu espantoso hábito de sair da cama muito antes de o sol nascer. O problema é sexo.

— Como disse?

— Você e Zack fazem sexo.

— Sim, confesso que fazemos. — Nell parou e jogou a cabeça um pouco para o lado enquanto estudava o rosto de Ripley. — Não há como negar isso. Na verdade, temos feito muito sexo.

— Então, é isso aí!

— Mas, Ripley... Antes de me mudar oficialmente para a sua casa, Zack e eu transamos várias vezes lá, e isso jamais pareceu incomodar você.

— Era diferente. Aquilo era só sexo regular. Agora, vocês estão fazendo sexo depois de terem se casado.

— Entendo... Bem, posso assegurar a você que o processo funciona quase que exatamente da mesma maneira.

— Rá-rá, muito engraçado! — Nell conseguira evoluir muito, avaliou Ripley. Houve um tempo em que o mais simples indício de confronto a teria feito voltar para dentro da concha. Aqueles dias haviam ficado para trás. — É que é um pouco estranho, Nell, entende? Você e Zack estão naquela fase de "senhor e senhora", e eu estou sempre em volta, perturbando. E se vocês resolvessem fazer aquela posição do "tango horizontal" em cima do tapete da sala, ou simplesmente resolvessem jantar pelados uma noite qualquer?

— Bem, na verdade, já executamos esse tango. A segunda ideia ainda não, mas gostei dela. Poderíamos pensar a respeito. Só que... Ripley. — Nell tocou no braço da amiga, esfregando-o com delicadeza. — Eu não quero que você vá embora.

— Meu Deus, Nell, a ilha é pequena! Eu não vou para nenhum lugar onde você nunca mais vai me ver.

— Mas eu não quero que você se mude — repetiu ela. — E estou falando isso por mim mesma, não é nem pelo Zack. Você pode depois conversar com ele em separado, se quiser saber como ele se sente a respeito. Por mim, Ripley, eu... eu nunca tive uma irmã na vida.

— Ah, meu Deus... — Ela se encolheu involuntariamente, olhando ao redor por trás dos óculos escuros. — Pare com esses sentimentalismos, pelo menos não aqui, assim, no meio da rua.

— Não posso evitar. Eu gosto de saber que você está lá e que posso conversar com você sempre que tiver vontade. Estive com seus pais apenas por alguns dias quando voltaram da viagem contínua deles, na semana do casamento, mas, tendo conhecido os dois e tendo você por perto, é como se eu tivesse uma família novamente. Não podemos deixar as coisas como estão, pelo menos por mais algum tempo?

— Zack consegue lhe negar alguma coisa, quando você pede algo jogando esses faróis azuis que saem dos seus olhos em cima dele?

— Não, quando ele sabe que é algo realmente importante para mim. E, se você ficar, prometo que todas as vezes que Zack e eu transarmos, vamos fingir que não somos casados.

— Bem, isso talvez ajude. De qualquer modo, já que um idiota qualquer de Nova York acabou de se apossar do chalé bem debaixo do meu nariz, vou ter que deixar o barco seguir em frente. — Ripley soltou um suspiro doloroso. — Pesquisador de fenômenos paranormais uma ova! Doutorado!... Eu sei!... — Ela virou o rosto com um olhar de desprezo, sentindo-se ligeiramente animada. — Aposto que Mia alugou o chalé para ele só para me deixar irritada.

— Acho que não, porque ela nem sabia do seu interesse. Mas tenho certeza de que deve estar adorando esse benefício secundário. Eu gostaria tanto de que vocês duas não implicassem tanto uma com a outra. Na verdade eu até esperava que, depois... depois do que aconteceu na noite do Dia das Bruxas, vocês voltariam a ser grandes amigas.

— Todo mundo fez apenas o que precisava ser feito, naquela noite. — Ripley encerrou o assunto. — Agora, acabou de vez. Nada mudou para mim.

— Apenas a primeira fase acabou — corrigiu Nell. — Se a lenda estiver certa...

— Essa lenda não passa de um monte de baboseiras! — cortou Ripley. Só em pensar no assunto já estragava o seu dia.

— O que nós somos não é baboseira, Ripley. O que está dentro de nós também não.

— E o que eu faço com o que está dentro de mim é assunto que só diz respeito a mim. Não entre nessa, Nell.

— Tudo bem. — Mas Nell trocou um aperto de mão com Ripley, e mesmo através das luvas que ambas usavam explodiu uma pequena descarga luminosa de energia, quando elas se tocaram. — Nós nos vemos no jantar, então, Ripley.

Ripley fechou a mão e a ficou esfregando, enquanto Nell seguia em frente, descontraída. Sua pele ainda estava formigando devido à súbita liberação de força. *Bruxinha esperta...*, pensou.

E Ripley a admirava por isso.

Os sonhos demoraram a chegar para Ripley naquela noite, quando sua mente estava mais aberta, com a determinação em repouso. Ela conseguia negar durante o dia, fechar-se e conseguir manter-se fiel à postura que resolvera adotar, mais de dez anos antes.

O sono, porém, tinha poderes próprios, e seduzia os seus sonhos.

Neles, ela se via em pé na praia, em um local onde as ondas se levantavam com fúria. Elas golpeavam, escuras e cruéis, e estouravam na areia, fazendo um barulho semelhante ao de mil corações que batiam descompassados sob um céu fechado.

A única luminosidade eram os pequenos fachos de luz que chicoteavam cada vez que ela levantava os braços. E a luz que saía dela tinha uma cor dourada que parecia enfurecida, riscada por sulcos em um tom de vermelho-sangue.

O vento rugia.

Sua violência, o *poder* puro e selvagem daquele seu ribombar, a fazia estremecer de emoção, atingindo-a em algum local secreto e profundo. Ela sentia que estava além de tudo que existia, além do que era certo, além de todas as regras.

Além das esperanças.

E uma parte dela, ainda cintilando, vertia lágrimas de pesar pela perda.

Ela fizera o que fizera, e agora os crimes tinham sido vingados. Uma morte pela outra... e pela outra. Um círculo formado de ódio. Multiplicado por três.

Soltou um grito triunfante enquanto sentia uma fumaça negra e mágica preenchê-la por dentro, esmagando e sufocando tudo o que ela tinha sido, e todos os votos que fizera. Tudo em que acreditara.

Isto... pensava, enquanto esticava as mãos colocadas em concha, tremendo de força e ganância... *era muito melhor.* O que ela tivera antes era pálido e fraco, uma massa mole comparada à força e aos músculos do que ela tinha agora.

Ela podia fazer tudo, qualquer coisa. Podia dar, tirar e governar. Não havia nada, nem ninguém que a pudesse impedir.

Movimentando-se em uma dança enlouquecida, girava pela superfície arenosa ligeiramente acima dela, com os braços abertos como asas, e os cabelos se lançando para trás, se enrascando encaracolados, como se fossem cobras. Ela conseguia saborear a morte do assassino da sua irmã, o gosto forte de cobre do sangue que acabara de derramar, e sabia que nada, jamais, a deixara tão saciada.

Sua gargalhada ressoou como lanças atiradas no ar, perfurando o céu que parecia uma tigela emborcada. Uma torrente de chuva escura caiu e os pingos fizeram um som de chiado na areia, como se fossem gotas de ácido.

Foi então que ele chamou por ela.

Em algum lugar da noite selvagem e da sua própria fúria, ela conseguiu ouvir a voz dele. A fraca centelha do que ela tinha sido lutava dentro dela para se tornar mais brilhante.

Ela o viu, então. Apenas uma sombra maldelineada que lutava contra o vento e a chuva, tentando alcançá-la. O Amor lutava e chorava dentro de um coração que se congelara.

— *Volte!* — gritou ela para ele, e o som de sua voz tinha a força de um trovão, fazendo o mundo estremecer.

Mas ele continuava vindo, com as mãos estendidas na direção dela, tentando alcançá-la, resgatá-la e trazê-la de volta. E ela então viu, durante um curtíssimo instante, o brilho dos olhos dele contrastando com o escuro da noite. Um brilho de amor e de medo.

De repente, vinda do céu, desceu uma comprida lança de fogo. E no mesmo instante em que ela gritava e sentia a luz dentro dela corcovear, a lança de fogo o atravessava.

E ela sentiu a morte dele dentro de si mesma. A dor e o horror que ela criara voltando-se contra ela, multiplicados por três.

De repente, a luz dentro dela se apagou lentamente, como uma vela, deixando-a com frio, frio, muito frio.

Capítulo Dois

Ele não parecia assim tão diferente dos outros passageiros da barca. O sobretudo preto e comprido drapejava ao vento. O cabelo, em um tom de louro-escuro bastante comum, voava em torno de seu rosto sem nenhum corte especial.

Tinha se lembrado de fazer a barba e conseguira a façanha de se cortar em apenas dois lugares, bem de leve, logo abaixo da curva do queixo. Seu rosto, que era muito bonito, estava semioculto por uma das suas muitas câmeras fotográficas, e ele batia fotos da ilha, sem parar, usando lentes de longo alcance.

Sua pele ainda conservava o bronzeado tropical que pegara em Bornéu. Em contraste com o tom ensolarado de sua pele, seus olhos tinham a cor dourada de mel recém-engarrafado. O nariz era reto e estreito, e o rosto um pouco comprido.

As bochechas encovadas, logo abaixo das maçãs do rosto, tinham a tendência de parecer ainda mais profundas, quando se envolvia tanto com o trabalho que se esquecia até mesmo de comer devidamente. Isso lhe dava um curioso ar de intelectual faminto.

Sua boca sorria com facilidade, de modo sensual.

Era meio alto e tinha formas meio esbeltas.

Era também meio desastrado.

Teve que se segurar de repente, e com força, no gradil da barca, que balançara ligeiramente e quase o atirara por cima da amurada. Estava debruçado demais, é claro. Sabia disso, mas a emoção da expectativa frequentemente o levava a se esquecer da realidade do momento presente.

Recuperando o equilíbrio, conseguiu se aprumar e enfiou a mão no bolso do casaco, em busca de uma bala ou chiclete.

Conseguiu pescar uma embalagem pré-histórica de dropes de limão, duas folhas amassadas de papel de bloco e o canhoto de uma entrada de cinema (o que o deixou desconcertado, pois ele nem se lembrava de quando tinha ido ao cinema pela última vez). Encontrou também uma tampa de lente que julgava perdida.

Contentou-se com o dropes de limão e ficou observando a ilha.

Já havia se consultado com um xamã no Arizona, visitara um homem que se dizia vampiro, nas montanhas da Hungria, tinha sido amaldiçoado por um "brujo" após um lamentável incidente no México. Morara também, por algum tempo, em companhia de vários fantasmas em uma casa mal-assombrada na Cornualha e documentara os antigos rituais de um paranormal que se comunicava com os mortos, na Romênia.

Durante quase vinte anos, MacAllister Booke estudara, registrara e testemunhara o inacreditável e o impossível. Já entrevistara bruxas, fantasmas, lobisomens e pessoas abduzidas por alienígenas. Também estivera com médiuns famosos. Noventa e oito por cento de tudo o que vira em suas pesquisas era falso, ilusório ou fraudulento. Os outros dois por cento que restavam, no entanto... Bem, esses eram os casos que o faziam seguir em frente.

Não apenas acreditava no extraordinário. Havia feito disso o trabalho da sua vida.

A perspectiva de passar os próximos meses em um pedaço de terra que, segundo a lenda, havia sido arrancado do continente americano, em Massachusetts, por um trio de feiticeiras e levado pelo ar até pousar no mar como um santuário era fascinante para ele.

Pesquisara tudo sobre a Ilha das Três Irmãs, exaustivamente, e tinha escavado cada pedaço de informação que conseguira a respeito de Mia Devlin, a atual bruxa da ilha. Ela não prometera a ele uma entrevista nem acesso a nada que fosse relacionado com o seu trabalho. Mesmo assim, o pesquisador alimentava a esperança de persuadi-la.

Um homem que já conseguira participar de uma cerimônia executada por neodruidas deveria ser capaz de convencer uma bruxa solitária a deixar que ele assistisse à realização de alguns feitiços.

Além do mais, imaginava que eles poderiam fazer uma espécie de troca. Afinal de contas, ele possuía algo que com certeza poderia interessar a ela ou a qualquer pessoa que estivesse ligada à velha maldição sobre a ilha, que já completava mais de trezentos anos.

Levantou a câmera novamente, ajustando o enquadramento para capturar a forma de lança do farol branco e o caminho melancólico que levava até a velha casa de pedra, ambos à beira de altos penhascos. Sabia que Mia Devlin morava ali, bem acima da cidade e junto de uma espessa faixa de floresta.

Também sabia que ela era a dona da livraria local, e a administrava com sucesso. Uma bruxa praticante que, pelo jeito, sabia como viver e vivia bem nos dois mundos.

Ele mal podia esperar para encontrá-la pessoalmente.

O barulho ensurdecedor do apito da barca avisou que estava na hora de atracar. Voltou para dentro do seu Land Rover e colocou a câmera de volta no estojo, que ficara no assento do carona.

A tampa da lente em seu bolso ficou, mais uma vez, esquecida. Aproveitando esses últimos minutos para si mesmo, atualizou algumas notas, e a seguir acrescentou novas informações no diário de viagem.

A viagem de barca foi muito agradável. O dia está claro e frio. Consegui tirar muitas fotos de diferentes pontos, de um ângulo privilegiado, embora vá precisar alugar um barco para a exploração do outro lado da ilha.

Geográfica e topograficamente, não existe nada de especial a respeito da Ilha das Três Irmãs. É uma área de aproximadamente trinta quilômetros quadrados, e seus habitantes permanentes, que basicamente vivem da pesca ou do turismo, não chegam a três mil pessoas. Há uma linda praia de areias brancas, numerosas enseadas minúsculas e outras praias mais ao norte com solo argiloso. É parcialmente composta de florestas e bosques, e a fauna nativa inclui o cervo, o coelho e o guaxinim. Existem ainda aves marinhas em toda a área, bem como corujas, falcões e plácidos pica-paus, nas regiões arborizadas.

Há apenas uma pequena cidade. A maioria dos habitantes mora na área urbana propriamente dita ou em um raio de até um quilômetro a partir dos seus limites, embora existam algumas poucas casas e chalés para locação, mais afastados do centro.

Não existe nada na aparência física da ilha que possa indicar uma fonte de atividades paranormais. Já aprendi, porém, que as aparências não são ferramentas confiáveis.

Estou ansioso para conhecer Mia Devlin e começar as minhas pesquisas.

Ao chegar a esse ponto do relatório, sentiu o pequeno solavanco da barca, que acabara de atracar, mas não levantou a cabeça e continuou escrevendo.

Acabamos de chegar. Ilha das Três Irmãs, 6 de janeiro de 2004.

E olhou para o relógio. 12:03.

As ruas da cidade pareciam ter saído de um livro de histórias, de tão bem-arrumadas, incluindo o único sinal de trânsito. Mac dirigiu pelas redondezas, circulou pela parte central do lugar, e, enquanto dirigia, anunciava em voz alta as suas primeiras impressões para um gravador portátil. Era capaz de encontrar antigas ruínas Maias no meio de uma floresta tropical a partir de um mapa feito às pressas sobre um guardanapo amassado, mas costumava esquecer a localização de pontos mais comuns e urbanos. *Banco, agência dos correios, mercado. Ah, uma pizzaria, bom sinal!*

Encontrou com facilidade um lugar para estacionar a poucos metros da Livros e Quitutes. Gostou da aparência do lugar, de imediato. A vitrine de vidro bem-iluminada, a vista do mar. Pegou a sua pasta, jogou o minigravador lá dentro, só por garantia, e saltou do carro.

Gostou ainda mais do interior da loja. A alegre e crepitante lareira de pedra, o imenso balcão de madeira entalhada, cheio de figuras de luas e estrelas. Século XVII, avaliou; uma peça perfeitamente adequada para um museu. Mia Devlin aparentemente possuía um bom gosto tão apurado quanto o seu talento.

Começou a caminhar na direção do balcão e da pequena mulher com aparência de gnomo que estava sentada em um banco alto atrás dele. Um movimento e uma explosão de cor no canto de seu campo de visão lhe atraiu a atenção. Mia saiu de trás das estantes e sorriu.

— Boa-tarde. Posso ajudá-lo?

Seu primeiro pensamento foi: *Uau!*

— Eu sou ahn... Estou procurando pela Senhorita Devlin. Mia Devlin.

— Pois acabou de encontrá-la. — Ela caminhou em direção a ele, já com a mão estendida. — O senhor é MacAllister Booke?

— Sim. — As mãos dela eram longas e estreitas. Diversos anéis se espalhavam como joias sobre seda branca. Ele ficou com medo de lhe apertar demais.

— Seja bem-vindo à Ilha das Três Irmãs. Por que não sobe comigo? Vou lhe servir uma xícara de café, ou talvez o senhor prefira almoçar. Temos muito orgulho de nossa comida.

— Bem, eu não recusaria um almoço. Ouvi maravilhas sobre a cafeteria.

— Perfeito, então! Espero que sua viagem tenha transcorrido sem nada inesperado.

— Correu tudo bem, obrigado. — *Pelo menos até agora,* pensou, enquanto a seguia pela escada acima. — Gostei imensamente da sua loja.

— Obrigada. Também gosto muito dela. Espero que o senhor aproveite bastante o nosso espaço, durante sua estada na ilha. Esta é minha amiga, e a artista da nossa cafeteria, Nell Todd. Nell, gostaria de lhe apresentar o Dr. Booke.

— Muito prazer em conhecê-lo.

Ela exibiu suas covinhas enquanto se inclinava sobre o balcão para apertar a mão do recém-chegado.

— O Dr. Booke acabou de chegar do continente, e acho que está planejando almoçar. A refeição é por conta da casa, Dr. Booke. Simplesmente diga a Nell o que gostaria de comer.

— Vou querer o sanduíche especial e um *cappuccino* grande, obrigado. É você mesma quem prepara as refeições também?

— Isso mesmo. E recomendo a torta folhada com recheio de maçã.

— Vou experimentar.

— E para você, Mia?

— Apenas uma tigela de sopa e um pouco de chá de jasmim.

— Já está chegando!... Trago seus pedidos já, já.

— Acho que não vou precisar me preocupar com as refeições enquanto estiver aqui — comentou Mac, enquanto pegavam uma das mesas junto da janela.

— Nell também é dona do Bufê das Três Irmãs. E entrega em domicílio.

— É bom saber disso. — Piscou duas vezes, e o rosto de Mia, aquela visão gloriosa, sequer foi ligeiramente ofuscado pela luz intensa que vinha da rua. — Olhe, eu preciso lhe dizer uma coisa, e espero que não a deixe ofendida. Você é a mulher mais linda que já vi em toda a minha vida.

— Obrigada. — Ela se recostou na cadeira. — E saiba que não fiquei nem um pouco ofendida.

— Que bom. Não quero começar as coisas com o pé esquerdo, pois espero que venhamos a trabalhar juntos.

— Mas como eu já lhe expliquei por telefone, Dr. Booke, eu não trabalho com plateia.

— Espero que mude de ideia depois de me conhecer melhor.

Ele possuía um sorriso magnético, ela avaliou. Charmosamente torto, enganosamente inofensivo.

— Isso vamos ver com o tempo. Com relação a seu interesse pela ilha propriamente dita e suas histórias, não vão faltar dados. A maioria das famílias dos habitantes daqui mora na ilha há muitas gerações.

— A família Todd, por exemplo — disse ele, olhando de relance na direção do balcão.

— Nell se casou com um Todd, na verdade há pouco menos de duas semanas. O marido é Zachariah Todd, o nosso xerife. Embora ela seja, digamos, relativamente nova na ilha, a família Todd vive aqui, para falar a verdade, há muitas gerações.

O Dr. Booke sabia quem era Nell. A ex-esposa de Evan Remington. Um homem que exercera um grande poder e uma influência considerável na indústria do cinema. Um homem que, o mundo descobrira, possuía um caráter violento, um homem que também abusava da mulher. E que agora havia sido declarado pela Justiça legalmente insano e estava internado, confinado em uma instituição para doentes mentais.

O xerife Todd havia sido o responsável pela sua prisão, bem aqui na Ilha das Três Irmãs, após o que foi descrito pela imprensa como "uma sucessão de estranhos eventos" que aconteceram na noite do Dia das Bruxas, pouco mais de dois meses antes.

E tudo ocorrera na noite do *Sabbat de Samhain,* antigo festival celta que celebrava a passagem entre as estações.

Era uma das coisas que Mac viera estudar mais a fundo.

No momento em que começou a se estender sobre o assunto, algo na expressão de Mia o aconselhou a aguardar um pouco, antes de continuar.

— Parece delicioso. Obrigado — disse ele a Nell enquanto ela servia a sua refeição.

— Bom apetite! Mia, hoje à noite continua tudo certo? — quis saber Nell.

— Perfeito!

— Então vou chegar lá por volta de sete horas. Pode me chamar, se quiser mais alguma coisa, Dr. Booke.

— Nell acabou de chegar de sua lua de mel — disse Mia com a voz mais baixa, quando se viu novamente sozinha com o visitante. — Não creio que perguntas a respeito de certas passagens da vida dela sejam apropriadas no momento.

— Tudo bem.

— O senhor é sempre tão complacente, Dr. Booke?

— Mac apenas, por favor. Quanto a ser muito complacente, não creio que seja. Apenas não quero deixá-la furiosa logo de cara. — Ele deu uma mordida no sanduíche. — Está uma delícia!... — disse, com a boca meio cheia. — Realmente maravilhoso.

— Está sendo assim tão simpático só para agradar aos nativos, Mac? — perguntou Mia, inclinando-se para frente e brincando com a colher dentro da tigela de sopa.

— Você é mesmo boa nisso, hein? Também possui alguma habilidade psíquica?

— E não possuímos todos, em algum nível? Não foi em um de seus trabalhos que você desenvolveu a ideia do que chamou de "o nosso sexto sentido negligenciado"?

— Você leu o meu trabalho, então?

— Li. O que eu sou, Mac, não é algo de que eu tenha vergonha ou despreze. Também não é algo que eu explore ou permita que seja explorado. Concordei em alugar o chalé para você e conversar com você sempre que tiver vontade apenas por um simples motivo.

— E qual é?

— Você possui uma mente brilhante e, o que é mais importante, bastante flexível. Admiro isso em uma pessoa. Quanto a aprender a confiar nela, aí é algo que só o tempo dirá. — Ela olhou em volta, estendendo o braço. — E aqui vemos chegando alguém com uma mente igualmente brilhante, mas muito inflexível. Delegada Ripley Todd.

Mac levantou o olhar e viu a morena atraente se encostar no balcão com suas longas pernas, debruçar-se nele e começar a bater papo com Nell.

— Ripley, se não me engano, é mais um dos nomes comuns aqui na ilha.

— Sim. É a irmã de Zack. A mãe dela também era uma Ripley, é claro. Os dois irmãos têm laços antigos e fortes, dos dois lados da família, com o passado remoto da Ilha das Três Irmãs... Laços fortes e antigos... — repetiu Mia. — Se está procurando por alguém cético para servir de contraponto para a sua pesquisa, é com Ripley que deve conversar.

Sem conseguir evitar, Mia acabou chamando a atenção da delegada Ripley, atraindo-a para a mesa em que estavam. Normalmente, Ripley simplesmente lançaria um olhar de desprezo e tomaria a direção oposta. Mas uma cara nova na ilha geralmente valia a pena ser investigada.

Um sujeito boa-pinta, pensou ao se aproximar, com um jeito assim, meio de intelectual. E, logo que o pensamento bateu, as suas sobrancelhas franziram. *Intelectual!... Então esse deve ser o doutor em Esquisitologia, o tal amigo da Mia.*

— Doutor MacAllister Booke, gostaria de que conhecesse a delegada Ripley Todd.

— Prazer em conhecê-la. — Ele se levantou e a surpreendeu com o seu tamanho. A maior parte de sua elevada altura, pela avaliação de Ripley, era composta de pernas.

— Eu não sabia que davam diplomas de doutorado pelo estudo de baboseiras.

— Ela não é adorável? — sorriu Mia, como se estivesse orgulhosa. — Eu estava acabando de sugerir a Mac que entrevistasse você para o trabalho dele, caso precisasse da visão de alguém com mente estreita e espírito fechado. Afinal, isso não tomaria muito do tempo dele.

— Ahhnn... — fez Ripley, abrindo a boca. — Deixe-me bocejar por um momento. — Ela enfiou os polegares nos bolsos da calça, examinando o rosto de Mia. — Não creio que eu tenha muito a dizer que possa interessá-lo, doutor. Mia é que é a deusa do "hocus-pocus" por aqui. Se precisar, porém, de alguma informação sobre os fatos práticos da vida do dia a dia em nossa ilha, poderá me encontrar por aí, bem como o xerife Todd.

— Agradeço muito. Na verdade, sou apenas mestre em Baboseirologia. Ainda não apresentei a minha tese de doutorado.

— Engraçadinho!... — fez ela, com os lábios simulando um sorriso. — Aquele Land Rover lá fora é seu?

— Sim. — *Será que eu deixei as chaves na ignição outra vez?*, pensou, já apalpando os bolsos. —Algum problema com ele?

— Não, não. É que se trata de um belo carro! Vou pegar algo para almoçar.

— Ela não é sarcástica e irritante de propósito — explicou Mia quando Ripley se afastou. — Já nasceu assim, a pobrezinha.

— Por mim, tudo bem. — Ele se sentou novamente, continuando a comer. — Eu enfrento muito esse tipo de coisa. — E balançou a cabeça para Mia. — Imagino que você passe por isso, também.

— De vez em quando. Você me parece muito bem-ajustado e incrivelmente afável, não é, Dr. MacAllister Booke?

— Receio que sim. Devo ser até meio chato.

— Não acho. — Mia pegou seu chá e ficou estudando o rosto dele por sobre a borda da xícara. — Não, não acho nem um pouco.

Mac deixou suas coisas no Land Rover e partiu em uma inspeção solitária pelo interior do chalé amarelo. Ele assegurara a Mia que não era necessário que ela o acompanhasse. O fato é que preferia sentir o lugar sem tê-la por perto. Mia possuía uma presença forte, magnética, e poderia levá-lo a se distrair.

A casa era pequena, tinha um charme curioso e estava muitos pontos acima da maioria das acomodações em que ele ficava durante as suas viagens de pesquisa. Tinha consciência de que muitas pessoas o consideravam um homem mais adequado aos recantos sombrios e empoeirados de uma biblioteca. Frequentemente, ele próprio se sentia assim, embora conseguisse ficar igualmente à vontade em uma tenda de campanha no meio da selva, desde que tivesse energia elétrica suficiente para carregar as baterias de seus inúmeros equipamentos.

A sala de estar era pequena, mas acolhedora, com um sofá que parecia ter sido confortavelmente amaciado pelo uso constante e uma pequena lareira já preparada para ser acesa. Resolveu fazer isso de imediato e apalpou os bolsos de forma distraída antes de avistar uma caixa de fósforos sobre o estreito console acima dela.

Sentindo-se grato por uma pequena dádiva como aquela, imediatamente acendeu o fogo e continuou sua turnê pelo chalé. Como falava sozinho com frequência, a casa foi repentinamente invadida por pequenos ecos de sua própria voz.

— Dois quartos. Aquele menor vai servir como um escritório secundário. Acho que vou me instalar, em princípio, na sala de estar mesmo. A cozinha serve bem. Em caso de desespero, eu cozinho alguma coisa. Nell Todd...

Enfiou as mãos nos bolsos novamente e tirou um cartão do Bufê das Três Irmãs, que ele pegara do balcão junto ao caixa da cafeteria. Colocou-o cuidadosamente pregado em uma das fendas do fogão, onde poderia vê-lo com facilidade se tivesse algum súbito desejo de cozinhar.

Olhando pelas janelas, apreciou o denso bosque que ficava atrás da casa e notou a ausência de outras casas próximas. Era muito comum ele trabalhar noite adentro. Ali não haveria nenhum vizinho perto o suficiente para vir reclamar do possível barulho.

Atirou a mochila que trouxera consigo em cima da cama do quarto maior e se sentou na beira para testar as molas.

A imagem de Mia surgiu imediatamente em sua cabeça. *Calma, rapaz. Nada de pensamentos carnais a respeito de uma mulher que pode ter o poder de arrancá-los de sua mente, se desejar, e que além do mais é um dos principais alvos da sua pesquisa.*

Satisfeito com o que conseguira como moradia para os próximos meses, foi para fora, a fim de descarregar o Land Rover.

Na segunda viagem até o carro, parou ao notar que a viatura do xerife estava estacionado em frente à sua porta, e Ripley já começava a se preparar para saltar.

— Delegada Todd!

— Dr. Booke! — Ela estava se sentindo ligeiramente culpada por ter implicado com ele logo no primeiro encontro. Tinha certeza de que não estaria se sentindo assim, se Nell não tivesse chamado a sua atenção a respeito do fato. — Você tem um bocado de coisas!

— Que nada! Isso tudo é apenas uma parte do material. Tem mais chegando amanhã, que eu mandei trazer do continente.

— Ainda tem mais? — quis saber ela, abelhuda por natureza, enquanto olhava para a traseira do Land Rover.

— Sim, muito mais. Toneladas de equipamentos muito sinistros.

— "Sinistros"? — Ela virou a cabeça, rindo intimamente pelo uso daquela palavra.

— Sim, e muito. Sensores, scanners, medidores, câmeras e computadores. Brinquedinhos muito legais.

Ele parecia tão empolgado com a ideia, que ela não teve coragem de franzir as sobrancelhas para ridicularizá-lo.

— Vou dar uma mãozinha a você, ajudar a carregar tudo lá para dentro.

— Não se incomode. Tem coisas muito pesadas aí.

— Pois eu aposto que consigo aguentar! — Dessa vez ela franziu realmente as sobrancelhas e pegou uma caixa imensa no porta-malas.

Tenho certeza que sim!, pensou ele, enquanto seguia em frente, guiando-a para dentro de casa.

— Obrigado, delegada. Você malha em alguma academia ou faz levantamento de peso? Quanto consegue levantar?

— Em geral faço sete séries de doze levantamentos, com pesos de quarenta quilos. — Ela levantou a sobrancelha, analisando-o. Não dava para ter uma ideia da definição dos músculos do corpo dele devido ao casaco comprido e ao suéter grosso que usava por baixo. — E você, consegue levantar quanto?

— Ahn... mais ou menos a mesma coisa... Quer dizer, considerando a relação entre o peso do meu corpo e o seu. — Ele saiu da casa novamente, deixando que ela o seguisse. Ripley tentou ter uma noção da largura dos seus ombros... e do formato do seu traseiro.

— E o que é que você faz com todos esses equipamentos... "sinistros"? — perguntou ela.

— Estudo, faço medições, observo, gravo, documento fatos. Tudo que se relacione com o oculto, o paranormal, o misterioso. Você sabe, tudo o que seja diferente do normal.

— Sei... Uma exibição de aberrações.

— Bem, tem gente que acha isso. — Ele simplesmente sorriu. Não apenas com a boca, ela notou, mas com os olhos também.

Juntos, continuaram a carregar o resto das caixas e sacolas para dentro.

— Vai levar uma semana para desempacotar tudo — comentou ela.

— Na verdade, eu não tinha planejado trazer tanta coisa. — Ele coçou a cabeça, olhando para os volumes à sua volta. — O problema é que você nunca sabe do que pode precisar de repente. Uma vez, eu estava no meio da selva, em Bornéu, e me deu vontade de chutar a própria bunda por ter esquecido de levar o detector de energia residual... É como um sensor de movimento, só que um pouco diferente. Enfim, não dá para encontrar um aparelho desses nos sertões de Bornéu.

— Imagino que não.

— Venha, vou lhe mostrar. — Tirou o casaco com movimentos ágeis, atirou-o descuidadamente em um canto qualquer e se inclinou para a frente, para remexer em uma das caixas.

Ora ora!..., pensou Ripley. O Doutor Esquisito possuía um excelente traseiro.

— Veja só, é este aqui — Mostrou um dos aparelhos a ela. — Dá para carregar em uma só mão. É totalmente portátil. Eu mesmo o projetei.

Ela olhou, e o que viu lhe pareceu um pequeno contador Geiger, embora ela jamais tivesse visto um contador Geiger de perto.

— Esta maquininha detecta e mede as forças energéticas positivas e negativas — explicou ele. — Para esclarecer melhor, ela reage a partículas carregadas que estão no ar, ou em um objeto sólido, ou até mesmo na água. Só que este aqui não é à prova d'água. Estou preparando um que vai ser submergível. Por enquanto, este serve. Posso conectá-lo no computador para gerar uma representação gráfica do tamanho e da densidade da força a ser analisada, e outros dados pertinentes.

— Ahn-ahn... — Ela levantou a cabeça e deu uma olhada rápida para o rosto dele. Ele parecia completamente absorvido, compenetrado, levando tudo aquilo tão a sério, pensou, e ao mesmo tempo completamente empolgado com a pequena engenhoca. — Você é totalmente viciado nesses aparelhinhos eletrônicos, não é?

— Sou mesmo, bastante viciado. — Ele virou a pequena unidade de cabeça para baixo, ainda segurando-a na mão, para verificar o estado das pilhas. — Sempre tive um grande interesse por coisas paranormais e pequenos aparelhos eletrônicos. Consegui encontrar um meio de me realizar pelos dois lados.

— Bem, se isso o deixa tão animado... — Ela observava as caixas e mais caixas de equipamentos ainda embalados. Era como se uma loja de informática estivesse explodido ali dentro. — E todo esse ferro-velho "high-tech", eu aposto que custou muita grana, não?

— Hmm... — ele não estava dando atenção a nada do que ela estava dizendo. As agulhas do sensor que ele ligara para testar estavam começando a dar sinais de vida, fazendo uma leitura ainda fraca, mas bem definida.

— Você consegue algum tipo de subsídio de institutos nessa área, ou bolsas para as pesquisas?

— Humm... é, talvez consiga, mas na verdade nunca procurei, porque jamais precisei. Sabe, sou um viciado em engenhocas, mas também sou muito rico.

— Sério?... Não deixe Mia saber desse detalhe, senão ela vai aumentar o valor do aluguel na mesma hora. — Curiosa, ela continuava a circular em torno das caixas. Ripley, que sempre gostara muito do pequeno chalé, ainda estava um pouco aborrecida por não ser ela quem estava de mudança para lá, naquele momento. Além do mais, toda aquela parafernália e o próprio MacAllister Booke não estavam fazendo muito sentido para ela.

De repente, sem conseguir resistir, ela falou:

— Escute, normalmente sei muito bem cuidar da minha própria vida e não tenho o mínimo interesse no trabalho que você realiza, mas não posso deixar de dizer que tudo isso não parece se encaixar. Veja só, você é um professor de assuntos esquisitos; é um sujeito muito rico, mas viciado em estranhos brinquedos eletrônicos; vem para uma ilha e fica em um minúsculo chalé amarelo. O que está buscando de fato?

— Respostas. — Dessa vez ele não sorriu. Seu rosto assumiu uma expressão calma, mas era como se tivesse intenções misteriosas.

— Que respostas?

— Todas as que eu conseguir encontrar. E você tem olhos lindos.

— O quê?

— Estava reparando. São totalmente verdes. Nem um pouco acinzentados, nem ligeiramente azuis. Apenas intensamente verdes. E muito bonitos.

— Isto é uma cantada, Doutor Esquisito? — perguntou ela, inclinando a cabeça um pouco para o lado.

— Não! — Ele quase corou. — É que eu simplesmente reparei, só isso. Muitas vezes, eu nem noto que estou falando em voz alta tudo o que passa pela minha cabeça. Acho que isso acontece porque passo muito tempo sozinho e acabo pensando em voz alta.

— Certo. Tudo bem, então. É melhor eu ir andando.

— Agradeço muito pela sua ajuda. — Ele enfiou o aparelhinho no bolso, esquecendo-se de desligá-lo. — Não fique ofendida comigo, está bem?

— Está bem. — Ela ofereceu a mão para se despedirem.

No instante em que seus dedos se tocaram, o sensor dentro do bolso dele disparou, começando a emitir um bip ensurdecedor.

— Uau! Espere, espere, segure minha mão com firmeza!

Ela tentou puxar a mão, livrando-a do cumprimento, mas ele a agarrou com dedos surpreendentemente poderosos. Com a outra mão livre, pegou o sensor no fundo do bolso.

— Olhe só para isto! — A empolgação sobressaía involuntariamente em sua voz, tornando-a mais grave. — Jamais vi uma medição assim tão forte. A agulha está quase pulando para fora da escala!

Ele começou a murmurar números repetidamente, como se estivesse tentando memorizá-los, enquanto a rebocava por toda a sala, ainda segurando a sua mão.

— Espere aí, meu chapa! O que é que você pensa que está...

— Preciso anotar esses números. Quanto tempo já tem? Duzentos e vinte e três pontos em apenas dezesseis segundos! — Fascinado, ele passava o aparelhinho por sobre as duas mãos ainda unidas. — Jesus Cristo! Olhe só o pulo que a agulha deu! Isto não é fantástico?

— Largue a minha mão agora mesmo, ou vou derrubar você no chão!

— Ahn? — Ele olhou de volta para ela, e piscou forte uma vez, como que para se orientar. Os olhos que ele admirara ainda havia pouco pareciam agora duros como pedra. — Puxa, desculpe!

Ele soltou a mão dela imediatamente. O bipe do sensor começou a diminuir o ritmo e abaixar o volume lentamente.

— Desculpe! — repetiu. — Fico completamente transtornado, especialmente quando me vejo diante de um fenômeno novo. Por favor, espere apenas um minuto enquanto eu gravo isto para depois conectar o sensor no computador.

— Olhe, não tenho tempo para perder enquanto você fica se divertindo com seus brinquedinhos. — Ela lançou um olhar furioso para o sensor. — Acho que o que você precisa é fazer uma revisão nesse equipamento.

— Acho que não. — Ele estendeu o braço que usara para cumprimentá-la. — Veja só, a minha mão ainda está vibrando. Como está a sua?

— Não sei do que você está falando.

— Dez minutos — pediu ele. — Por favor, me dê apenas dez minutos do seu tempo para eu ligar alguns equipamentos básicos, e vamos tentar mais uma vez. Quero testar os seus sinais vitais. A temperatura do seu corpo, a temperatura ambiente...

— Nem pensar! Não deixo estranhos testarem meus sinais vitais antes que eles pelo menos me paguem um jantar. — Ela fez um gesto para o lado com o polegar. — Você está no meu caminho.

— Eu pago um jantar para você! — Ele saiu para o lado.

— Não, obrigada. — Ripley seguiu em direção à porta sem olhar para trás. — Você não faz o meu tipo.

Em vez de perder tempo se sentindo chateado quando ela bateu a porta ao sair, Mac saiu procurando freneticamente pelo seu gravador e começou a falar em voz alta para relatar a experiência e os dados obtidos.

— O nome dela é Ripley Todd — começou. — Delegada Ripley Todd. Está próxima dos 30 anos, pela aparência. É uma mulher áspera, desconfiada e quase rude, mas de uma forma casual. O incidente aconteceu durante um contato físico. Um aperto de mão. Minhas reações físicas foram um formigamento e uma sensação de aquecimento da pele, a partir do ponto de contato, subindo pelo braço direito até atingir a região do ombro. Senti também uma aceleração na pulsação, e o coração disparou. Tudo isso foi acompanhado por uma sensação temporária de grande euforia. As reações físicas da delegada Todd não puderam ser verificadas. Minha impressão, entretanto, é a de que ela experimentou as mesmas reações ou algo similar, o que resultou em um acesso de raiva e uma atitude de negação.

Sentando-se no sofá, fez mais algumas considerações mentais, antes de continuar.

— A partir das hipóteses formuladas, que tiveram como base as pesquisas anteriores, a observação do fenômeno recém-vivenciado e mais os dados que foram gravados, tudo me leva à ideia de que Ripley Todd é uma das descendentes diretas das três irmãs originais.

Desligando o gravador e apertando os lábios, Mac completou falando consigo mesmo:

— Acrescentaria que essa possibilidade a deixa definitivamente furiosa.

Mac levou todo o resto da tarde e depois a noite inteira para conseguir desencaixotar todo o equipamento, instalar e conectar todos os aparelhos. No momento em que se colocou de pé novamente e olhou em volta, a sala parecia um laboratório de ciências tecnológicas avançadas, e estava cheia de monitores, teclados, câmeras e sensores espalhados, tudo instalado de forma organizada e precisa, conforme as suas preferências.

Havia sobrado pouco espaço para locomoção, mas de qualquer modo ele não estava planejando receber visitas.

Arrastou a pouca mobília que restara, colocou-a em um canto da sala e começou a testar cada peça do equipamento. Quando finalmente acabou de preparar tudo, o fogo na lareira já estava apagado há muito tempo, e ele reparou que estava morrendo de fome.

Lembrando-se da pizzaria, pegou o casaco e rumou para a rua.

Foi recebido, ao abrir a porta, por uma escuridão completa e quase assustadora. Havia um fiapo de lua no céu, com o formato de uma unha e cercado por um enxame de estrelas. A cidade, que de acordo com seus cálculos ficava a mais ou menos um quilômetro dali, na direção sul, era apenas um conjunto vago de silhuetas ao longe, escurecidas pela penumbra e pontilhadas por lindas fileiras das fracas lâmpadas de iluminação pública.

Espantado, olhou para o relógio de pulso e se xingou. Já passava das onze horas da noite, em uma cidade espremida na ponta de uma ilha pequena.

Pelo jeito, não conseguiria comer pizza.

Seu estômago, agora completamente desperto, protestava terrivelmente. Ele já ficara com fome outras vezes, frequentemente por culpa da própria distração. Sua barriga, porém, não era obrigada a gostar disso.

Sem alimentar muitas esperanças, voltou para dentro da casa e foi procurar, na cozinha, por alguns restos que pudessem ter sobrado. Talvez ele tivesse algum saco velho de biscoitos, um pedaço de chocolate ou algum doce dentro da mala. Quando abriu o freezer de modo distraído, porém, se sentiu como se tivesse acabado de ganhar na loteria. Encontrou uma embalagem que tinha um rótulo onde se liam as palavras "Sopa de Mariscos" e um bilhete: "Com os cumprimentos do Bufê das Três Irmãs". Havia ainda instruções para esquentar o prato.

— Acabo de me apaixonar por Nell Todd. Serei seu escravo! — Delirantemente satisfeito, programou o forno de micro-ondas para o tempo e a temperatura aconselhados na embalagem. Os primeiros filetes de um aroma delicioso que começaram a se espalhar quase o fizeram chorar.

Comeu todo o conteúdo da embalagem, com voracidade, de pé.

Com a fome saciada, refrescado e revigorado, decidiu dar uma volta pela praia, para fazer a digestão.

Dois minutos depois já estava de volta, tentando desencavar uma lanterna de alguma das malas.

Mac sempre gostara muito do barulho do mar, especialmente à noite, quando ele parecia preencher o mundo. O vento frio parecia abraçá-lo, e a escuridão era como um veludo denso e suave.

Enquanto caminhava, começou a fazer anotações mentais sobre todas as tarefas, obrigações e serviços que deveria realizar no dia seguinte. Mesmo sabendo que a maior parte dos seus planos não seria seguida, ou provavelmente nenhum deles, isso não o impedia de fazê-los.

Para começar, precisava fazer algumas compras. Comida, objetos de uso pessoal e suprimentos. Teria que realizar uma transferência de dinheiro para o banco local. Precisaria também de uma linha telefônica. Era necessário ainda alugar uma caixa postal. Queria fazer também um pouco mais de pesquisas sobre os ancestrais da família Todd, bem como levantar toda a história pessoal de Ripley.

Ficou se perguntando quantas informações poderia tentar arrancar de Mia. Havia, evidentemente, uma tensão bem clara entre as duas. Ficou muito interessado em descobrir o que havia provocado isso.

Precisava gastar um pouco mais de tempo com ambas, embora nenhuma delas parecesse estar disposta a receber pressões.

Um arrepio repentino na nuca o fez parar e virar para trás, lentamente.

Ela brilhava. Uma suave aura de luz circundava a silhueta de seu corpo, todo o seu rosto e as pontas compridas de seu cabelo encaracolado. Seus olhos eram tão verdes e brilhantes como os de uma gata, contrastando com a escuridão. E ela estava olhando para ele, completamente estática, pacientemente.

— Ripley! — Ele não era de se assustar com facilidade, mas ela conseguira fazer isso. — Não percebi que havia mais alguém aqui fora comigo.

E começou a caminhar em sua direção. Uma lufada forte passou por ele, como se estivesse atravessando o seu corpo. A areia pareceu se mover embaixo dos seus pés. Notou uma lágrima singela, brilhante como um diamante, que escorria lentamente pela sua face. E em seguida, inesperadamente, ela desapareceu como se fosse fumaça.

Capítulo Três

A Ilha das Três Irmãs estava tão calma, branca e serena, tão perfeita, pensou Ripley, quanto um daqueles lindos globos de vidro que pareciam ter neve dentro, como os da loja "Tesouros da Ilha". A nevasca que caíra durante a noite cobrira toda a praia, os gramados, as ruas. Árvores que pareciam vestidas com casacos de arminho permaneciam eretas e altivas como nas pinturas, e o ar tinha a quietude do interior de uma igreja.

Ela detestava ver uma paisagem como aquela ser manchada.

Naquele mesmo instante, Zack já estava telefonando para Dick Stubens para lhe pedir que começasse o trabalho com a máquina de limpar neve. Em pouco tempo, o mundo começaria a se movimentar de novo. Por ora, no entanto, estava ainda silencioso e calmo, como ela gostava. Era irresistível.

Uma grande quantidade de neve como aquela era uma das únicas coisas que a impediam de dar a sua corrida matinal diária na praia. Jogando a sacola de ginástica por cima dos ombros, ela inspirou profundamente uma última vez, para sentir o aroma delicioso de algo que sua cunhada preparava, e saiu de casa de fininho, sem fazer barulho.

Durante toda a caminhada até o hotel e seu bem equipado salão de ginástica, a ilha pertencia apenas a ela.

Fumaça saía pelas chaminés das casas. Pequenas lâmpadas luziam no interior das janelas das cozinhas. Mingaus de aveia estavam sendo preparados, imaginou, e pedaços de bacon estalavam nas frigideiras. E, dentro daquelas casinhas quentes e protegidas, crianças estavam pulando de alegria. Não haveria aula por causa do tempo. Aquele dia estava destinado às guerras de neve e à construção de trincheiras e fortes nevados; aquele dia parecia ter nascido apenas para as crianças deslizarem em trenós e tomarem canecas de chocolate fumegante, sentadas à mesa da cozinha.

Sua vida já tinha sido assim tão maravilhosa e simples, um dia.

Caminhando com dificuldade em direção ao centro da aldeia, Ripley ia deixando uma trilha profunda na neve. O céu exibia um tom suave e pálido, meio esbranquiçado, como se estivesse à espera, considerando a ideia de deixar cair de sua peneira alguns centímetros a mais de neve, só para completar a obra. De qualquer forma, pensou, ela iria passar uma hora se exercitando no ginásio e depois voltaria direto para casa a fim de ajudar Zack a liberar a saída da garagem com a pá, para deixar a passagem livre para a viatura e o pequeno automóvel de Nell.

Ao chegar à aldeia, olhou para o chão e franziu as sobrancelhas. A neve não estava imaculada e intocada ali, como ela esperara... Como ela desejava que estivesse. Alguém mais já estivera circulando pelo local antes dela. E, o que era pior, deixara uma trilha estreita escavada na neve.

Aquilo a deixou irritada. Era uma tradição, quase um ritual, o fato de que era ela a primeira pessoa a revolver com seus passos a intocada superfície da neve naquela parte da ilha. Agora, alguém acabara de subverter essa rotina e conseguira estragar a sua alegria.

Chutando a neve com raiva, continuou caminhando.

O caminho do invasor da sua neve vinha da entrada do velho hotel de pedra em estilo gótico, a Pousada Mágica.

Aquela trilha deveria ter sido feita por algum hóspede madrugador que viera do continente e resolvera deixar o calor do seu quarto de hotel para apreciar uma genuína cidade pequena da Nova Inglaterra submersa pela neve. Ela não podia acusar tal hóspede de ter mau gosto, admitiu, só que ele bem que poderia ter esperado mais uma hora antes de sair. Subindo o pequeno lance de escadas, com degraus feitos de pedra, e batendo os pés com força nos degraus para liberar as botas das camadas de neve que acumulara, finalmente entrou no saguão.

Acenou amigavelmente para o atendente do balcão, apertou a sacola de ginástica mais para perto do corpo e subiu correndo os degraus do salão, até o segundo andar. Ripley tinha um arranjo de longa data com o hotel para usar o clube de ginástica destinado aos hóspedes, sob o esquema de "pague o tempo que usar". Normalmente preferia fazer a sua malhação por conta própria e, durante os meses de verão, usava o mar como piscina. Assim, matricular-se como usuária regular do clube não valia a pena, no seu caso.

Virando para o lado esquerdo, seguiu na direção do vestiário feminino. Pelo que podia lembrar, apenas um punhado de clientes estava hospedado no hotel, naquela semana. Era quase certo que ela ficaria com o ginásio e a piscina exclusivamente para ela.

Depois de colocar o casaco, o cachecol e as luvas dentro do armário que o hotel mantinha exclusivamente para o seu uso, Ripley começou a se despir, até ficar apenas com seu corpete de lycra preta, próprio para ginástica, e uma calça legging preta de ciclismo. A seguir, enfiou as meias e calçou os tênis macios.

Seu humor melhorou diante da perspectiva de um bom suadouro com os aparelhos para aumentar a resistência muscular, além dos revigorantes pesos. Uma vez que desprezava os exercícios de corrida na esteira, pretendia guardar a porção aeróbica da sua sessão de ginástica para a piscina.

Circulou em volta do vestiário, indo em direção à porta que levava ao ginásio. Ouviu um barulho de metal batendo em metal, antes mesmo de ver alguém. Sua animação esmoreceu ligeiramente. A TV estava ligada, sintonizada em um daqueles programas matinais de informação, cheios de papo-furado e sorrisos.

Normalmente ela preferia ouvir música em volume bem alto quando malhava.

A olhada rápida que deu, porém, na direção do banco onde ficavam os pesos, transformou seu ligeiro aborrecimento em curiosidade. Não dava para ver muito do sujeito que estava se exercitando, mas o que conseguia ver era da melhor qualidade.

Pernas compridas, bem-tonificadas por exercício constante, músculos bem-definidos e uma pele que já estava começando a brilhar por causa do suor. Os braços eram compridos também, com bíceps bem-cultivados que ondulavam com o movimento de levantar e abaixar os pesos. Ela aprovou os seus tênis também, de uma marca de qualidade mas em estilo básico, e longe de serem novos.

O hóspede estava levantando mais de sessenta quilos, em séries compassadas e firmes. A manhã parecia estar ficando cada vez melhor.

Definitivamente, não era um daqueles homens que malhavam apenas ocasionalmente e, se o resto dele fazia jus aos braços e pernas, ele era *quente.*

Bem, pensou, já que ia ser obrigada a dividir o equipamento com algum estranho, era bom que pelo menos ele fosse um malhador com o corpo bem-definido, quente, *sexy* e suado.

É assim mesmo que eu gosto dos homens, pensou com certo deleite. Ripley andava sentindo falta de homens — ou pelo menos sentia falta de sexo. Resolveu dar uma olhada cuidadosa naquele Mister América para ver se o produto era tão bom quanto parecia.

Agarrou uma toalha, prendeu-a em volta do pescoço e seguiu para a porta.

— Está precisando de companhia? — começou ela, toda sorridente, e quase se engasgou ao dar de cara com Mac.

Ele deu um gemido forte e abaixou a barra com os pesos, colocando-a, com cuidado, no suporte.

— Oi, tudo bem com você? Nevou um bocado esta noite, hein?

— É... nevou um bocado. — Desgostosa, virou-se para o outro lado e começou a fazer uns alongamentos, à guisa de aquecimento. Dava para acreditar? Justamente quando ela estava começando a se empolgar com o sujeito, o Mister América não era outro senão o Doutor Esquisito.

— Muito legal este clube — comentou ele, rosnando um pouco com a força que fazia enquanto recomeçava a levantar a barra com os pesos. — Foi uma surpresa que estivesse tão vazio.

— É que o hotel não tem muito movimento nesta época do ano. — Ela se dignou então a olhar para ele. Mac não tinha feito a barba, e aquela sombra dos pelos nos dois lados da face transformava o rosto atraente do intelectual de biblioteca em algo mais provocante. Mais *sexy*.

Droga, ele *era* quente.

— Você conseguiu se matricular no clube, mesmo sem ser hóspede? — perguntou ela.

— Consegui. Droga... perdi a contagem. Tudo bem. — Recolocando a barra no suporte, ele se levantou com um movimento rápido. — Costuma vir sempre aqui para malhar?

— Não. Tenho uma aparelhagem de ginástica em casa. Pesos, aparelhos para flexão e alongamento. Só que, quando não consigo dar a minha corrida matinal ao ar livre, gosto de vir até aqui para usar o equipamento do hotel e a piscina. Você está assistindo a esse lixo na TV?

— Não exatamente... — Ele ajustou o peso e a pressão em outro dos aparelhos, lançando um rápido olhar para o aparelho de televisão.

Considerando essa resposta como um "não", ela foi até a TV e a desligou, enquanto ele se dedicava a exercitar as pernas. A seguir, Ripley ligou o som e colocou uma música para tocar bem alto, a fim de desencorajar qualquer possibilidade de conversa.

Sem se importar, Mac continuou com a sua rotina, enquanto Ripley continuava com a dela. Ele a observava atentamente, a maior parte do tempo com o canto do olho. Jamais lançava olhares insinuantes para mulheres em academias. Não considerava isso uma atitude educada. Mas ele era humano, afinal. Ali havia apenas os dois, e ela possuía um corpo belíssimo e firme. Ficar com vergonha não era a melhor atitude, no momento.

Lembrou-se da visão que tivera na praia, duas noites antes, e daquele instante fugaz em que pensou que fosse realmente Ripley que estivesse parada ali. Evidentemente que não fora. Conseguira compreender isso quase de imediato. Os olhos eram *quase* os mesmos. A cor era igual, com aquele mesmo tom de verde intenso e puro. Mas a mulher, ou a visão, ou o que quer que tivesse estado na praia naquele momento, não possuía aquele corpo bem-definido, disciplinado. E os cabelos da mulher da praia, ainda que escuros e compridos, eram totalmente encaracolados, enquanto os cabelos de Ripley eram lisos e escorridos.

O rosto, embora tivesse grandes semelhanças com o da mulher que estava a seu lado, era um pouco mais suave, mais triste e com um formato mais arredondado.

Além de tudo isso, ele não achava que Ripley Todd ficaria de pé, sozinha, em uma praia deserta e escura, chorando muito, para de repente desaparecer no ar.

O que ele viu foi a imagem de uma das irmãs, tinha absoluta certeza agora. E, pelas pesquisas que andara realizando, apostava que era aquela que se chamava Terra.

Mesmo assim, a delegada Todd era parte importante de tudo aquilo. Ele tinha certeza absoluta disso, também.

O problema é que não estava bem certo de como conseguiria superar aquela atitude rígida e trabalhar sobre ela ou, melhor dizendo, trabalhar *com* ela. E já que era exatamente isso que planejava fazer, não poderia ser coincidência eles terem se encontrado ali e estarem levantando pesos ao mesmo tempo e no mesmo local.

Ripley passou para os aparelhos de braço, e ele a acompanhou.

Apesar da música alta, estavam próximos um do outro o bastante para que ele conseguisse falar sem precisar gritar e sem se sentir um idiota.

— Que tal é a comida do restaurante aqui do hotel?

— Na verdade aqui há dois restaurantes. A comida é boa. O mais sofisticado também é, claro, o mais caro.

— Você está a fim de um café da manhã depois que sairmos daqui? Eu pago.

— Não, obrigada, preciso voltar logo para casa — respondeu ela, olhando para ele de lado.

Mac notou que ela olhava para os seus pesos. Ele estava puxando blocos de dez quilos com os braços. Ela estava usando os de cinco. Mas, entre o ritmo da música e os movimentos com a imagem multiplicada pelos espelhos, os dois estavam trabalhando em completa coordenação.

— Acabei de instalar todo o meu equipamento — comentou Mac, com um tom casual, enquanto os dois trocavam de posição ao mesmo tempo. — Você precisa aparecer por lá para dar uma olhada.

— E por que motivo eu faria isso?

— Por curiosidade, pelo menos. Se você, por acaso, está se sentindo desconfortável por causa do que aconteceu da última vez, prometo que não vou nem tocar em você.

— Não fiquei desconfortável com coisa alguma.

Havia um tom de aspereza em sua voz que era o suficiente para mostrar a ele quando era chegado o momento de recuar. Algumas mulheres tinham orgulho de sua aparência; outras, de sua inteligência. Ripley, aparentemente, tinha orgulho de seus princípios.

— Não culpo você por se sentir relutante de voltar lá ou mesmo de conversar comigo depois do que aconteceu. — Seu sorriso estava de volta, relaxado e sereno, quase chegando aos limites do encabulado. — Tenho uma tendência terrível para esquecer que as pessoas leigas não estão acostumadas com fenômenos paranormais. Podem ser realmente assustadores.

— Você acha que eu estou com *medo*? — perguntou ela, rangendo os dentes, mas continuando com a sua série de exercícios. — Você não me assusta, Booke, muito menos os seus brinquedos idiotas.

— Fico feliz em ouvir isso! — Com a voz animada e jovial, o rosto descontraído e sorridente, ele terminou a sua série e seguiu para o aparelho tonificador de bíceps. — Fiquei um pouco preocupado naquele dia, pela maneira como você fugiu correndo.

— Eu não fugi correndo! — disparou ela, começando a trabalhar os tríceps. — Simplesmente fui embora.

— Que seja.

— Tinha muito trabalho a fazer.

— Tudo bem.

Ripley aspirou o ar, respirando com raiva, e imaginou o que aconteceria com aquele sorrisinho idiota dele se ela lhe arrebentasse a cara com um daqueles halteres.

— Você pode ser o riquinho desocupado, meu chapa, mas eu preciso trabalhar para ganhar a vida.

— Sem dúvida. E já que não está preocupada com a descarga de energia que aconteceu, gostaria muito de que você voltasse à minha casa. Agora que eu já estou com tudo pronto e preparado, isso poderia ajudar a recriar o evento, ou pelo menos ver se o fenômeno pode ser repetido.

— Não estou interessada.

— Posso pagar a você pelo tempo que gastar comigo.

— Não preciso do seu dinheiro.

— O fato de ser meu não o torna menos útil. Pense nisso. — Resolveu encurtar a sua série, para dar oportunidade a ela de fazer o mesmo. — A propósito... — acrescentou enquanto recolocava os pesos no lugar. — Você tem uma musculatura abdominal notável.

Ela meramente puxou os lábios para trás o suficiente para mostrar-lhe os dentes, e deu um pulo para o lado, encerrando assim os exercícios.

Imagine só, pensou ela, enquanto acabava de colocar os pesos no lugar. Um idiota como aquele acusando-a de ser medrosa. Se não fosse quase risível, seria insultante. E, ainda por cima, achar que poderia depois comprar o tempo dela para fazer suas experiências ridículas, ou estudar aquelas coisas esquisitas, não importa o nome que desse ao seu trabalho.

Era uma pena, um desperdício total que ele fosse o mais bonito e certamente também o homem com o corpo mais bem-definido que ela havia visto em muitos meses. Se não fosse um sujeito tão irritante, eles até mesmo poderiam aproveitar para fazer outros exercícios juntos, ainda que de natureza completamente diferente.

Em vez disso, ela ia ter que fazer todos os esforços para evitá-lo, sempre que possível. Não ia ser fácil, mas ela transformaria isso em seu projeto de inverno.

Com a musculatura confortavelmente fatigada, ela voltou ao vestiário, tomou uma chuveirada rápida, vestiu a roupa de banho e foi se encaminhando para a área da piscina.

Compreendeu, de imediato, o que já deveria ter imaginado. Ele já estava na piscina, atravessando-a de um lado para o outro com braçadas lentas, quase displicentes. Ficou surpresa ao ver que o seu bronzeado era uniforme e lhe cobria cada centímetro do corpo, ou pelo menos a parte que ela podia ver. A sunga que usava não escondia muita coisa.

Ripley não estava disposta a desistir da sua rotina de natação, mesmo que o preço disso fosse o de dividir a piscina com ele. Atirando a sua toalha limpa para o lado, mergulhou.

Ao voltar à superfície, ele estava a um braço dela, espalhando água com as mãos, casualmente.

— Tive uma ideia, delegada.

— Aposto que você sempre tem um monte de ideias. — Ela mergulhou a parte de trás da cabeça para afastar os cabelos do rosto. — Olhe, doutor, estou aqui apenas para dar as minhas braçadas e depois ir embora. A piscina é muito grande. Você pode ficar do lado de lá, e eu fico do lado de cá.

— Então, em vez de chamar de ideia, poderíamos dizer que é uma proposta.

— Booke, você está começando realmente a me encher a paciência.

— Ora, mas eu não pretendia lhe propor nada que...

Dessa vez ele realmente ficou ruborizado, uma combinação perfeita com a viril barba ainda por fazer. A pequena fisgada de luxúria que Ripley sentiu no estômago deixou-a desarmada.

— Puxa, delegada, eu não quis insinuar que...

Ele respirou profundamente duas vezes, para não começar a gaguejar.

— Eu ia apenas propor uma disputa.

Ele sabia que tinha finalmente conseguido fisgar o seu espírito de competição, pelo jeito como os olhos de Ripley brilharam por um instante, pouco antes de ela virar o corpo dentro d'água para o outro lado e começar a nadar para a borda da piscina.

— Não estou interessada.

— Eu lhe dou um quarto da piscina de vantagem.

— É... sem dúvida você vai conseguir me torrar a paciência.

— Um quarto do comprimento da piscina. Você sai na frente — insistiu ele, com a determinação de um cão que não pretende largar o osso. — Se você ganhar, prometo não importuná-la nunca mais. Se eu ganhar, terei direito a uma hora do seu tempo. Uma hora apenas, durante os três meses em que eu vou ficar aqui. É uma probabilidade extremamente favorável para o seu lado.

Ela começou a ignorá-lo. Queria se livrar dele ali, naquela hora. Ele não poderia importuná-la se ela resolvesse não permitir que ele a importunasse. Havia apenas um pequeno problema. Ela jamais conseguia resistir a um bom desafio.

— Vamos fazer o seguinte — propôs a ele. — Quatro vezes o comprimento da piscina, mas saindo juntos, cabeça com cabeça. — Pegou os óculos de natação, colocou-os por cima da cabeça e os ajustou sobre os olhos. — Como eu vou ganhar, você vai se comprometer a manter distância de mim, não vai sequer mencionar os seus projetos, ou sei lá o nome que você dá ao seu trabalho, e principalmente não vai tentar se aproximar de mim em nenhum nível pessoal.

— Puxa, esse final me magoou, delegada, mas eu concordo. E, se conseguir vencê-la, você vem até o chalé para me ajudar a realizar alguns testes. Uma hora de trabalho, com total cooperação.

— Combinado. — E, quando ele estendeu a mão para selar o trato, ela simplesmente olhou para ele, calmamente: — Esqueça!

Esperou ficar junto dele na borda da piscina e começou a se preparar com inspirações lentas e profundas.

— Estilo livre? — perguntou a ele.

— Certo. No três?...

— Um, dois... — concordou ela, já contando.

E largaram juntos no três, cortando a água com agilidade. Ela não tinha a menor intenção de perder; sequer considerava essa possibilidade. Afinal, ela nadava praticamente todos os dias da sua vida, desde pequena, e era a melhor da família.

Ripley reparou que ele estava realmente em forma, enquanto seguiam em braçadas compassadas, já quase completando a primeira travessia. Ele não estava indo mal, mas ela estava indo muito melhor.

Os dois atingiram a borda oposta e deram a volta para iniciar a segunda travessia.

Ela era maravilhosa de se olhar, e ele tinha a esperança de conseguir ver mais do que estava conseguindo ali. De preferência, sob circunstâncias menos intensas. Ela não tinha apenas força, notou. Possuía a fluidez e a graça disciplinada de uma verdadeira atleta.

Ele jamais se iludira quanto às suas possibilidades de ser classificado como um atleta completo. Mas, se havia uma coisa que Mac tinha habilidade para fazer bem, era nadar. Tinha que admitir para si mesmo, porém, que não imaginara que eles iriam estar tão próximos assim um do outro em velocidade e desempenho naquela disputa. Ele tinha uma braçada mais comprida e era quase vinte centímetros mais alto do que ela, mas a mulher a seu lado tinha uma garra e um impulso poderosíssimos.

Ele tentou acelerar o ritmo, para testá-la, na terceira travessia. Ela o alcançou. Ele se sentiu desafiado, mas também viu que estava se divertindo com aquilo. Ela estava brincando com ele. Mac colocou ainda mais velocidade, começando a admitir que tinha sido muito bom ela lhe ter atirado na cara a vantagem que ele propusera.

O filho da mãe parecia uma enguia, Ripley estava pensando, por sua vez. Quando partiram para a travessia final, ainda completamente emparelhados, ela compreendeu que tinha julgado terrivelmente mal as habilidades de nadador dele. Procurando se focar e se recompor, ela se lançou com força redobrada e o ultrapassou em quase um quarto de corpo, sentindo a adrenalina ser bombeada em seu sangue para a arrancada final.

Foi, porém, atingida por uma onda de choque, espanto e admiração quando ele de repente passou como um míssil a seu lado e atingiu a borda da piscina com duas braçadas antes dela.

Com o peito quase explodindo, ela voltou à superfície e puxou os óculos para trás, ainda sem acreditar. Ninguém, nem mesmo Zack, conseguia vencê-la na corrida de quatro travessias. Era desmoralizante.

— Então... — perguntou ele, ofegante, colocando o cabelo para trás. — Qualquer hora é boa para você, hoje?

O cretino não tivera sequer a cortesia de diminuir o embaraço dela com um elogio ao seu desempenho ou algo do tipo. Isso serviu apenas para tornar a derrota ainda mais amarga. Parecia estar satisfeito e eufórico com tudo aquilo. Ela começou a se perguntar se ele usava alguma droga. Com certeza, ninguém conseguiria manter tal descontração sem o auxílio químico de alguma substância suspeita.

Indo para casa, Ripley compensou parte de sua frustração retirando com todo o vigor a neve da entrada da garagem, usando uma pá, e em seguida massageando o seu ego ferido com alguns dos famosos enroladinhos de canela de Nell. Mas a lembrança da disputa a perturbou o dia todo, como se uma unha invisível estivesse o tempo inteiro descascando a sua ferida interna, impedindo-a de cicatrizar.

Houve um grande número de chamadas no trabalho para mantê-la ocupada. Eram carros que haviam deslizado para fora da estrada, uma janela estilhaçada por uma bola de neve mal-atirada, e a habitual variedade de travessuras de bando de crianças liberadas da escola no dia seguinte após uma nevasca.

Mesmo assim, a lembrança da derrota na piscina a perturbava e estava estragando o seu dia.

Na delegacia, Zack ouviu todos os seus xingamentos sussurrados e a observou enquanto ela bebia uma xícara de café atrás da outra. Era um homem paciente e conhecia muito bem a própria irmã. Havia cruzado o caminho dela por várias vezes naquele dia, atendendo aos chamados e fazendo as rondas, e reconhecera os sinais inegáveis de que seus nervos estavam à flor da pele.

No fim da tarde, como o problema não passara, viu que ia ser obrigado a arrancar alguma coisa dela.

Aquele parecia ser um bom momento.

Ele tomava seu café calmamente, com os pés apoiados na borda da escrivaninha.

— Você vai continuar remoendo o que a está consumindo por dentro ou vai entregar os pontos e desabafar comigo?

— Não há nada me consumindo por dentro — e, ao experimentar o café fervendo, queimou a língua e xingou mais uma vez.

— Você está soltando fumaça desde que voltou da ginástica hoje de manhã.

— Eu nunca solto fumaça. Você sim, às vezes.

— Não, eu fico amuado... — corrigiu. — Ficar amuado é um processo solitário e pensativo, que envolve a busca de uma solução para um conflito interior ou um problema. Soltar fumaça é manter alguma coisa fervendo por dentro até que o vapor faz voar a tampa, transbordando tudo em cima de quem está em volta e queimando qualquer um que esteja por perto. No momento, sou o único em perigo de ser queimado pelo vapor, de forma que me vi particularmente investido de um compreensível interesse pelo conteúdo dessa chaleira.

— Essa é a coisa mais idiota que eu já ouvi — grunhiu ela, voltando para ele um perigoso olhar de desdém.

— Viu? — Ele balançou o dedo para ela. — Agora você está tentando arrumar um jeito de descontar em mim. Vamos lá, me conte quem deixou você tão enfurecida, e nós dois vamos lá e damos umas boas palmadas na bunda dele.

Zack tinha um jeito muito especial — Ripley tinha que admitir — de conseguir fazê-la rir até mesmo no pior dos momentos. Indo até a escrivaninha dele, sentou-se na beirada e perguntou:

— Por acaso você já se encontrou com uma figurinha que chegou na ilha, esse tal de Booke?

— O grande pesquisador que veio de Nova York? Sim, eu o encontrei ontem, quando ele estava dando um passeio pela nossa pequena cidade, ainda meio perdido. Pareceu-me um sujeito legal.

— Legal... — Ela exibiu um sorriso de deboche. — Você sabe o que é que ele veio fazer aqui?

Zack resmungou algo incompreensível que pareceu ser uma resposta afirmativa. Bastou ela mencionar MacAllister Booke para ele ter uma pista da origem de toda a irritação da irmã.

— Olhe, Rip — replicou ele. — Nós lidamos com esse tema o tempo inteiro. É impossível viver na Ilha das Três Irmãs e conseguir evitá-lo.

— Só que desta vez é diferente.

— Talvez seja... — Ele estava franzindo as sobrancelhas, pensativo, quando se levantou para se reabastecer de café. — O que aconteceu com Nell no outono passado gerou uma onda especial de interesse. E não foi simplesmente porque ela voltou, figurativamente, do mundo dos mortos, ou porque aquele filho da mãe do Remington acabou sendo exposto para todo o país como alguém que se excitava dando socos nela durante o casamento deles. Nem mesmo porque ele tentou matá-la quando conseguiu descobrir que ela ainda estava viva e escondida aqui na ilha.

— Sem contar que acabou esfaqueando você... — completou ela, falando baixo, porque ainda podia ver o sangue que brotava em profusão da camisa do irmão e como aquele mesmo sangue tinha brilhado na penumbra da floresta, durante a perseguição que se seguiu.

— Tudo isso foi um prato cheio para a imprensa — continuou Zack. — Um escândalo daqueles bem grandes e suculentos. Mas você deve lembrar também de como conseguimos, aos poucos, fazer com que o interesse diminuísse.

— Colocamos uma pedra em cima do resto da história.

— Da melhor maneira que conseguimos.

Zack parou ao lado dela e tocou em seu rosto. Sabia que naquela noite sua irmã quebrara uma promessa que havia feito a si mesma. Ao unir as mãos com Mia, usando o poder que havia dentro dela para salvar Nell, ela o salvou também.

Ele continuou a falar mansamente.

— Você sabe, Rip, que apesar dos nossos cuidados, muita coisa vazou. Rumores, especulações e os murmúrios de um homem louco. Rumores suficientes para a construção de mil conjeturas e também para criar mais interesse. Era de esperar algo desse tipo.

— Eu esperava gente esquisita, sem dúvida — admitiu Ripley. — Talvez um aumento no número de visitas dos turistas tolos e xeretas, esse tipo de coisa. Só que esse tal de Booke é diferente. Parece que é um pesquisador sério. É como se, não sei, estivesse empreendendo alguma cruzada. E é muito credenciado também, cheio de títulos. Algumas pessoas vão achar que ele é só mais um maluco; mas muitas outras, não. Além de tudo, Mia pode resolver colocar na cabeça algumas ideias a respeito de conversar com ele e falar sobre certas coisas, talvez até mesmo vir a cooperar com ele.

— Sim, isso é possível. — Mas não quis acrescentar que ele estava quase certo de que Nell também poderia colaborar com ele. E já tinham até conversado sobre isso. — Essa é uma escolha de Mia, Ripley. Esse assunto não tem que pesar sobre seus ombros.

— Ele conseguiu uma hora inteira de cooperação minha — replicou ela, olhando com cara de nojo para o café.

— Como assim?

— Aquele filho da mãe dissimulado conseguiu me convencer a fazer uma aposta com ele, hoje de manhã. Eu perdi, e agora sou obrigada a passar uma hora com ele e sua parafernália de aparelhos detectores de magia.

— Ai!... Deve ter sido doloroso. E como foi que você perdeu essa aposta?

— Não quero falar a respeito — resmungou ela.

— Bem... Você não foi a nenhum outro lugar hoje de manhã a não ser ao ginásio do hotel, certo? — Zack começou a deduzir. — Eu soube que ele se inscreveu como sócio do clube de ginástica. Provavelmente foi lá que você se encontrou com ele, não foi?

— Foi, foi, foi!... — Ripley deu um empurrão na escrivaninha e começou a andar de um lado para o outro. — Quem é que podia imaginar que ele era capaz de se *movimentar* dentro d'água com aquela velocidade? Se fosse uma corrida a distância, tudo bem, eu poderia ter desconfiado que ele se daria bem, por ser mais alto do que eu. Mas nunca em uma competição de duzentos metros na piscina, em nado livre.

— Foi uma disputa de natação? — Zack não conseguia esconder a surpresa. — Ele ganhou de você em uma competição de natação?

— Já disse que não quero falar disso. Eu estava fora do meu ritmo, foi só isso. — Ela girou a cabeça, olhando para Zack com os olhos semicerrados. — Esse som que acabei de ouvir você emitir foi uma risada?

— Pode apostar que foi. Não é à toa que você está bufando como uma chaleira.

— Ora, cale a boca você também!... Não sei o que ele pensa que vai conseguir provar comigo em uma hora, de qualquer forma. Usando todos aqueles "detectores de energia" e "sensores de espíritos". Vai ser um desperdício total de tempo.

— Então, você não tem com o que se preocupar. Quantos metros ele conseguiu chegar na sua frente?

— Cale a boca, Zack!

Ripley resolveu acabar logo com aquilo, como se fosse um tratamento de canal. E resolveu ir a pé, deixando Zack ficar com a viatura, porque isso iria adiar o momento do encontro um pouco mais.

Já era noite quando ela entrou na rua onde ficava o chalé amarelo. Era lua nova, e o céu estava escuro. Mais seis ou sete centímetros de neve haviam caído desde aquela manhã, mas as nuvens tinham desaparecido ao anoitecer. O céu limpo e cheio de estrelas varria toda esperança de que o ar pudesse ficar mais quente. O frio era penetrante e cortante como uma navalha, vergastando de forma inclemente qualquer porção de pele que estivesse exposta.

Ela caminhava depressa, com passos largos, usando a lanterna para ajudar a iluminar o caminho.

Balançou a cabeça ao atingir, com o foco da lanterna, o Land Rover de Mac. Ele não tinha sequer se dado ao trabalho de desenterrar o carro, que continuava coberto de neve. Comportamento típico de um professor aloprado, avaliou, aquele de ignorar completamente o lado prático das coisas.

Depois de bater os pés no chão com força para sacudir a neve, esmurrou a porta com o punho enluvado.

Ele atendeu, vestido com uma camiseta cinza que parecia já ter conhecido dias melhores, e uma calça jeans igualmente surrada. Assim que a porta se abriu, Ripley sentiu o aroma inconfundível da sopa de carne com legumes e cereais que Nell preparava, e só aquele cheirinho delicioso já serviu para deixá-la com água na boca.

— Oi. Caramba, o mundo está congelando aí fora. A temperatura deve estar quase abaixo de zero. — No momento em que ele se afastava para o lado a fim de deixá-la entrar, olhou para o lado de fora da porta. — Você não está de carro? Veio caminhando até aqui nesse gelo? Ficou maluca?

Ela entrou, observou os equipamentos completamente amontoados e apinhados na minúscula sala de estar e só então respondeu:

— Você vive assim, todo entulhado no meio de máquinas, e ainda me pergunta se sou maluca?

— Está frio demais lá fora para uma caminhada noturna. — Instintivamente, pegou nas mãos enluvadas de Ripley e as esfregou entre as dele, para esquentá-las.

— Não fique muito preocupado com as minhas mãos, porque vai perder minutos preciosos. O relógio já está correndo.

— Cuidado com essa despreocupação. — Sua voz não estava mais suave e descontraída agora, mas quente, firme e direta como uma bala. Isso a fez olhar para ele com interesse. — Será que você nunca viu lesões provocadas pela exposição ao frio?

— Bem, na verdade eu... ei! — Ela puxou as mãos para trás quando ele retirou as luvas dela para lhe examinar os dedos.

— Há alguns anos, eu estava com um grupo nas montanhas do Nepal. Um dos estudantes foi descuidado. — Ignorando a resistência dela, continuou a lhe esfregar as mãos entre os dedos, para aquecê-los. — Com o frio, ele acabou perdendo dois dedinhos como esses.

— Eu não sou descuidada.

— Tudo bem. Deixe-me tirar o seu casaco, então.

Ela se desvencilhou do casaco, do cachecol, do gorro de lã, da blusa com isolante térmico, e foi empilhando tudo aquilo em camadas, por cima dos braços estendidos de Mac.

— É... — reconheceu ele. —Acho que você realmente não é descuidada. — A seguir começou a olhar em volta, meio perdido, tentando arrumar um lugar onde pudesse largar tudo aquilo.

— Pode jogar no chão, tudo bem. — Disse ela, sem conseguir evitar o riso.

— Não, nós podemos... Já sei! Vou colocar em cima da cama — lembrou-se, e carregou toda a pilha de roupas através da passagem estreita entre os aparelhos, até o quarto.

— Você tem medo do escuro? — perguntou ela.

— O quê?

— Está com todas as luzes da casa acesas.

— É mesmo? — Ele voltou do quarto. — Sempre me esqueço de apagar as lâmpadas quando saio dos lugares. Hoje eu comprei uma daquelas sopas maravilhosas da Nell. Acabei de esquentar. Quer um pouco? — Parou por um segundo, analisando a cara dela com cuidado. — Só que não vale contar o jantar como parte do tempo no seu relógio.

— Não, obrigada. Não estou com fome — respondeu, sentindo a chegada de um súbito ataque de mau humor.

— Tudo bem, então eu posso tomar a sopa mais tarde. Onde foi que eu coloquei? — Ele apalpou os bolsos, andando em círculos. — Ah, já sei! — E encontrou um minigravador atrás de um dos monitores. — Preciso pegar alguns dados básicos primeiro, e então nós podemos...

Ele empacou de novo, pensativo, com as sobrancelhas apertadas. Empilhara velhas pastas, apostilas, livros de pesquisa, fotografias e mais um monte de ferramentas em cima do sofá. Nem mesmo o chão oferecia espaço suficiente para duas pessoas se sentarem.

— Olhe... É melhor fazermos essa parte na cozinha.

Ela deu de ombros, enfiou as mãos nos bolsos e seguiu atrás dele.

— Já que estamos aqui, vou aproveitar para comer. — Ao dizer isso, pegou uma tigela e resolveu mostrar que se preocupava com ela. — Por que você não muda de ideia e come um pouco também, para que eu não seja rude, comendo sozinho na sua frente?

— Aceito. Você tem uma cerveja?

— Não, desculpe. No entanto, tenho um Merlot bem decente.

— Serve. — Ela ficou em pé observando enquanto ele colocava a sopa nas tigelas e servia o vinho.

— Sente-se.

Ele se sentou também, de frente para ela, mas se levantou logo em seguida, de um salto.

— Droga! Espere por mim só um instantinho... Não, vá em frente, pode começar a comer.

Ripley pegou a colher enquanto ele corria de volta para a sala. Ouviu murmúrios, ruídos de papéis sendo espalhados e o barulho de algo que caíra no chão e se quebrara.

De repente, ele reapareceu com um caderno espiral, dois lápis e um par de óculos com armação de metal. Quando ele os colocou no rosto, o estômago dela se contorceu.

Puxa vida..., pensou ela, *ele é totalmente viciado no que faz, mas é incrivelmente sexy.*

— Vou tomar algumas notas enquanto a gente come — explicou ele. — E depois eu gravo as anotações. Como está a sopa?

— É da Nell — respondeu ela, calmamente.

— Sim. — E ele começou a comer. — Ela salvou a minha vida na outra noite, logo no primeiro dia em que eu cheguei, quando acabei perdendo a noção do tempo. Achei uma embalagem com sopa de mariscos no freezer e por pouco não comecei a chorar de agradecimento, que nem uma criança. Seu irmão é um homem de sorte. Estive com ele, ontem.

— Ele me disse. — Ripley começou a se sentir mais relaxada, pensando que, enquanto eles estavam ali jogando conversa fora, o relógio estava correndo. — Eles formam um grande casal.

— Eu também tive essa impressão. Quantos anos você tem?

— O quê?

— Sua idade... para meus dados.

— Não sei o que é que a minha idade tem a ver com qualquer coisa, mas enfim... Fiz 30 no mês passado.

— Em que dia?

— Quatorze.

— Sagitário. Sabe a hora em que você nasceu?

— Bem, eu não estava prestando muita atenção ao relógio naquele momento. — Ela pegou o cálice de vinho. — Acho que minha mãe comentou uma vez que eram mais ou menos oito horas da noite, depois de ter passado mais de dezesseis horas com suores e dores de parto, através do Vale das Sombras e assim por diante. Por que é que você precisa saber isso?

— É que vou colocar os dados no computador e fazer os cálculos para um mapa astral. Depois lhe dou uma cópia, se quiser.

— Isso tudo é a maior enganação.

— Você ficaria surpresa com os resultados. E então, seu local de nascimento foi esta ilha mesmo?

— Sim, nasci em casa... apenas com um médico e uma parteira para atender a minha mãe.

— Você já teve experiências com algum tipo de atividade paranormal?

Ela não se importava de mentir, mas detestava o fato de que sempre que mentia sentia um aperto na garganta.

— Por que razão eu teria esse tipo de experiência? — Ela desconversou.

— Você consegue se lembrar dos seus sonhos?

— Claro. Outro dia mesmo tive um muito especial, onde apareciam o Harrison Ford, uma pena de pavão e uma garrafa de óleo de canola. O que você acha que isso pode significar?

— Bem, já que um charuto às vezes é apenas um charuto, acho que fantasias sexuais às vezes significam simplesmente algo ligado a sexo. Você sonha colorido?

— Sim. Tenho certeza.

— Sempre?

— Preto e branco — ela mexeu os ombros — é para filmes de Humphrey Bogart ou fotografia artística.

— E já aconteceu de seus sonhos serem proféticos?

Ela quase respondeu afirmativamente, por instinto, mas conseguiu se segurar a tempo. Em vez disso, falou:

— Bem, até agora o bonitão do Harrison Ford e eu ainda não nos encontramos, mas continuo com esperanças.

— Tem algum hobby? — quis saber ele, mudando de tática.

— Hobby? Você quer dizer, assim como... Costurar com retalhos ou observar pássaros? Não.

— O que faz nos seus momentos livres?

— Não sei. — Ela quase se contorceu, incomodada com tudo aquilo, mas conseguiu se segurar mais uma vez. — Sei lá!... Faço coisas. Assisto TV, vou ao cinema. Ah... gosto de velejar.

— Voltando aos filmes de Bogart... Qual o seu favorito?

— *O Falcão Maltês.*

— Como você veleja?

— Uso o pequeno barco de Zack para passeios curtos. — Começou a tamborilar com os dedos na ponta da mesa, deixando a mente vagar. — Estou pensando em comprar o meu próprio barco, daqui a algum tempo.

— É mesmo... Não há nada como um dia no mar. Quando foi que você descobriu que tinha poderes?

— Bem, isso nunca foi uma... — Ela esticou as costas, cuidadosamente retirando qualquer emoção do rosto. — Não sei sobre o que você está falando.

— Você sabe, sim, mas podemos deixar o assunto de lado, se isso a faz se sentir desconfortável.

— Eu não estou me sentindo desconfortável. Simplesmente não entendi a pergunta.

Mac colocou o lápis cuidadosamente sobre a mesa, empurrou a tigela de sopa para o lado e olhou diretamente para ela, dizendo:

— Vamos colocar a pergunta de outra forma, então. Quando você descobriu que era uma bruxa?

Capítulo Quatro

Ripley conseguiu quase ouvir o barulho do sangue correndo e rugindo dentro da cabeça, bombeado no mesmo ritmo do coração galopante. Mac continuou sentado calmamente, observando-a com cuidado, como se ela fosse alguma experiência de laboratório medianamente interessante.

O gênio irritável de Ripley começou a tiquetaquear como uma bomba--relógio.

— Ei, que pergunta idiota é essa?

— Para alguns, é como se fosse um instinto... Um conhecimento hereditário. Outros precisam aprender, como uma criança que aprende a andar e a falar. Outros ainda só chegam a ter contato com isso no princípio da adolescência. Inúmeros outros, eu imagino, passam pela vida sem jamais compreenderem, identificarem ou mesmo imaginarem o seu potencial.

Agora ele estava fazendo com que ela se sentisse como uma aluna ligeiramente lerda para aprender.

— Não tenho a menor ideia de onde você tira essas teorias ou de onde surgiu essa sua ideia preconcebida de que eu seja uma... — Ela não ia pronunciar a palavra, não poderia dar a ele a satisfação de ver essa palavra sair de sua boca. — Essa área de "abracadabra" é assunto seu e não meu, Doutor Esquisito.

— Por que motivo você está zangada? — Ele inclinou a cabeça para o lado, intrigado.

— Eu... não... estou... zangada! — Ela jogou o corpo ligeiramente para a frente. — Você quer me ver zangada?

— Não... Não especificamente. Mas aposto que, se eu colocasse um sensor em você neste instante, conseguiria obter leituras muito interessantes.

— Estou farta de apostar com você. Para falar a verdade, o seu tempo já acabou.

Ele deixou que ela se levantasse e continuou a tomar notas.

— Você ainda me deve quarenta e cinco minutos do seu tempo, delegada. Se vai fugir do pagamento da aposta... — Ele levantou os olhos com toda a calma, encarando o olhar furioso dela. — Eu apenas posso supor que você está com medo. Não era a minha intenção assustá-la ou aborrecê-la. Peço sinceras desculpas por isso.

— Enfie as suas desculpas... — Ela travava uma batalha contra o próprio orgulho, e essa sempre era a guerra que mais a incomodava. Afinal, fizera a porcaria da aposta, aceitara os termos. Com um gesto de raiva, arrastou a cadeira de volta e novamente se jogou sobre ela.

Ele continuou impassível, sem incentivá-la e sem demonstrar emoção, como se soubesse o tempo todo que iria ganhar. Esse pensamento fez Ripley ranger os dentes.

— Vou fazer uma suposição aleatória — disse ele. — Você não costuma praticar.

— Não tenho nada para praticar.

— Você não é uma mulher burra. Minha impressão, inclusive, é a de que é uma pessoa muito ligada, muito esperta. — Ele observou o rosto dela. Ripley estava tentando se manter impassível. Mas havia algo por baixo daquele verniz de calma. Havia alguma emoção forte, apaixonadamente forte.

Ele queria com todas as forças cavar para encontrar essa emoção. Descobrir esse sentimento. Descobrir a dona deles. Mas jamais teria essa oportunidade, compreendeu então, se continuasse a afastá-la assim, tão depressa.

— Estou chegando à conclusão de que esse é um assunto muito sensível para você. Sinto muito.

— Já lhe disse o que você pode fazer com suas desculpas. Pode fazer o mesmo, agora, com suas conclusões.

— Ripley... — Mac levantou a mão espalmada, e afastou os dedos em um gesto de paz. — Eu não sou um repórter bisbilhoteiro em busca de uma história sensacionalista. Também não sou um fã perseguindo seu astro predileto, nem um calouro fazendo uma pesquisa e precisando de um mentor. Isto aqui é o meu trabalho. Eu lhe asseguro que vou respeitar a sua privacidade, manter o seu nome fora dos meus documentos, e que jamais faria algo que pudesse magoá-la.

— Você não me assusta, Booke. Mas vai ter que procurar pela sua cobaia em algum outro lugar. Não estou interessada no seu... trabalho.

— Nell é a terceira?

— Deixe Nell fora disso. — Antes que conseguisse pensar, ou evitar, ela esticou o braço e agarrou o pulso dele. — Se tentar mexer com ela, vai ter que se ver comigo.

Ele não se moveu. Nem mesmo respirou. As pupilas dela ficaram, de repente, tão escuras que pareciam quase pretas. No lugar em que seus dedos tocaram a pele de Mac havia um calor tão intenso que ele não ficaria surpreso se começasse a ver sua pele soltar fumaça.

— Não traga o Mal para ninguém — ele conseguiu articular, com um tom de voz que de alguma forma conseguia se manter calmo. — Isso não é apenas uma filosofia da Arte da Magia. Acredito nisso. E jamais faria algo para magoar a sua cunhada. Ou você, Ripley.

Com toda a calma, observando-a com cuidado, como se ela fosse um cão de guarda que conseguira se soltar da corrente, levantou a mão e cobriu a dela, que continuava a segurá-lo.

— Você não consegue controlar o seu Poder, não é isso? — Sua voz era suave. — Mas não completamente! — Ele deu um ligeiro apertão na mão dela, que era quase como um gesto de amizade. — Você está fritando o meu pulso...

Ao ouvi-lo dizer isso, ela levantou os dedos automaticamente, e os afastou. Mas sua mão não estava firme quando ela olhou para baixo e viu as fortes marcas vermelhas nos pontos onde seus dedos haviam tocado.

— Eu não vou fazer isso! — Ela lutava para tentar trazer a respiração de volta à normalidade, para bloquear aquele violento pico de energia. Para ser ela mesma novamente.

— Tome, beba isto! — Ripley não tinha ouvido ele se levantar para ir até a pia. No instante seguinte, Mac já estava de pé ao lado dela, oferecendo--lhe um copo com água.

Depois de ter bebido o líquido vagarosamente, Ripley já não tinha mais certeza se estava se sentindo zangada ou embaraçada. Estava certa, porém, de que a culpa tinha sido dele.

— Você não tem o direito de vir até a nossa ilha para se intrometer na vida dos outros.

— O conhecimento e a verdade podem nos salvar do caos. — O tom de sua voz era calmo, sensato. E ela tinha vontade de cravar os dentes nele. — Misturar moderadamente esses elementos com tolerância e compaixão nos torna mais humanos. Sem essas coisas, os fanáticos se alimentam de medo e ignorância. Como aconteceu em Salem, há mais de trezentos anos.

— Deixar de enforcar as bruxas não tornou o mundo mais tolerante. Não quero tomar parte nos seus estudos. Esse é o ponto principal.

— Tudo bem. — Ripley parecia muito cansada de repente, ele notou. Extremamente cansada. Isso mexeu com ele, provocando uma mistura de culpa e compaixão. — Está certo. Só que aconteceu uma coisa naquela noite em que você esteve aqui, que pode tornar as coisas mais difíceis para nós dois.

Esperou um momento antes de continuar, enquanto ela se remexia na cadeira, até lhe oferecer atenção, ainda relutante.

— Eu vi uma mulher na praia. A princípio, achei que era você. Tinha os mesmos olhos, a mesma cor de pele e cabelo. Ela me pareceu muito sozinha e brutalmente triste. Olhou para mim por um longo instante. A seguir, desapareceu no ar.

Ripley apertou os lábios com força, depois pegou o vinho, tomando um pequeno gole.

— Talvez você ande bebendo muito.

— Ela está em busca de redenção. Quero ajudá-la a conseguir isso.

— O que você quer são dados — atirou ela, de volta. — O que você quer é tornar legítima a sua cruzada e talvez conseguir um contrato para a publicação de um livro.

— O que eu quero na verdade é compreender! — Não, admitiu para si mesmo, não era apenas isso. Esse não era o ponto principal. — Eu quero mesmo é *saber*, Ripley.

— Então vá conversar com Mia. Ela adora atenção.

— Vocês cresceram juntas?

— Sim, e daí?

Era mais fácil, ele descobriu, e ainda mais agradável lidar com ela quando sua atitude de confronto estava de volta.

— É que eu notei um pouco de... tensão entre vocês duas.

— Vou ter que me repetir. E daí?

— A curiosidade é a primeira ferramenta do cientista.

— A curiosidade também matou o gato — replicou ela, com um brilho que iluminou o olhar de desdém. —Além disso, eu não chamo essa história de ficar pulando de um lado para o outro pelo mundo, brincando de caçar bruxas, de "ciência".

— Engraçado, é exatamente isso que o meu pai costuma dizer. — Ele comentou com descontração, enquanto se levantava e carregava as tigelas de sopa para dentro da pia.

— Seu pai está me parecendo uma pessoa muito sensata.

— Ah, sensato ele é, sem dúvida!... Eu sou um constante desapontamento para ele. Não, é injusto falar isso a respeito de meu pai — decidiu, enquanto voltava para a mesa e tirava a rolha do vinho. — Eu sou mais assim como uma espécie de enigma para ele, um quebra-cabeça, e ele parece ter certeza de que algumas peças ainda estão faltando. E então?... Agora conte-me alguma coisa sobre os seus pais.

— Estão aposentados. Meu pai era o xerife da ilha, antes de Zack, e minha mãe era contadora formada. Eles caíram na estrada há algum tempo e estão rodando o país inteiro em um trailer enorme, daqueles com sala, cozinha e banheiro.

— Estão visitando todos os parques nacionais dos Estados Unidos?

— Isso tudo e outros lugares também, o que pintar. Estão se divertindo como nunca em suas vidas. Parecem duas crianças curtindo férias que não acabam.

Não foi o que ela disse sobre os pais, mas sim *a maneira* como falou sobre eles que mostrou a Mac que a família Todd era unida e feliz. O problema de Ripley com o poder que possuía não parecia ter sido provocado por algum conflito familiar. Ele agora tinha certeza disso.

— Você e seu irmão trabalham juntos.

— Obviamente.

Ela estava de volta, não havia mais dúvidas.

— Eu o encontrei outro dia. Você não se parece muito com ele. — Levantou a cabeça das anotações. — A não ser pelos olhos.

— É que Zack herdou todos os genes de bom-moço e boa aparência da família. Não sobrou nenhum para mim.

— Você estava lá quando ele foi ferido, enquanto efetuava a prisão de Evan Remington.

— Quer ler o relatório policial sobre a ocorrência? — O rosto dela ficou muito sério de novo.

— Na verdade, gostaria, sim. Deve ter sido uma noite muito difícil.
— Era melhor ficar apenas rodando esse assunto por enquanto, decidiu.
— Você gosta de ser policial?

— Jamais faço coisas das quais não gosto.

— Sortuda. Por que *O Falcão Maltês*?

— Hein?

— Estava me perguntando por que você escolheu esse filme de Bogart, em vez de, digamos, *Casablanca*.

Ripley balançou a cabeça, tentando ordenar os pensamentos.

— Não sei ao certo. Talvez porque eu ache que a Ingrid Bergman deveria ter dito ao Bogart, no final do filme: "Paris que se dane!", em vez de entrar no avião e ir embora. No *Falcão Maltês*, Bogart conseguiu ficar com a Mary Astor no final do filme. Aquilo foi mais justo.

— Pois eu sempre achei que Usa e Rick, os personagens de *Casablanca*, acabaram ficando juntos depois que acabou a guerra, enquanto o marido dela, Sam Spade... Bem, continuou apenas sendo Sam Spade. Que tipo de música você gosta?

— O quê?

— Música. Você disse hoje de manhã que gostava de malhar ouvindo música.

— E o que é que isso tem a ver com o seu projeto?

— Você me disse que não queria nenhum envolvimento com o meu trabalho. Achei então que nós poderíamos usar o resto do nosso tempo para nos conhecermos um pouco mais.

— Você é realmente um indivíduo estranho... — Ela expirou com força, provando mais um gole de vinho.

— Tudo bem, então, chega de falar de você. Vamos falar um pouco a meu respeito. — Ele se recostou na cadeira. Quando o rosto dela ficou ligeiramente fora de foco, ele se lembrou de tirar os óculos de leitura.
— Tenho 33 anos e sou tão rico que chega a ser constrangedor. Sou o segundo filho dos Booke de Nova York. Negócios imobiliários. O ramo dos MacAllister — e todos nós adotamos esse sobrenome para usá-lo

como nome de batismo — está ligado à área de Legislação Corporativa. Comecei a me interessar por assuntos paranormais desde que era garoto. A história dos fenômenos, seu efeito sobre as diferentes culturas e sociedades. Meu interesse fez com que a minha família procurasse a ajuda de um psicólogo, que assegurou a eles que tudo aquilo era apenas uma forma de rebeldia.

— Eles levaram você a um psiquiatra só porque você gostava de assombrações?

— Quando você tem 14 anos e já está na faculdade, tem sempre alguém que acha melhor chamar o psiquiatra.

— Quatorze anos? — Ela apertou os lábios. — Puxa, você devia ser mesmo um menino bem estranho.

— Bem, era muito difícil conseguir uma namorada, isso eu posso lhe assegurar. — O jeito com que ela torceu os lábios pareceu diverti-lo. —Acabei canalizando a energia daquelas que teriam sido as minhas primeiras aventuras sexuais para o estudo e a busca dos meus interesses pessoais.

— Então você tinha tesão pelos livros e por pesquisas.

— De uma certa forma, era isso mesmo. Quando completei 18 anos, meus pais já haviam desistido de me encaixar em uma das firmas da família. Quando atingi a maioridade e consegui botar a mão na primeira parcela da minha herança, consegui finalmente fazer o que queria.

— E você alguma vez conseguiu arrumar a tal namorada? — perguntou Ripley, colocando a cabeça de lado. Agora estava interessada; não conseguia evitar.

— Algumas. Sei muito bem o que é ser empurrado em uma direção na qual você não quer ir ou em um caminho para o qual você não está preparado. As pessoas dizem que sabem o que é melhor para você. Talvez às vezes seja verdade. Mas não importa que continuem forçando, a não ser quando eles retiram a sua capacidade de fazer as próprias escolhas.

— Foi por isso que você resolveu me liberar do sufoco, hoje?

— Essa é uma das razões. O outro motivo é que você vai acabar mudando de ideia. Não comece a bufar! — continuou ele, rápido, enquanto ela apertava a boca. — Quando eu botei os pés aqui na ilha, achava que era Mia a pessoa de quem eu iria precisar mais para o meu trabalho. Mas essa pessoa é você. Pelo menos, em princípio, é você.

— Por quê?

— Existe algo em você que eu gostaria de descobrir. Nesse meio-tempo, pode considerar a aposta paga. Vou levá-la de carro até em casa.

— Olhe, eu não vou mudar de ideia.

— Então é muito bom que eu tenha tanto tempo para desperdiçar. Vou pegar o seu casaco.

— Também não preciso que você me leve de carro até em casa.

— Podemos sair no braço para resolver isso — replicou ele. — Mas eu não vou permitir de maneira nenhuma que você vá caminhando de volta até em casa, exposta a temperaturas abaixo de zero.

— Você não pode me dar uma carona até em casa. Nem sequer desenterrou o seu carro. Ele está todo coberto de neve.

— Então vou desenterrá-lo agora mesmo e depois levá-la para casa. São só cinco minutos.

Ela teria argumentado com isso, mas a porta da frente se fechou, e ela foi deixada sozinha dentro da casa, com seus pensamentos.

Curiosa, entreabriu a porta dos fundos e ficou ali, tremendo de frio, enquanto observava seu anfitrião, que atacava a neve em volta do Land Rover com o auxílio de uma pá. Ela tinha que admitir que os músculos que ela vira naquela manhã no ginásio não eram apenas para exibir. Aparentemente, o Doutor Booke sabia exatamente onde e como se esforçar para executar com precisão o trabalho que tinha à sua frente.

Mesmo assim, não era particularmente meticuloso. Ela esteve a ponto de chamá-lo para dizer isso quando lhe ocorreu que qualquer comentário que ela fizesse serviria para provar que estivera interessada o suficiente para observá-lo. Em vez disso, bateu a porta e esfregou as mãos em torno dos braços para trazer um pouco de calor de volta ao corpo.

Quando a porta da frente se abriu novamente e ela o ouviu batendo os pés na entrada, encostou-se na bancada da cozinha com um olhar entediado.

— Está estupidamente gelado lá fora — berrou ele. — Onde foi que eu coloquei as suas coisas?

— Em cima da cama, lembra? — E, já que dispunha ainda de um minuto, deu uma olhada rápida em volta da mesa para folhear as anotações dele. Soltou um chiado quando viu que estava tudo escrito em símbolos de taquigrafia, ou pelo menos lhe pareceu que era taquigrafia. De qualquer modo, as anotações estavam todas escritas em símbolos esquisitos, linhas, cobrinhas e curvas que não significavam nada para ela. O esboço que ele fizera no centro de uma das páginas, porém, tirou-lhe o fôlego.

Era o rosto dela. E tremendamente parecido, ainda por cima. Um rápido esboço, feito a lápis, de todo o rosto. Ela estava com uma aparência... aborrecida, lhe pareceu. E um pouco desconfiada, também. Bem, ele estava certo a respeito disso.

Não havia mais dúvidas de que MacAllister Booke era realmente um grande observador.

Ripley permaneceu ali mesmo, de pé, a meio metro da mesa, e estava com as mãos inocentemente enfiadas nos bolsos quando ele voltou lá de dentro.

— Levei um pouco mais de tempo, porque não conseguia encontrar as chaves. Ainda não consigo entender como é que elas foram parar dentro da pia do banheiro.

— Será que foi algum *poltergeist?* — comentou ela, fingindo doçura, e ele caiu na risada.

— Quem dera! Um dos meus problemas é que jamais coloco as coisas duas vezes no mesmo lugar. — Ele trouxera neve de fora e espalhara pela casa toda. Em vez de chamar atenção para esse fato, Ripley simplesmente vestiu o colete térmico e o cachecol.

Ele estava segurando o casaco aberto para ela, o que a fez balançar a cabeça quando notou que ele pretendia ajudá-la a vesti-lo.

— Jamais consegui entender isso. Como é que vocês, homens, imaginam que as mulheres conseguem vestir os próprios casacos quando não estão por perto para ajudá-las?

— Não temos a mínima ideia. — Com ar divertido, ele colocou o boné sobre a cabeça dela e depois puxou-lhe as pontas do cabelo para fora através do buraco de trás, junto do fecho, como já a tinha visto fazer. — E as luvas?

— Quer me ajudar a colocar os dedinhos nelas também, papai? — Ela perguntou enquanto as puxava para fora do bolso.

— Claro, amorzinho. — Mas, quando ele estendeu o braço, ela deu-lhe um tapa na mão, afastando-a. A seguir, ficou rindo um pouco até reparar nas marcas vermelhas de queimadura nos pulsos dele. Sentiu a culpa corroê-la. Não se importava de machucar as pessoas, desde que elas merecessem.

Jamais, porém, daquele jeito. Nunca daquele jeito.

Enfim, o que estava feito precisava ser desfeito. Mesmo que isso significasse ter que engolir o próprio orgulho.

Ele notou a mudança em sua expressão quando ela continuou a olhar fixamente para as marcas do seu pulso.

— Ei... — disse para ela. — Isso não teve importância alguma! — E começou a baixar os punhos da camisa.

— Para mim teve muita importância. — Ripley, que já não estava ligando para os seus princípios, soltou um longo suspiro enquanto levantava a mão dele e segurava no seu pulso novamente. Levantou os olhos e o encarou com firmeza. — Olhe, o que eu vou fazer agora fica fora da aposta, fora das anotações, fora de tudo. Combinado?

— Tudo bem.

Ela se concentrou e entoou:

Com a raiva eu trouxe o mal e profanei tudo o que é santo.
Arrependida, venho agora desfazer todo esse encanto.
Que as feridas cicatrizem já, sem demorar um mês.
Assim eu quero, e assim seja, pelo Poder e vezes três.

Ele sentiu uma dor longínqua, como se o calor estivesse sendo sugado de sua pele. Sua carne, no lugar onde os dedos dela haviam tocado, estava fria, como se ela tivesse puxado as queimaduras para fora. Sentiu uma fisgada no estômago, não tanto pelo fenômeno físico, mas pela mudança que viu acontecer nos olhos dela.

Ele já tinha visto o poder da magia se manifestar antes; sabia que estava olhando para ele naquele momento. Era algo que jamais deixava de respeitar profundamente.

— Obrigado — disse, simplesmente.

— Não há o que agradecer. — Ela se virou. — Estou falando sério.

Quando ela esticou o braço para alcançar a maçaneta da porta da cozinha, a mão dele, já com o pulso totalmente sem marcas, se fechou por cima da mão dela.

— Nós, os homens, também não sabemos como é que vocês conseguem abrir as portas. São tão pesadas e complicadas...

— Engraçadinho!... — Quando colocaram o pé fora de casa, a mão dele escorregou para baixo do cotovelo dela, para ampará-la. O olhar longo e impaciente que ela lançou para ele apenas o fez encolher os ombros.

— É que o chão está meio escorregadio — explicou ele. — Não consigo evitar. É muito difícil esquecer um adestramento que vem desde a infância.

Ripley o deixou ser cavalheiro, e também não teve coragem de fazer pouco quando ele caminhou junto com ela à volta de todo o carro, para lhe abrir gentilmente a porta do carona.

Não era uma distância assim tão longa, mas, enquanto ela ia lhe ensinando o caminho, reconheceu que estava grata, de fato, pela carona. Mesmo durante o pouco tempo em que estivera dentro da casa dele, a temperatura havia caído muito. O aquecimento do carro ainda não tinha começado a dar conta do frio, mas pelo menos os dois não estavam do lado de fora, ao ar livre. Um ar que parecia gelado o suficiente para se quebrar em pequenos cacos.

— Se você estiver precisando de mais lenha, Jack Stubens vende, com a madeira já cortada em achas pequenas — informou ela.

— Stubens. Dá para você escrever o nome para mim? — Segurando o volante apenas com uma das mãos, ele procurou nos bolsos. — Você tem algum pedaço de papel?

— Não.

— Então procure dentro do porta-luvas, por favor.

Ela abriu o pequeno compartimento e sentiu o queixo cair. Havia dezenas de pequenas anotações, inúmeras canetas, elásticos, um pacote de biscoitos pela metade, três lanternas, um canivete e vários outros objetos não identificados. Pegou em um deles que parecia ser feito de um fio áspero retorcido, várias contas pequenas e cabelos humanos.

— Que diabo é isso?

— Gris-gris, um amuleto caribenho. Foi um presente. Não achou papel?

Ela ainda ficou olhando para ele por mais um instante, como se não estivesse acreditando. Então, colocou o amuleto de volta e puxou um dos muitos papéis com anotações.

— *Stubens* — repetiu, rabiscando em garranchos sobre o pedaço de papel. — Jack. A loja fica na Travessa da Coruja Assombrada.

— Obrigado. — Mac pegou o papel e o enfiou dentro do bolso.

— Vire aqui. É aquela casa de dois andares, com uma varanda larga em toda a volta.

Como a viatura estava estacionada na porta, ele poderia ter descoberto por si mesmo. Luzes estavam alegremente acesas no lado de dentro, e um rastro de fumaça saía da chaminé.

— Casa legal a sua. — Ele saltou. Embora ela já tivesse pulado para fora do carro antes que ele tivesse conseguido dar a volta para lhe abrir a porta, ele a segurou pelo braço de novo.

— Escute aqui, Mac... Isso tudo é muito gentil de sua parte, e tudo o mais, só que você não precisa me acompanhar até a porta. Isso não foi um encontro entre namorados.

— É uma compulsão. Além do mais, nós fizemos uma refeição juntos, conversamos um pouco, tomamos vinho. Como pode ver, houve vários elementos de um encontro de verdade.

Ripley parou quando chegou na varanda e se virou para trás. Mac colocara um gorro de esqui na cabeça, e seus cabelos louros ligeiramente escuros escapavam pelas bordas, aqui e ali. Ele não conseguiu evitar, e ficou parado, olhando para ela com intensidade.

— E agora, o que foi, Mac? Vai querer um beijinho de boa-noite, também?

— Aceito.

A resposta foi tão jovial, animada e alegre, de uma forma tão inofensiva, que ela acabou sorrindo. Mas apenas por um instante.

Ele tinha... movimentos inesperados. Suaves, surpreendentes e incríveis.

Não aconteceu rápido demais, mas foi tudo tão ágil e tão delicado, que ela nem teve tempo de se preparar e se reajustar à situação, ou sequer de pensar.

Os braços dele a envolveram, fazendo-a *escorregar* de encontro ao seu corpo, um colado no outro, de tal modo que, mesmo sem haver nenhuma pressão verdadeira, ela sentiu como se estivesse moldada nele. Mac apertou a base das costas dela, apenas um pouquinho, e de algum modo conseguiu criar a ilusão de que os dois estavam na horizontal, e não na vertical.

A intimidade desse movimento a sacudiu por dentro e lhe deixou com a cabeça girando antes mesmo da boca de Mac encostar na dela.

Suave. Quente. Profunda. Os lábios dele não roçavam ou beliscavam, simplesmente absorviam. Agora a tonteira que ela sentia estava acompanhada por uma tremulante onda de calor que parecia começar nos dedos dos pés e depois subia lentamente, até lhe derreter todos os ossos.

Um som suave, de prazer estupefato, parecia cantarolar em sua garganta. Os lábios dela se abriram ligeiramente, acolhedores. Ah, ela queria mais! E teve que tentar duas vezes até conseguir levantar os braços que pareciam não ter ossos, a fim de enlaçar o pescoço dele.

Seus joelhos se dobraram ligeiramente. Ela não teria ficado nem um pouco surpresa se o próprio corpo começasse a se dissolver e lhe escorresse por dentro da roupa, transformado em um líquido completamente fluido que formaria uma poça aos pés dele.

Quando ele puxou o próprio corpo ligeiramente para trás, afastando-a dele com delicadeza, a vista dela estava totalmente desfocada, e sua mente parecia um papel em branco.

— Vamos ter que repetir isso uma hora dessas — disse ele.

— Ahn?... — Ela mal se lembrava de como é que se formavam as palavras, até que ele lhe tocou as pontas dos cabelos, dando um leve puxão.

— É melhor você entrar, antes que fique congelada.

— Ah... — Ela desistiu, se virou como se estivesse cega, e caminhou até a porta.

— Deixe-me abrir a porta para você. — Ele disse bem devagar, de modo totalmente tranquilo, enquanto girava a maçaneta e mantinha a porta aberta para ela entrar. — Boa noite, Ripley.

— Hummm...

Ela entrou como um autômato, sem outra escolha senão se apoiar na porta que ele fechara atrás dela, até conseguir se reorientar para tentar respirar livremente de novo.

Inofensivo? Ela tinha realmente achado que ele era inofensivo?

Conseguiu dar alguns passos para frente, cambaleante, e a seguir deixou o corpo deslizar até se sentar no primeiro degrau da escada que ia para o segundo andar. Iria ficar ali só mais um pouco, resolveu, até sentir que as pernas estavam de volta e que ela já conseguia novamente comandá-las. Só então iria tentar subir as escadas e ir para o seu quarto.

8 de janeiro de 2004
Horário: De nove às dez da noite.

Vou transcrever minhas anotações e a fita com a entrevista inicial com Ripley Todd, rapidamente. Não consegui fazer tantos progressos com ela, como planejara. Entretanto, aconteceram dois incidentes que serão descritos com mais detalhes no registro oficial. Minhas reações pessoais, no entanto, ficam nesta gravação.

O temperamento de Ripley e a sua atitude protetora em relação à cunhada, Nell Todd (verificar os dados de referência cruzada sobre Nell Todd nos arquivos com seu nome), podem e vão dominar e manter a sua relutância em discutir os próprios dons. Ou, conforme aprendi esta noite, poderão ajudar a demonstrar esses dons. A minha impressão foi a de que seu aviso, quando eu mencionei o nome de Nell, foi instintivo, e que o resultado não foi planejado. Ferir a mim foi um subproduto dessa atitude, não um objetivo. As queimaduras no meu pulso, após atenta avaliação visual, combinavam com a força exercida e o formato das pontas de seus dedos. A sensação não foi a de uma queimadura provocada por fogo, mas de um aumento constante de calor. Como se fosse uma chama que aumentasse lentamente de intensidade.

Suas mudanças físicas durante esse fenômeno foram a dilatação das pupilas e um ligeiro movimento sob a superfície da pele.

Sua raiva se interiorizou de imediato.

Acredito que a perda de controle e um possível temor das coisas que ela é capaz de fazer são as causas básicas de sua relutância em discutir e explorar a natureza dos seus talentos.

Ela é uma mulher interessante, e obviamente muito chegada à família. De todas as áreas que cobrimos durante a conversa, essa foi a única em que observei uma confiança total e uma completa naturalidade e relaxamento.

Ela é linda quando sorri.

Ele parou, e quase cortou essa última observação. Na verdade, não era sequer exata. Ela não era linda. Era atraente, intrigante e provocava interesse, mas não era linda.

Apesar disso, lembrou, aquele registro inicial era para suas impressões. O pensamento de que ela era linda deve ter entrado em sua cabeça, para que ele o expressasse. Portanto, ia ficar ali.

O segundo incidente aconteceu pouco antes de sairmos, e foi, não tenho a menor dúvida, muito mais difícil para ela. O fato de que ela se sentiu na obrigação de remover as queimaduras e deliberadamente demonstrar as suas habilidades indica um senso muito desenvolvido do que é certo ou errado. Isso, aliado ao seu instinto de proteger as pessoas e coisas que ama, sobrepuja a sua necessidade de bloquear seu dom.

Espero, com o passar do tempo, descobrir que evento, ou eventos, a levaram a renegar ou renunciar solenemente aos seus poderes.

Preciso encontrá-la novamente, para verificar as minhas suposições.

— Ora, diabos! — murmurou ele. Se não conseguisse ser completamente honesto pelo menos ali, onde mais seria?

Quero me encontrar com ela novamente em um nível completamente pessoal. Gostei de estar em sua companhia, até mesmo quando ela se comportava de forma rude e me insultava. Chega até mesmo a me preocupar a possibilidade de que eu possa estar gostando de sua companhia por ela ser rude e me insultar. Além de tudo isso, há uma atração sexual muito forte. Diferente da admiração puramente estética que senti no primeiro encontro com Mia Devlin — e a fantasia completamente natural e humana que resultou disso —, esse sentimento é mais básico e, por isso mesmo, mais incontrolável. Eu quero, em um nível, desmontar cuidadosamente essa mulher, peça por peça, e compreender o que ela é. Por outro lado, eu queria apenas...

Não, Mac decidiu, até mesmo um registro íntimo e pessoal precisava de alguma censura. Ele não era capaz de colocar no papel o que gostaria realmente de fazer com Ripley Todd.

Fico imaginando como é que seria fazer amor com ela.

Isso, resolveu, era bem mais aceitável. Não havia razão para entrar em descrições e detalhes gráficos.

Eu a levei para casa esta noite, após a conversa, porque a temperatura estava muitos graus abaixo de zero. O fato de que ela viera caminhando até aqui, e que iria caminhar de volta sob essas condições glaciais, demonstra tanto a sua teimosia quanto a sua independência. Apesar disso, mostrou, de forma bastante óbvia, que estava se divertindo com a demonstração de atos simples de cortesia, tais como ajudá-la com o casaco ou segurar a porta para que passasse. Não pareceu insultada, simplesmente considerou aquela uma situação divertida, reação inesperada que me desarmou por completo.

Não teria tentado beijá-la se ela mesma não tivesse trazido o assunto à tona. Certamente não tinha intenção de fazer isso em um estágio tão inicial de nosso relacionamento. A resposta dela foi igualmente inesperada e... excitante. É uma mulher forte, de corpo e mente, e sentir de repente que ela estava quase se desmontando...

Nesse ponto, ele teve que dar uma parada, respirar fundo, e colocar para dentro um pouco da água que servira para si mesmo, em um copo.

Sentir a reação do corpo dela junto ao meu, e aquele calor... Saber as causas químicas e biológicas para o aumento do calor do corpo humano em um evento como aquele não diminuiu a maravilha que foi aquela experiência. Ainda posso sentir o gosto dela, forte novamente, um sabor forte e nítido. E ainda consigo ouvir aquela espécie de ronronar que ela faz com o fundo da garganta. Minhas pernas ficaram bambas, e, quando os braços dela enlaçaram o meu pescoço, era como se eu estivesse sendo completamente envolto por ela. Mais um minuto, apenas um instante a mais, e eu teria esquecido completamente que nós estávamos de pé em uma varanda aberta e sob os efeitos de uma noite incrivelmente fria.

Como eu tinha, apesar de a provocação inicial ter sido feita por ela, dado início ao abraço, era minha responsabilidade. Pelo menos eu tive a satisfação de ver o rosto dela e a expressão confusa e sonhadora em seus olhos. E depois vê-la caminhando como uma sonâmbula pela porta adentro.

Essa foi muito boa.

Evidentemente, quase saí da estrada por duas vezes quando voltava para casa, e também logo depois acabei me perdendo, mas essa parte não chega a ser atípica, e talvez não tenha nada a ver com o estímulo.

Sim, eu quero muito vê-la novamente, em vários níveis. E não estou com esperança de dormir muito bem esta noite.

Capítulo Cinco

Nell colocou a última fornada de bolinhos de canela para esfriar e ficou aguardando. Tinha ainda uma hora antes de começar a carregar o carro com os produtos a fim de levar para a loja. A sopa do dia era feita com cogumelos desidratados, uma receita italiana. A base cremosa já estava devidamente lacrada em uma panela especial. As três opções de salada já estavam prontas, e todos os brioches assados. A embalagem dos napoleões, pequenos bolinhos quadrados com recheio de framboesa e rum, também tinha acabado de ser fechada.

Ela estava em pé desde as cinco e meia da manhã.

Diego, seu gato de pelo luzidio, estava todo enroscado sobre uma das cadeiras da cozinha, observando atentamente cada um dos seus movimentos. Lucy, por sua vez, a enorme labradora, estava esparramada em um canto e observava Diego. Eles haviam conseguido se acertar sob certas condições, todas estipuladas por Diego, e estavam convivendo em um estado aceitável de desconfiança e suspeitas mútuas.

Enquanto os biscoitos assavam, Nell mantinha o rádio ligado em um volume baixo e aguardava.

Quando Ripley entrou, com os olhos ligeiramente turvos e ainda usando a calça de moletom e a camisa de um time de futebol com as quais dormira, Nell simplesmente esticou o braço em sua direção segurando uma caneca de café que acabara de preparar.

Ripley soltou um rugido quase inaudível, o som mais próximo de um "obrigado" que conseguiu emitir antes de ingerir cafeína e se atirar sobre a primeira cadeira disponível.

— Está nevando muito para a sua corrida matinal.

Ripley grunhiu de novo. Ela jamais conseguia se sentir bem sem correr os seus seis quilômetros usuais logo de manhã cedo. O café, porém, estava começando a ajudar. Ela o sorvia com satisfação, acariciando a cabeça de Lucy quando esta se aproximou para recebê-la.

Ia ser obrigada a usar a terrível esteira. Odiava aquilo. Mas não podia ficar dois dias seguidos sem a sua corrida. Zack estava escalado para o primeiro turno. (E onde, afinal, estava ele?...) De modo que ela poderia esperar até o meio da manhã para dar um pulinho até o ginásio do hotel.

Não queria dar de cara com Mac novamente.

Isso não significava que ela estivesse preocupada com ele ou algo do gênero. Durante grande parte da noite pensara muito sobre o assunto, descobrindo uma série de desculpas perfeitamente plausíveis para a reação que demonstrara diante daquele beijo de boa-noite.

Agora, simplesmente não queria lidar com a presença dele, e isso era tudo.

Nell colocou uma tigela na frente dela. Ripley piscou duas vezes ao olhar para aquilo.

— O que é isto?

— Mingau de aveia.

— O que é que tem aqui dentro? — desconfiada, longe de demonstrar entusiasmo, Ripley se curvou e cheirou o prato.

— Coisas nutritivas. — Nell pegou uma bandeja de biscoitos quentinhos do forno e despejou em outro recipiente. — Pelo menos experimente, antes de fazer essa cara de nojo.

— Certo, certo. — Ela estivera mesmo fazendo caretas de nojo para Nell, pelas costas. Era meio humilhante ser pega em flagrante daquele jeito. Assim, ela experimentou de modo comportado, fechou os lábios para sentir melhor o sabor e então comeu mais uma colherada. Parecia não existir nada que Nell preparasse e que não adquirisse um sabor especial. — Ora, está uma delícia! Minha mãe costumava preparar mingau de aveia no inverno. Tinha a aparência de cola cinza. O gosto, porém, devo acrescentar, era pior ainda.

— Em compensação, a sua mãe possuía outros talentos. — Nell se serviu de uma xícara de café. Quase tinha sido necessário empurrar Zack para fora de casa logo cedo, para conseguir ter aqueles momentos a sós com

Ripley. Agora não tinha a intenção de desperdiçá-los, e se sentou diante da cunhada. — E então... Como foram as coisas ontem?

— Que coisas?

— Sua noite com Mac Booke.

— Não foi uma noite. Foi só uma hora.

Está na defensiva, pensou Nell. *E ligeiramente irritada, veja só...*

— Como foi a sua hora, então? — refez a pergunta.

— Sessenta minutos se passaram, e isso me livrou daquela obrigação moral, por ter perdido a aposta.

— Fiquei feliz por ele ter trazido você para casa. — Quando Ripley levantou as sobrancelhas, Nell piscou repetidamente seus olhos cor de azul-bebê de modo inocente, explicando melhor: — É que... eu ouvi o barulho do carro.

Olhara para fora pela janela. Vira quando Mac acompanhara Ripley até a porta, notando que algum tempo havia passado antes que ele caminhasse de volta para o carro.

— É... Ele estava cheio de bobagens como: "Está muito frio lá fora, você vai ficar congelada e cair morta pelo caminho antes de conseguir chegar em casa..." — Ela enfiou mais uma colherada de mingau na boca, ficando com a colher vazia balançando na mão, em seguida. — Até parecia que eu não sei tomar conta de mim mesma. Sujeitos desse tipo me deixam furiosa. O bobalhão não conseguia nem descobrir onde é que tinha deixado as chaves do carro, mas era eu que ia acabar vagando pelas ruas *geladas e* terminando a noite transformada num picolé. Ora, por favor, tenha paciência...

— Mesmo assim, fico feliz por ele ter trazido você de volta — repetiu Nell.

— Sim... Foi bom... — Ripley suspirou e começou a brincar com a superfície do mingau, fazendo pequenas fendas em forma de quarto minguante com a ponta da colher. Olhou a obra e ficou achando que estava parecendo uma paisagem lunar.

Se ele não a tivesse levado para casa, ela provavelmente teria conseguido chegar em segurança, mas também teria perdido um beijo daqueles, inesquecíveis. Não que ela tivesse ficado com alguma obsessão ou algo do tipo.

— Você não conseguiria nem reconhecer o chalé, Nell — continuou ela. — Está mais parecendo o laboratório secreto de algum cientista louco. Toda aquela parafernália eletrônica e computadorizada espalhada pela casa... Não sobrou um lugar sequer para as pessoas se sentarem, a não ser na cozinha. O sujeito vive completamente envolvido com o seu próprio show de assombrações. Possui até mesmo um amuleto de vodu, ou algo assim, dentro do porta-luvas do carro. E sabe tudo a meu respeito. — Falou a última frase mais depressa e levantou a cabeça a fim de olhar para Nell.

— Ora... — Nell soltou um suspiro suave. — Você contou a ele?

Ripley balançou a cabeça. Parecia estar nervosa por dentro, com as entranhas fervilhando.

— Ele simplesmente sabia. Como se eu tivesse uma etiqueta pregada na testa, escrito: "Sou uma das bruxas do local". Sabe, o pior é que tudo é muito acadêmico para ele... *Bem, delegada Todd, isso é muito interessante. Quem sabe você poderia realizar algum feitiço para mim, só para eu colocar nos meus registros?*

— Ele realmente pediu para você fazer algum tipo de magia?

— Não. — Ripley esfregou as mãos no rosto. — Não... — repetiu. — Só que ele... droga! Conseguiu me deixar completamente fula da vida, e eu acabei queimando o infeliz.

— Ah, meu Deus! — O café chegou a entornar pela borda da xícara com o susto, e Nell teve que colocá-la de volta sobre o pires.

— Calma! Também não aticei fogo no corpo dele, nem nada assim. Apenas queimei seu pulso com as pontas dos meus dedos. — Ela olhou para os dedos no mesmo instante. Inofensivos, comuns, talvez um pouco compridos demais, com unhas curtas e sem esmalte.

Nada especial.

Nada letal.

— Sabe, Nell, não planejei isso, não foi uma coisa consciente. Toda a raiva se transformou em calor, e o calor correu para as pontas dos dedos. Eu nunca mais tinha tido necessidade de pensar a respeito ou de me preocupar com isso, durante muito tempo. Nos últimos meses, porém...

— Eu sei. Tudo voltou desde que você abriu novamente esta porta para ajudar a me salvar. — Nell terminou a frase, baixinho. Levantou-se de repente ao ouvir o zumbido do temporizador do forno, que disparara.

— Eu não me arrependo daquilo, Nell, nem por um instante. Foi uma escolha que eu mesma fiz, e faria de novo. É que é muito difícil trancar tudo de volta mais uma vez, não sei por quê.

Ela não queria admitir o motivo, pensou, e preferiu deixar esse pensamento ficar no fundo da mente.

— Simplesmente é difícil. Eu provoquei um dano físico. Tive, então, que consertar o erro, mas isso não justifica tê-lo causado.

— Como foi que ele reagiu a isso?

— Como se não fosse nada de especial. Levantou-se, pegou um copo com água, praticamente me deu um tapinha consolador na cabeça e voltou à conversa, como se eu tivesse apenas acabado de derramar um pouco de vinho na toalha. Aquele homem tem *peito,* viu?... Sou obrigada a reconhecer.

Nell voltou para perto da mesa, e mexeu no cabelo de Ripley, como se estivesse bagunçando carinhosamente os cabelos de uma criança.

— Você é muito dura consigo mesma. Eu já perdi a conta dos erros que cometi nos últimos meses, mesmo tendo Mia para me guiar, passo a passo.

— Não é muito bom falar no nome dela agora!... — Ripley se inclinou para a frente e voltou a comer de novo, como se a comida pudesse aliviar o nó que sentiu de repente no estômago. — Se ela não o tivesse trazido para cá...

— Não foi ela quem o trouxe, Ripley! — O suave, mas inconfundível tom de impaciência na voz de Nell, fez Ripley encolher os ombros. — E se ela não tivesse alugado o chalé para Mac, é claro que ele acabaria encontrando outro lugar para ficar ou acabaria se hospedando no hotel. Já passou pela sua cabeça que, ao alugar o chalé para ele e ao concordar em colaborar com seu trabalho, Mia no fundo está conseguindo controlar a situação em um nível que não conseguiria de outra forma?

Ripley abriu a boca para falar, mas acabou fechando-a novamente.

— Não, Nell, agora que você está falando, eu não tinha encarado dessa maneira. Deveria ter pensado nisso. Mia não deixa nada escapar.

— Eu vou conversar com ele, também.

— Isso não é uma boa ideia. — A colher fez um barulho agudo ao ser pousada com força na ponta do prato. — Essa é uma ideia totalmente infeliz.

— Já pensei muito a respeito disso. Ele prometeu a Mia que não vai usar nomes verdadeiros sem a nossa permissão. Estou interessada em seu trabalho — continuou ela, retirando os biscoitos do tabuleiro com uma espátula e colocando-os sobre uma grade, para esfriar. — Gostaria muito de saber mais coisas a respeito de tudo isso. Não tenho sentimentos conflitantes em relação ao que sou, como você.

— Não tenho o direito de dar palpite sobre o que você deve fazer com sua vida. — Ripley, entretanto, estava disposta a se assegurar que Mac não pressionaria Nell em demasia, ou na direção errada. — O que é que Zack acha sobre esse assunto?

— Deixou totalmente por minha conta. Confia em mim e me respeita. Isso é tão maravilhoso quanto saber que ele também me ama. E eu não estou preocupada com o Dr. Booke.

— Ele é mais sorrateiro do que faz parecer — murmurou Ripley. — Vem chegando devagar e leva você a pensar que se trata de um cachorrinho dócil e inofensivo. Só que não é.

— E o que ele é, então?

— É muito esperto, sonso e ladino. Ah, sim... Tem todas aquelas qualidades de cachorrinho manso, sem dúvida, e isso tudo é muito envolvente, faz com que você pense que está no comando da situação. Um minuto, ele está olhando em volta com aquele olhar palerma, meio perdido, tentando lembrar onde colocou a cabeça na última vez em que a retirou do pescoço. E então, no minuto seguinte...

— No minuto seguinte? — repetiu Nell, para encorajá-la a continuar, enquanto se sentava de novo.

— ... Ele me beijou.

— Sério?... — Nell bateu com as pontas dos dedos umas contra as outras, antes de entrelaçá-los.

— Era para ser uma brincadeira. Você sabe, o cavalheiro leva você até a porta de casa, como se os dois estivessem voltando do baile de formatura. Então, de repente, foi como se ele... — Ela parou de falar, tentando imitar os gestos que Mac fizera ao enlaçá-la tão completamente. — Sabe, como se ele me envolvesse. E fez tudo isso com a maior calma do mundo. Então, todas as imagens começaram a ficar um pouco indistintas diante de mim, e o calor aumentou. A seguir, foi como se eu estivesse sendo tragada para dentro dele, lentamente.

— Uau! Puxa vida!

— Eu me sentia como se não tivesse me sobrado nenhum osso inteiro; então fiquei ali, como se minha matéria física estivesse misturada com a dele. E ao mesmo tempo ele continuava a fazer todas aquelas coisas incríveis dentro da minha boca. — Ela expirou com força, fazendo uma inspiração profunda logo em seguida. — Olhe que eu já beijei muitos homens na vida; me considero muito boa nisso. Só que dessa vez não deu para acompanhar o ritmo.

— Uau! — repetiu Nell, enquanto arrastava a cadeira alguns centímetros mais para perto da cunhada. — Bem, e depois, o que foi que aconteceu?

— Caminhei até a entrada de casa, simplesmente. — Ripley falou, se encolhendo. — Foi mortificante. Fui andando como uma boneca de pilha, direto até a porta. E o Dr. Romeu, educadamente, a abriu para que eu passasse, com um sorriso. Foi a primeira vez que eu beijei alguém na vida e fiquei me sentindo uma idiota, e lhe garanto que vai ser a última.

— Bem, se você se sentiu atraída por ele...

— Ele é bonito, tem um corpo maravilhoso e é muito sexy. É claro que eu me sinto atraída por ele. — Ripley balançou a cabeça com violência para o lado. — Mas nada disso vem ao caso. Ele jamais poderia ter sido capaz de dissolver o meu cérebro apenas com um beijo. O problema é que eu não tenho saído muito ultimamente; devo estar carente. Já faz mais de quatro meses desde a última vez em que eu... Você sabe!...

— Ripley! — Nell soltou uma gargalhada divertida.

— Acho que foi algo assim como... Sei lá, combustão espontânea ou alguma coisa desse tipo. Ele tem um bom molejo, movimentos precisos e... bum! Agora que eu já sei o que esperar, vou conseguir lidar com ele. — Sentindo-se melhor com essa afirmação, alisou a superfície do mingau. — É... Agora eu sei muito bem como lidar com ele.

Mac deu uma olhada por toda a livraria, folheando as páginas de diversas publicações, estudando as capas. Já tinha comprado e lido bastante material sobre a Ilha das Três Irmãs, mas ali ainda havia alguns livros que ele precisava analisar melhor.

Enfiou-os debaixo do braço e continuou a vagar pelo local.

A loja possuía um acervo de bons títulos, e era muito eclética. Encontrou um lindo e raro volume de Elizabeth Barrett Browning chamado *Sonetos de Autores Portugueses*; havia também o último exemplar de uma série sobre um caçador de vampiros, da qual gostava muito; dois livros que analisavam a fauna e a flora locais, e outros lugares interessantes da área; e um livro de bolso para bruxas solitárias. Além de tudo isso, encontrou mais dois livros sobre paranormalidade, que acabou comprando para substituir os exemplares que havia perdido ou esquecido em algum lugar.

De repente, avistou um baralho de tarô com figuras do Rei Arthur e seus cavaleiros, muito bonito.

Não que ele colecionasse baralhos de tarô ou coisa do tipo.

Como jamais perdia a oportunidade de se satisfazer com livros, resolveu levar todos. Aquele grande volume de compras, pensou, serviria para distraí-lo nas horas vazias e ainda lhe daria a oportunidade que queria para puxar conversa com Lulu.

Carregando os livros até o caixa da loja, exibiu seu sorriso mais inocente.

— Que livraria fantástica! — comentou, para puxar assunto. — A gente não imagina encontrar um lugar assim tão completo e com títulos tão importantes, em uma cidade pequena como esta.

— Existem muitas coisas por aqui que as pessoas nem imaginam que existam. — Lulu olhou fixamente para Mac por cima dos óculos, para mostrar que ainda não tinha decidido se gostava dele. — Dinheiro ou cartão de crédito?

— Uhmm... cartão! — Pescou a carteira no bolso, esticando a cabeça para ver melhor o título do livro que Lulu estava lendo: *Assassinos em série: seus sentimentos, suas mentes*. Puxa vida! — E então... Que tal esse livro?

— Muita análise psicológica, muito blá-blá-blá, pouco sangue. Tipos assim, meio intelectuais, nunca atingem as minhas expectativas.

— É que esses intelectuais não saem muito de casa para ver o mundo real. Passam muito tempo dentro de salas de aula e bibliotecas e não sabem nada sobre o trabalho de campo. — Ele se inclinou de forma sociável sobre o balcão do caixa, como se ela estivesse lhe atirando um punhado de rosas, em vez de espinhos. — Você conhece uma teoria a respeito de Jack, o Estripador, que afirma que ele possuía poderes sobrenaturais e que, embora o seu período em Londres tenha sido o primeiro caso documentado de assassinatos em série, ele já tinha vivido antes e cometido os mesmos crimes em série, em Roma, na Gália e na Bretanha?

— Eu não caio nessa história! — Lulu continuou a olhar para ele por cima dos óculos, enquanto registrava os livros no caixa.

— Eu também não. Mas isso dá material para escrever um bom livro. — *Jack, o Estripador e seus Assassinatos através da História*. Pelo que eu já andei pesquisando, ele foi o primeiro assassino a utilizar o chamado "bode sem chifres", você sabe... sacrifícios humanos — continuou ele a explicar, de modo cândido, enquanto os olhos de Lulu se estreitavam. — Ele os usava em rituais mágicos. Magia negra... muito negra.

— É isso que você anda procurando por aqui? Sacrifícios humanos banhados em sangue?

— Não, minha senhora. A arte da Magia não utiliza sacrifícios de sangue. As bruxas brancas são do bem, não ferem nem causam danos a ninguém.

— Meu nome é Lulu. Não me chame de "minha senhora". — Ela fungou, olhando para ele. — Você me parece muito esperto, hein?

— Sou mesmo. Às vezes isso irrita as pessoas.

— Está perseguindo o bandido errado, bonitão. Não sou uma bruxa.

— Sei que não. Apenas criou uma, desde criança. Deve ter sido muito interessante testemunhar o crescimento de Mia... e de Ripley. — Ele começou a remexer nos livros sobre o balcão, de forma distraída. — As duas têm mais ou menos a mesma idade, não têm?

— Por que tantas perguntas? — *É...*, pensou ela, *ele é realmente muito esperto.*

— Você sabe como são esses tipos intelectualizados. Somos cheios de perguntas. Gostaria muito de fazer uma entrevista com você, se Mia não se incomodasse.

— Para quê? — O cuidado de Lulu estava em conflito com um pouco de deleite.

— Pode chamar isso de interesse pelos aspectos humanos da vida. A maioria das pessoas não compreende o lado comum, o padrão diário e previsível de uma mulher extraordinária. Mesmo as pessoas que possuem a mente aberta para o fora do comum possuem a tendência de achar que não existe nada de usual na vida e na infância dos dotados. Nunca pensaram nos deveres de matemática, depois da aula, ou que ficaram de castigo por terem voltado da festa muito depois da hora marcada, ou que devem ter precisado de um ombro amigo de vez em quando, onde sabiam que iam encontrar conforto.

— Você está alimentando algum interesse especial por Mia? — Ela devolveu com um gesto brusco o cartão de crédito que ele lhe havia entregado.

— Não. Mas admito que gosto muito de ficar olhando para ela.

— Olhe, eu não tenho tempo a perder falando com um aluno de faculdade a fim de ajudá-lo a fazer o trabalho que o professor mandou.

Mac assinou o boleto do cartão, sem sequer olhar para o total da compra. Lulu reparou nisso.

— Posso pagar pelo tempo que gastar comigo.

— Quanto? — perguntou ela, já sentindo o *tilintar* da caixa registradora em algum lugar no fundo de seu cérebro.

— Cinquenta dólares por hora.

— Mas o que você é, afinal... Burro?

— Não. Podre de rico.

— Vou pensar sobre esse assunto. — Balançando a cabeça, Lulu lhe entregou a sacola com os livros.

— Agradeço muito. Obrigado.

Quando o viu sair pela porta, balançou a cabeça de novo. Pagar a ela só para conversar com ele. Dava para acreditar?

Lulu ainda estava pensando no assunto quando Mia desceu, quase deslizando suavemente pelas escadas.

— Está tudo muito parado por aqui hoje, Lu. Acho que vou preparar uma liquidação na seção dos livros de culinária, lá em cima, para fazer as pessoas aparecerem. Nell poderia até preparar alguns tira-gostos com receitas tiradas dos livros, para dar um clima.

— Você é quem sabe. O gato da universidade esteve aqui.

— Quem?... Ah, já sei... — Mia entregou a Lulu a xícara de chá que trouxera do andar de cima. — O interessante e suculento MacAllister Booke.

— Acabou de gastar mais de 150 dólares em livros sem nem pestanejar.

— Deus o abençoe. — O coração de negociante de Mia deu um pulinho de alegria.

— Parece que tem muita grana. Chegou a me oferecer cinquenta dólares por hora, só para conversar com ele.

— É mesmo?... — Sorvendo o próprio chá, Mia levantou uma das sobrancelhas. Sabia que Lulu tinha um caso permanente de amor com o dinheiro, uma afeição que ela própria aprendera com Lulu, desde o berço. — Acho que deveria ter cobrado um aluguel mais alto dele — falou, pensando alto. — O que é que ele quer conversar com você?

— Sobre você, Mia. Disse que era assim uma espécie de interesse humano. Quer saber quantas vezes eu lhe dei uns tapas na bunda quando estava crescendo, esse tipo de coisa.

— Não creio que seja necessário relatar os desagradáveis incidentes de estapeamento de bunda da minha infância. — Mia respondeu, secamente.

— Mas isso é realmente algo muito interessante, além de inesperado. Estava preparada e pensei que ele fosse ficar me perturbando o tempo todo, me pressionando para que eu discutisse bruxarias e feitiços com ele e depois fizesse demonstrações. Em vez disso, ele está deixando tudo de lado e vem lhe oferecer uma remuneração pela consultoria na pesquisa sobre os meus anos de formação.

Ela bateu com a ponta do dedo indicador sobre o lábio inferior, pintado em um tom forte de vermelho. — Muito esperto, esse rapaz.

— Ele admitiu exatamente isso. Disse que era mesmo muito esperto e que isso deixava algumas pessoas irritadas.

— Mas eu não estou irritada. Estou apenas curiosa, que, aliás, é o que ele provavelmente esperava, imagino.

— Ele me garantiu que não alimenta nenhum interesse de natureza pessoal por você.

— Agora me sinto insultada. — Com uma gargalhada, Mia beijou Lulu na bochecha. — E você ainda continua de guarda, me vigiando, não é?

— Você bem que era capaz de fazer mais do que simplesmente olhar na direção dele. É muito educado, rico e inteligente. Ainda por cima não é nem um pouco ruim de se admirar.

— Não serve para mim. — Com um pequeno suspiro, ela repousou o rosto sobre os cabelos de Lulu. — Eu saberia na mesma hora, se ele servisse.

Lulu começou a abrir a boca para falar, mas acabou resolvendo ficar de bico calado, e enganchou um braço em volta da cintura de Mia.

— Eu não estou pensando em Samuel Logan, Lulu — disse Mia, embora na verdade estivesse. Aquele havia sido o único homem por quem ela se apaixonara de verdade. O único homem que conseguira esmagar seu coração. — E quanto ao novo visitante, devo afirmar que não estou atraída romanticamente pelo interessante, esperto, envolvente e sexy Dr. Booke. Você aceitou conversar com ele?

— Depende.

— Se você está preocupada, achando que talvez eu faça alguma objeção, saiba que *não faço*. Consigo perfeitamente cuidar de mim mesma, caso precise. De qualquer modo, não vou precisar, pelo menos não para me proteger dele.

Havia alguma coisa a mais no ar. Algo que ainda não estava perfeitamente claro e que vinha se arrastando como uma cobra em torno dos limites da casa. Mas era uma força que não vinha de MacAllister Booke.

Ela se afastou, carregando consigo o chá.

— Na verdade, Lulu, até sou capaz de concordar em conversar com ele. Cinquenta dólares por hora! — Ela soltou uma gargalhada profunda e divertida. — Isso tudo é fascinante.

Carregado com o equipamento portátil, Mac caminhava com dificuldade sobre a neve empilhada no chão, pelos estreitos caminhos do pequeno bosque próximo do chalé. O relatório da polícia e as reportagens jornalísticas que ele havia lido citavam aquele como o local para onde Nell fugira, quando ela e Zack foram atacados por Evan Remington, na noite do Dia das Bruxas.

Ele já completara as leituras da área da cozinha, o local do ataque inicial. Não encontrou nenhum sinal de energia negativa ali, nem vestígios de violência. Isso o deixou surpreso, até cogitar que Nell ou Mia provavelmente tinham limpado a casa e transmutado aquelas influências.

Tinha uma forte esperança de encontrar alguma coisa no bosque.

O ar estava parado e frio. Uma fina camada de gelo brilhava nos troncos e galhos das árvores. A neve se depositava em camadas sobre eles, como se fosse uma cobertura de pele de arminho.

Notou então pegadas de cervo e ficou encantado; com um gesto instintivo e automático, verificou a sua câmera, para se certificar de que ela estava carregada com filme novo.

Atravessou um riacho, onde estreitos filetes de água tentavam forçar a passagem por entre as pedras e as camadas de gelo. Embora seus calibradores e sensores não registrassem nenhuma anomalia, sentiu algo de diferente. Levou um momento até reconhecer que aquilo era simplesmente a sensação de paz. Prazer em estado puro e intocado.

Um pássaro cantou e passou zunindo sobre ele como uma bala. Mac simplesmente ficou ali, de pé, feliz e satisfeito. Era *gostoso* aquele lugar, pensou ele. Um lugar onde a mente podia ficar descansada. Um lugar feito sob medida para piqueniques e contemplação.

Com alguma relutância, continuou a caminhar, mas prometeu-se que iria voltar ali, outra hora, apenas para apreciar aquela quietude.

Circulou sem rumo, e, mesmo sabendo que isso iria estragar a atmosfera, começou a imaginar como teria sido correr desesperada por ali, tropeçando no escuro e seguida de perto por um homem dominado pela violência. Um homem armado com uma faca que já estava ensanguentada.

Desgraçado, pensou. O canalha a havia caçado impiedosamente, como um lobo raivoso atrás de uma gazela. Porque preferia vê-la morta a saber que ela se libertara dele. Estava preparado para golpear a sua garganta com a faca, talvez até cortá-la de um lado a outro, diante da possibilidade de perder o que considerava apenas mais uma de suas posses.

Sentiu a fúria rugir por dentro do sangue, quente, uma raiva turva e agitada. Quase conseguia sentir o cheiro do sangue, do ódio... e do medo. Mergulhado em suas emoções, levou ainda vários momentos para reparar que seus sensores haviam enlouquecido.

— Meu Deus! — Dando um pulo para trás, balançou a cabeça e, de uma forma abrupta, transformou-se novamente no cientista de cabeça fria.

Aqui! Foi bem aqui!

Trocou os aparelhos, pegou o gravador e começou a murmurar alguns dados nele. Saiu do centro energético da área e começou a usar um outro aparelho para medir a distância, o raio e o diâmetro do foco de energia. De joelhos na neve, registrava, gravava, calculava, documentava. Considerava, enquanto os números e agulhas dentro dos mostradores balançavam e se agitavam de modo selvagem.

— A carga mais elevada, quase totalmente formada por energia positiva pura, abrange uma área de aproximadamente quatro metros e meio, formando um círculo perfeito. A maioria dos rituais de origem paranormal envolve a formação de círculos protetores. Este aqui é o mais poderoso que já encontrei em toda a minha vida.

Colocando os aparelhos nos bolsos novamente, utilizou as próprias mãos nuas para cavar e limpar a região. Uma sensação leve e úmida de suor já lhe cobria as costas, até que ele conseguiu limpar uma porção razoável do círculo de energia.

— Não há nenhuma marca sob a neve. Nenhum símbolo. Vou precisar voltar aqui com uma pá, a fim de limpar o círculo por inteiro. Deve ter sido feito na noite em que Evan Remington foi preso; após ter sido criado há mais de dois meses, deve ter sido novamente fechado, ritualisticamente, na mesma noite. Mesmo assim, há um eco de sinal positivo, e está registrando seis-ponto-dois na minha escala, com leitura firme e constante.

Seis-ponto-dois! Ele se espantou com a leitura. *Caramba!*

— Em todas as minhas experiências anteriores, ao estudar círculos ativados durante um rito de iniciação — continuou ele em voz alta, para o gravador —, o registro não ultrapassou os cinco-ponto-oito. Lembrar de verificar esses dados.

Mac se levantou mais uma vez, com neve grudada em toda a roupa, e começou a bater várias fotografias. Deixou o gravador cair no chão, soltou um palavrão e levou algum tempo até desenterrá-lo de uma pequena pilha de neve. Depois, ficou preocupado, analisando o aparelho por todos os lados para ver se não havia quebrado.

Nada, porém, conseguiria estragar aquela emoção. Ficou ali de pé, no meio do bosque silencioso, perguntando-se se não havia descoberto, sem querer, o coração da Ilha das Três Irmãs.

Uma hora mais tarde, sem se preocupar em voltar ao chalé, Mac estava caminhando com alguma dificuldade ao longo da praia coberta de neve. A maré havia subido e baixado, engolindo um pouco da neve com ela. Mas a superfície dura e fria que deixara para trás estava toda moldada, como se fossem tijolos demolidos de um muro.

O ar não estava nem um pouco parado ali; vinha do mar em correntes geladas, que o faziam tremer por dentro. Mesmo com as grossas camadas de roupa que estava usando, os dedos das mãos e dos pés já estavam começando a sentir a friagem.

Começou a pensar preguiçosamente em um chuveiro quente e envolvente e em um café também quente e envolvente, enquanto examinava a área onde se lembrava de ter visto a mulher, naquela primeira noite na ilha.

— Que diabos você está fazendo?

Olhando para cima, viu Ripley parada, em pé, encostada na amurada que delimitava a calçada. Imediatamente se sentiu ligeiramente envergonhado por notar que só o fato de olhar para ela levou seus pensamentos, imediatamente, para o calor do sexo.

— Estou trabalhando. E você?

Ripley colocou as mãos nos quadris. Ele não conseguia ver seus olhos, porque ela estava usando óculos escuros. Isso o fez lamentar ter esquecido os dele, porque o sol refletido da neve era ofuscante.

— Trabalhando?... Em quê?... Está tentando se transformar no Abominável Homem das Neves?

— O *yeti* não é natural desta parte do mundo.

— Dê só uma olhada em você, Booke.

E, fazendo o que ela sugeriu, olhou para baixo. Estava, de fato, completamente coberto de neve. Aquilo ia provocar, e ele bem o sabia, uma bagunça danada na hora em que fosse despir todas aquelas roupas para entrar no sonhado banho de chuveiro quente.

— Pode-se dizer que eu realmente me atolei no trabalho até o pescoço — respondeu ele, encolhendo os ombros.

Já que ela pelo jeito não ia se aproximar dele, resolveu começar a caminhar em direção a ela. Isso não era um processo fácil; ele ainda conseguiu enterrar os pés em uns dois montes de neve, o que o fez afundar até acima dos joelhos. Mas conseguiu finalmente chegar na amurada, realizar um último esforço para subir e ficar tentando recuperar o fôlego.

— Será que você nunca ouviu falar de lesões provocadas por exposição ao frio? — devolveu ela, secamente.

— Bem, eu ainda estou conseguindo sentir os dedos dos pés, mas mesmo assim obrigado por pensar em mim. Que tal um café?

— No momento não tenho nenhum aqui comigo.

— Eu pago um para você.

— Estou de serviço.

— É que eu talvez esteja realmente com lesões provocadas pelo frio. — E virou a cabeça para lançar um olhar comovente: — Será que não faz parte das suas obrigações de representante da lei e servidora do bem-estar público me ajudar a alcançar um local protegido e aquecido?

— Não!... Mas posso ligar para a clínica, se quiser.

— Certo! Ponto para você. — Ele deu um salto para alcançar a amurada e lembrou-se, no último segundo, já no ar, de proteger a câmera. Conseguiu se colocar de pé e ficou ali, ao lado dela. — Para onde você está indo?

— Por quê?

— Pensei que, não importa o lugar, lá deve ter café.

Ripley suspirou, resignada. Ele parecia estar mesmo congelado e, de um modo ridículo, parecia adorável.

— Tudo bem, vamos então. Vou lhe oferecer o café.

— Não vi você no ginásio do hotel, hoje de manhã.

— É que eu me levantei mais tarde.

— Não a vi circulando pela cidade, também.

— Está me vendo agora.

Ela andava depressa e com passos longos, ele notou. Quase não precisava diminuir o seu ritmo para acompanhá-la.

Ripley parou na porta da delegacia e deu uma boa olhada nele, dizendo:

— Faça o favor de bater os pés e sacudir toda essa neve antes de entrar.

Ele obedeceu, se sacudindo e espalhando um pequeno turbilhão de neve que voou do casaco e das calças.

— Ora, pelo amor de Deus! — gemeu ela. —Vire-se de costas! — Ela espalhou com pequenos tapas e escovadas com a mão toda a neve que ainda estava grudada nele, fechando a cara quando passou para a parte da frente. Então elevou a cabeça e ela pegou o olhar de riso dele.

— Está rindo de quê?

— Talvez eu goste de ser manipulado assim. Quer que eu faça o mesmo com você, agora?

— Cuidado para não tropeçar, e é melhor se comportar se realmente quiser tomar seu café. — Ela empurrou a porta, deixando-a escancarada. Ficou muito desapontada ao ver que Zack não estava ali.

Retirou as luvas, o casaco, e se desvencilhou do cachecol, enquanto ele fazia o mesmo.

— Afinal, que diabos você estava fazendo na praia, engatinhando daquele jeito pela neve?

— Quer mesmo saber?

— Acho que prefiro não descobrir. — Caminhou até a cafeteira elétrica e serviu o restinho que havia na jarra, dividindo em duas xícaras.

— Vou contar mesmo assim. Estive no bosque um pouco mais cedo e descobri o ponto exato onde vocês... tiveram aquele problema com Evan Remington.

— Como é que pode saber com certeza que encontrou o lugar exato? — Seu estômago reagiu com uma fisgada rápida e depois se contraiu. Aquela era uma reação que Mac parecia provocar nela com frequência.

— Faz parte do meu trabalho descobrir essas coisas. — Ele aceitou o café que ela lhe trouxe. — Vocês formaram o círculo e o fecharam, não foi?

— Converse com Mia a respeito disso.

— Responda apenas sim ou não... Não é uma escolha tão difícil.

— Sim, formamos. — A curiosidade a instigou: — Por que pergunta?

— Porque havia um eco de energia. Aliás, muito forte; um fato sem precedentes em minhas experiências. Magia muito poderosa.

— Como eu disse, essa é a área de Mia.

— Existe uma razão específica para vocês duas não se darem muito bem? — Perguntou ele com calma e paciência, enquanto soprava o café fumegante. — Ou existem motivos mais genéricos?

— Bem, há motivos específicos e outros genéricos, e nenhum deles é da sua conta.

— Tudo bem. — Ele sorveu o café. Tinha gosto de lama molhada, mas ele já provara piores. — Quer jantar hoje à noite?

— Sim, quero, e na verdade pretendo fazer isso em casa, assim que tiver fome.

— Eu perguntei se você quer jantar *em minha companhia.* — Seus lábios se esticaram, quase sorrindo.

— Ah!... Nesse caso, não.

— Vai ficar meio difícil tentar arrumar um jeito de dar outros beijos de boa-noite em você se nós pelo menos não sairmos antes para jantar.

Ela se apoiou de costas na pequena prateleira onde estava a cafeteira e respondeu:

— Aquilo foi um daqueles eventos que acontecem uma vez só na vida.

— Pode ser que você mude de ideia, depois que a gente dividir uma pizza.

Ela na verdade já estava começando a mudar de ideia. Só de olhar para ele, já ficava com água na boca.

— Você é tão bom no resto como é para beijar?

— Agora me explique como é que eu posso responder a uma pergunta como essa sem parecer um idiota?

— Boa resposta. Digamos que eu resolva pensar a respeito da oferta de dividir uma pizza com você, algum dia. *Se* e *quando* isso ocorrer, o seu trabalho, no que disser respeito a mim, vai ter que ficar de fora da conversa.

— Acho que posso concordar com isso. — Ele esticou a mão.

Ela olhou para o braço dele estendido e considerou a ideia de ignorá-lo solenemente. Só que se fizesse isso ia parecer covardia. Resolveu responder ao cumprimento e apertou a mão dele, sentindo um imenso alívio ao ver que não aconteceu nada além do encontro social e casual, comum, entre duas mãos.

Só que ele não largou a mão dela.

— O café estava ótimo — disse ele.

— Eu sei. — O que estava acontecendo naquele momento era completamente natural, disse ela a si mesma. Aquele formigamento do sangue que corria, a emoção de uma mulher por um homem. E o arrepio de antecipação, a lembrança do que a boca daquele homem era capaz de fazer.

— Ora, que inferno! — Ela se aproximou dele. — Acabe logo de uma vez com esse suspense!

— Estava só esperando você dizer isso. — Ele colocou a xícara de café sobre a mesa. Desta vez tocou no rosto dela, formando uma moldura leve em torno de sua face, com um deslizar suave dos dedos que fez a pele dela estremecer.

Tocou a boca de Ripley com a sua, mergulhou fundo e fez-lhe a cabeça começar a se desorganizar.

— Puxa vida! Uau! Você é realmente muito bom nisso.

— Obrigado. — Ele deixou a mão escorregar devagar para a base do pescoço dela. — Agora, fique quietinha, ouviu? Estou tentando me concentrar.

Ela envolveu os braços em torno da cintura de Mac, esmagou o corpo de encontro ao dele e começou realmente a gostar daquilo.

Através da pequena fenda de suas pestanas, ela viu que seus olhos estavam completamente abertos e totalmente focados nela. Isso a fez se sentir de repente como se fosse a única mulher que existisse na face da Terra. Uma nova Eva. Ripley jamais precisara de um sentimento assim que fosse provocado por um homem, mas recebê-lo daquela maneira era como ser atingida por um golpe de seda, macio e delicado.

Os dedos na base da nuca começaram a lhe massagear os músculos com suavidade, encontrando pequenos e inesperados pontos que ela jamais soubera que existiam. De repente, ele mudou o ângulo do beijo, como se estivesse experimentando, e a fez tombar do nível de prazer puro para o de necessidade urgente.

Sentiu-se engatinhar, quase rastejando por cima dele, para dentro dele. Seu coração batia forte e completamente descompassado, e era como se o seu sangue cintilasse por dentro.

Ele a segurou ali por mais um momento, era preciso mantê-la naquela posição, mesmo tremendo, até que conseguisse encontrar o próprio ponto de equilíbrio, para então puxá-la em sua direção, com mãos abertas que já não estavam tão firmes como antes.

— Certo. — Ela inspirou profundamente. — Uau! Tenho que reconhecer sua perícia. O que é isso? Você andou estudando técnicas sexuais exóticas, também, ou algo assim?

— Bem, na verdade... — Ele pigarreou para limpar a garganta, sentindo que precisava, realmente, se sentar. — De uma certa forma, sim, mas pura e simplesmente como uma pesquisa paralela aos meus estudos.

— Acho que não está falando isso de brincadeira. — Ela olhou fixamente para ele.

— Esses rituais sexuais e hábitos milenares são, muitas vezes, uma parcela importante do... Escute, por que não me deixa simplesmente demonstrar tudo isso para você?

— Oh... Oh! — Ela esticou o braço para mantê-lo afastado. — Estou de serviço, e você já conseguiu me agitar o suficiente. Pode deixar que eu aviso quando estiver a fim de dividir aquela pizza.

— Dê apenas mais cinco minutos do seu tempo para mim, e você vai se sentir completamente no ponto. — Ele tentou se aproximar dela novamente, até que uma mão espalmada o impediu, tocando-lhe o peito.

— Nada feito. Vista o seu casaco e caia fora.

Por um momento, ela não achou que ele fosse realmente fazer o que ela lhe ordenara. De repente, no entanto, como que num passe de mágica, ele recuou.

— Quando chegar o momento — assegurou Ripley. — Quero que você saiba que eu gosto de pizza bem grande e com todos os ingredientes que existem.

— Engraçado, é assim que eu gosto também.

— Então vai ficar mais fácil. — Ele agarrou o casaco e a câmera. — Foi legal encontrar com você novamente, delegada Todd. Obrigado pelo café.

— Estamos aqui para servir à população, Dr. Booke.

Ao sair, ele colocou novamente o gorro de esqui na cabeça. Tinha que ir depressa para a praia, decidiu, e se jogar com roupa e tudo na água gelada. Se não se afogasse, pelo menos conseguiria esfriar aquele calor todo.

Capítulo Seis

Foi preciso muita lábia, um bocado de grana para molhar muitas mãos e a tenacidade de um buldogue. Jonathan Q. Harding, porém, estava sempre disposto a investir tudo isso quando a finalidade era conseguir uma história quente.

Seus instintos, que ele considerava os mais apurados entre as pessoas da sua área, diziam que Evan Remington o levaria à história mais importante da década.

Não era só pelo fato de que o incêndio provocado na mídia por aquele escândalo ainda continuava a soltar algumas fagulhas. Todos os ângulos de Remington, o modo como ele conseguira esconder aquele perfil violento do mundo, de seus clientes famosos e ricos de Hollywood, da nata da sociedade, tudo aquilo estava esgotado, na opinião de Harding. Até mesmo os menores detalhes sobre como a sua linda e jovem esposa tinha conseguido escapar dele e arriscado a própria vida para se livrar dos seus abusos, maus-tratos e ameaças haviam se transformado em lugar-comum agora, de tão explorados.

E Harding não se interessava pelo que era comum.

Fizera algumas pesquisas mais profundas e conseguira informações confiáveis suficientes a respeito dos lugares para onde ela fugira, como fugira, onde trabalhara e morara durante os primeiros oito meses depois de abandonar o seu Mercedes, atirando-o do alto de um penhasco. Era um material bem interessante. A ex-socialite, uma princesa paparicada, vivendo durante meses em quartos alugados e baratos, trabalhando como cozinheira substituta ou como garçonete, servindo mesas, movendo-se continuamente de uma cidade para outra. Escurecendo a cor do cabelo, trocando de nome.

Ele bem que poderia tirar ainda algum material de tudo isso.

No entanto, o espaço de tempo que transcorreu a partir do momento em que ela aterrissara naquela nesga de terra no meio do Oceano Atlântico até quando Remington acabou sendo arrastado para o fundo de uma cela de prisão era o que instigava sua curiosidade.

As coisas simplesmente não encaixavam nesse ponto, pelo menos não de forma aceitável para que Harding fechasse o livro e se esquecesse da história. Ou talvez encaixassem bem demais.

Remington segue a trilha da ex-mulher e a encontra. Pura coincidência. Dá alguns tapas nela, como nos velhos tempos. De repente, surge o herói, xerife da cidade e novo amor da mocinha em perigo.

Acaba sendo esfaqueado por isso, mas continua a sua implacável perseguição para resgatá-la. Acompanha os passos de Remington até o bosque e consegue convencê-lo a não rasgar a garganta da linda heroína. Finalmente, o carrega para a cadeia e vai para o hospital.

O mocinho salva a mocinha ameaçada. O bandido vai para uma cela acolchoada. O mocinho se casa com a mocinha. Final feliz.

Essa história, analisada sob todos os ângulos, esteve exaustivamente estampada em toda a mídia durante semanas após a prisão de Remington. E acabou, como acontece com histórias desse tipo, perdendo, com o passar do tempo, o interesse do público.

Mas houve alguns sussurros e rumores. Versões, daquele tipo que ninguém consegue confirmar, de que aconteceu muito mais na escuridão do bosque naquela noite do que uma prisão bem-sucedida, na hora H.

Sussurros e rumores a respeito de bruxaria. De magia.

Harding esteve, por algum tempo, fortemente tentado a colocar a ideia de lado, talvez apenas brincar de abordar o assunto por esse ângulo em algumas linhas de sua coluna. Afinal, Remington era um louco delirante. Suas declarações a respeito do que acontecera naquela noite, pelas quais Harding pagara um bom dinheiro, não poderiam ser levadas a sério, a não ser com um caminhão de reservas e desconfianças.

E apesar de tudo isso...

O Dr. MacAllister Booke, o Indiana Jones da paranormalidade, se mudara temporariamente para a Ilha das Três Irmãs.

Isso era para deixar qualquer um de antenas ligadas, não era?

Booke não era do tipo que desperdiçava o próprio tempo, e Harding sabia disso. O sujeito já desbravara seus caminhos através de florestas, caminhara quilômetros e quilômetros atravessando desertos e escalara as montanhas mais altas para realizar pesquisas voltadas para o seu invulgar campo de trabalho. E, na maior parte do tempo, à custa do próprio dinheiro, que tinha em grande quantidade.

Uma coisa, porém, era comprovada: ele jamais jogava fora o seu precioso tempo.

Sempre desmascarava fenômenos considerados mágicos como fraudes em número maior do que os confirmava. Quando confirmava, porém, as pessoas tinham tendência para ouvi-lo. Pelo menos, as pessoas espertas.

Se não existisse alguma possibilidade palpável de verdade naqueles rumores, por que ele se daria ao trabalho de ir para lá? Helen Remington, ou melhor, Nell Channing Todd, não estava reivindicando coisa alguma. Ela conversara com a polícia, é claro, mas não houve uma linha sequer de referência a fenômenos sobrenaturais em seu depoimento. Da mesma forma, nenhuma informação interessante vinda dos seus advogados havia vazado para a imprensa.

Apesar de tudo isso, MacAllister Booke havia considerado a Ilha das Três Irmãs como digna do seu precioso tempo e intrincadas pesquisas. E foi isso que provocara o interesse de Harding. O fato o havia deixado tão interessado, na verdade, que devorara com atenção tudo o que encontrara sobre a ilha, suas tradições e lendas.

Seu infalível faro de repórter sentia que, por baixo de tudo aquilo, havia uma história. Uma história grande, polpuda e potencialmente suculenta.

Já tentara extrair, sem sucesso, informações e entrevistas de Mac. Os MacAllister Booke eram escandalosamente ricos, influentes e extremamente conservadores. Se tivesse conseguido um pouco de cooperação, poderia ter criado uma série de sólidas reportagens sobre a família famosa e seu filho caçador de fantasmas.

Ninguém, no entanto, concordara em colaborar, em particular o próprio Booke.

Isso doía.

Mesmo assim, era só questão de se conseguir o pé de cabra adequado para abrir aquela porta e saber a quantidade certa de pressão para aplicar.

Harding estava confiante de que o próprio Remington acabaria por auxiliá--lo a levantar a tampa dessa Caixa de Pandora.

A partir daí, ele conseguiria tomar conta do resto.

Harding caminhava naquele momento ao longo do corredor do lugar que ele costumava chamar de "depósito dos pirados". Remington havia sido julgado legalmente insano, e isso acabou evitando que os contribuintes gastassem uma fortuna com um longo e detalhado julgamento, o que acabou privando a todos das fofocas suculentas que a mídia certamente teria divulgado.

O fato é que a arma usada contra o xerife da ilha estava, comprovadamente, com as impressões digitais de Remington. O xerife e mais outras duas testemunhas, inclusive, fizeram declarações afirmando que Remington ficara com a faca encostada na garganta de sua esposa e ameaçara abertamente a sua vida.

Para piorar o estrago, Remington não apenas simplesmente confessara tudo, como também ficara berrando o tempo todo sobre a importância de matá-la, resmungando que só a morte poderia separá-los, seguindo com declarações alucinadas sobre a necessidade urgente de queimar a bruxa adúltera.

É claro que ele ainda gritara uma porção de outras coisas, também. Falou sobre olhos que cintilavam e cobras que rastejavam por dentro de sua pele.

Considerando as provas físicas, as evidências encontradas, as declarações das testemunhas e suas próprias declarações ensandecidas, Remington acabou conseguindo um lugar de honra incontestavelmente merecido em uma sala gradeada na seção mais vigiada do hospício.

O crachá de visitante que Harding cuidadosamente prendera sobre a lapela de seu terno feito sob medida balançava enquanto ele caminhava. Suas feições eram rústicas e de aspecto compenetrado. Seus olhos eram castanhos, bem escuros, e pareciam desaparecer quando ele sorria. Sua boca tinha lábios finos, quase um rasgo que cortava horizontalmente o rosto, e, quando ficava aborrecido, a impressão era a de que não possuía lábios.

Se o seu rosto e o tom de sua voz fossem ligeiramente mais atraentes, ele poderia ter trilhado um caminho glorioso para o noticiário noturno da televisão.

Anos antes, aspirara mesmo essa posição, tão avidamente quanto alguns meninos sonham com o primeiro toque nos seios de uma mulher — com incontrolável desejo e quase volúpia. A câmera, porém, não era sua amiga. Ela acentuava suas feições rudes e fazia suas proporções atarracadas o tornarem parecido com um toco de árvore.

Sua voz, como uma vez um ferino técnico de som destacara, mais parecia o ruído provocado por um ganso baleado ao microfone.

A perda cruel desse sonho de infância ajudara a transformar Harding no tipo de repórter de jornal investigativo que era hoje. Sem misericórdia, calculista, frio e duro como um iceberg.

Ouviu o eco das trancas sendo abertas e o som grave das portas se abrindo. Pretendia lembrar de tudo aquilo para descrever a visita com detalhes, para seus leitores. A sensação perturbadora e lúgubre de metal roçando em metal, os rostos impassíveis dos guardas e da equipe médica, e o cheiro estranhamente doce de loucura que impregnava o ar.

Esperou do lado de fora de outra porta. Lá, foi novamente revistado, e havia um atendente ao lado da porta, diante de um painel cheio de monitores sobre uma escrivaninha.

Os internos daquela seção, conforme alguém explicara a Harding, estavam sob vigilância 24 horas por dia. Quando entrasse para ficar frente a frente com Remington, ele próprio estaria sendo observado de perto pelas câmeras. Aquilo, admitiu para si mesmo, era na verdade um alívio.

A última porta se abriu. Seu acompanhante lembrou a Harding que ele tinha apenas trinta minutos.

Pretendia conseguir o máximo que pudesse nesse tempo.

Evan Remington não se parecia com o homem que Harding se acostumara a ver nas revistas com grandes fotos em papel caro ou sob as luzes e cores cintilantes da TV. Estava sentado em uma cadeira, vestido com um macacão de cor laranja berrante e ereto como uma estaca. Havia correntes em seus pulsos.

Seus cabelos, que antes formavam uma coroa dourada, tinham agora um tom de amarelo desbotado e estavam cortados bem curtos. Seu rosto atraente estava muito inchado, por causa da comida que lhe serviam na instituição, aliada aos medicamentos, além da falta de tratamentos de beleza em salões finos. A boca estava frouxa, e os olhos pareciam sem vida como os de um peixe.

Eles o mantinham sedado, imaginou Harding. Quando você tem nas mãos um sociopata comum e ainda tem que aturar algumas de suas psicoses e tendências à violência, sedativos são sempre os seus melhores amigos.

Só que ele não contava com a possibilidade de ser obrigado a tatear o seu caminho através do labirinto químico em que se transformara o cérebro de Remington.

Um guarda estava nos fundos da sala atrás do paciente, encostado a uma porta, e já parecia entediado. Harding se sentou do lado de Remington, no balcão, e olhou por entre as grades que os separavam.

— Senhor Remington, meu nome é Harding. Jonathan Q. Harding. Acredito que o senhor já tinha sido avisado de que eu viria visitá-lo hoje, não?

Nenhuma resposta. Harding soltou um xingamento, mentalmente. Será que eles não poderiam ter esperado que ele tivesse acabado de entrevistá-lo para dar a dose diária de pílulas alienantes?

— Senhor Remington, eu conversei com a sua irmã ontem... — Nada. — O senhor se lembra dela? Bárbara... sua irmã?

Uma linha fina de baba brilhante escorreu lentamente de um dos cantos da boca de Remington. Desgostoso por ver aquilo, Harding virou o rosto para o lado.

— Eu esperava conversar com o senhor a respeito de sua ex-esposa, e a respeito do que aconteceu na Ilha das Três Irmãs na noite em que o senhor foi preso. Trabalho para a revista *Primeira Hora*.

Ou, pelo menos, trabalhava, no momento. Seus editores estavam começando a ficar muito exigentes e implicantes demais para o seu gosto.

— Meu desejo é fazer uma matéria sobre o senhor, para que todos conheçam o seu lado, a sua versão da história, senhor Remington. Sua irmã está muito ansiosa para que o senhor converse comigo.

Isso não era exatamente verdade, mas ele tinha convencido Bárbara de que uma entrevista poderia ser a matéria-prima de uma reportagem que criasse alguma simpatia ou dó pela situação do irmão. Isso, por sua vez, poderia ter algum peso na ação legal em que ela estava pleiteando para que o insano célebre fosse transferido para uma instituição particular.

— Talvez eu possa ajudá-lo, senhor Remington... Evan. — Resolveu corrigir a frase. — Eu *quero* ajudá-lo!

Conseguiu como resposta nada mais além daquele olhar morto, distante e silencioso. E só o fato de estar ali olhando para ele lhe deu arrepios superficiais sobre a pele.

— Estou pretendendo conversar com todos os envolvidos na história, para conseguir uma matéria bem abrangente. Vou falar com a sua ex-mulher também. Estou tentando conseguir uma entrevista com Helen.

Ao ouvir o som daquele nome, os olhos sombrios e sem vida piscaram levemente.

Havia alguém por trás daquele rosto, afinal, pensou Harding, chegando um pouco mais para a ponta da cadeira.

— Há alguma coisa que o senhor gostaria que eu dissesse a Helen em seu nome? Há alguma mensagem que eu possa levar para ela?

— Helen... — grunhiu ele.

A voz era rascante, pouco mais que um sussurro. Harding sentiu de imediato uma sensação estranha, como se um dedo gelado estivesse descendo pela sua espinha, quando o homem à sua frente repetiu o nome com aquele tom gutural.

— Isso mesmo — insistiu ele. — Vou estar com Helen muito em breve.

— Eu a matei! — A boca ligeiramente mole formou um surpreendente e brilhante sorriso. — Matei-a no bosque, em meio à escuridão. Continuo tendo que matá-la todas as noites, porque ela continua voltando. Chega e fica rindo de mim, e então eu a mato novamente.

— O que aconteceu naquela noite no bosque, Evan? Com Helen?

— Ela fugiu de mim. É louca, como você sabe. Como é que ela achou que conseguiria fugir? Como é que ela foi pensar que poderia escapar? Eu tinha que matá-la. Os olhos dela cintilavam!

— Como um relâmpago? Eles cintilavam com a força de um relâmpago?

— Aquela não era Helen. — Os olhos de Remington começaram a soltar dardos, como se fossem aves de rapina negras mergulhando sobre a presa. — Helen era quieta, calma e obediente. Ela sabia quem é que mandava. Ela sabia... — Enquanto falava, seus dedos começaram a apertar os braços da cadeira em que estava sentado.

— Quem era, então?

— Uma bruxa! Vindas do inferno, todas elas. Era tanta luz, tanta luz! Elas me cegaram, me amaldiçoaram. Colocaram cobras sob a minha pele. Cobras. Formaram um círculo de luz. Um círculo de sangue. Você me entende?

Por um momento, Harding conseguiu ver a cena. Clara como água, e aterrorizante. O repórter teve que se segurar com força para não tremer.

— E quem eram... "todas elas"?

— Elas todas também eram Helen. — Ele começou a gargalhar, um riso alto e descontrolado, com um som penetrante que fazia a pele de Harding trepidar sem parar, até que sentiu os cabelos do braço ficarem completamente arrepiados. — Todas elas eram Helen. Queimem a bruxa! Eu a mato todas as noites... todas as noites, mas ela continua voltando.

Agora ele estava aos gritos e muito agitado. Harding, que já vira um bocado de cenas horríveis em sua carreira, recuou assustado e deu um pulo da cadeira enquanto o guarda avançava para tentar segurar o paciente.

Um lunático completo, Harding ficou dizendo a si mesmo enquanto os atendentes o arrastavam para fora da sala. Doido varrido.

Mas... Mas...

O cheiro daquela história era muito bom... Forte demais para resistir.

Algumas pessoas poderiam se sentir um pouco nervosas diante da perspectiva de passarem algumas horas fazendo uma visita social, à noite, na residência de uma bruxa. Sentindo-se nervosos, poderiam até, compreensivelmente, ceder à tentação de colocar nos bolsos alguns ramos recém-colhidos de "veneno de lobo" ou um punhado de sal.

Mac foi armado apenas com o seu gravador portátil, o caderno de anotações e uma garrafa do bom Cabernet. Esperara pacientemente mais de uma semana por esse convite inicial.

Agora, estava a caminho de um jantar a dois com Mia Devlin.

Não tinha sido fácil resistir à tentação de ir de carro até a casa dela no alto dos penhascos por conta própria, apenas para investigar, dar uma caminhada pelos bosques em volta, espreitar em torno das sombras do velho farol. Só que isso teria sido, pelos seus padrões de comportamento, muito rude.

A paciência e o uso de cortesia e gentileza tinham valido a pena, e Mia finalmente perguntara a Mac, casualmente, se ele gostaria de aparecer na casa dela para jantar. Ele aceitara, tentando parecer igualmente casual.

Agora, enquanto subia cada vez mais pela encosta, estava se sentindo cheio de expectativas. Havia tantas coisas que queria perguntar a Mia, particularmente depois de notar que Ripley se fechava todas as vezes que ele tentava saber alguma coisa por ela. E ainda estava faltando uma aproximação maior com Nell.

Com relação a isso, dois avisos de duas bruxas diferentes eram uma maneira poderosa de convencê-lo. Ele ficaria esperando até que Nell viesse até ele ou que o caminho estivesse livre.

Havia tempo de sobra. E ele ainda tinha um trunfo importante guardado na manga.

Gostou do jeito do lugar, a imensa pedra bem alta, acima do mar, resistindo às ondas e ao tempo. A arte que notou nas cumeeiras, as românticas varandas do andar superior, o mistério que envolvia as pequenas torres. O facho de luz branca que vinha do farol e cortava a escuridão como uma lâmina larga, atravessando as nuvens acima do mar e voltando, fazendo uma varredura luminosa ao passar pela casa e pelos escuros bosques que ficavam atrás dela.

Era um local solitário, pensou, enquanto estacionava o carro. Quase arrogantemente isolado e inegavelmente lindíssimo. Combinava com ela à perfeição.

A neve havia sido cuidadosamente removida da estrada e da entrada do terreno onde ficava a casa. Ele não conseguia imaginar uma mulher com a aparência de Mia Devlin empunhando uma pá e retirando neve do caminho. Ficou se perguntando, porém, se isso não seria uma opinião um pouco machista.

Acabou decidindo que não. Não tinha nada a ver com o fato de Mia ser uma mulher e tudo a ver com a sua beleza. Simplesmente não conseguia imaginá-la fazendo alguma coisa que não fosse elegante e transpirasse classe.

No momento exato em que ela lhe abriu a porta, ele teve a certeza de que estava certo.

Mia usava um vestido em um tom escuro de verde-folha, daquele tipo de modelo que cobria uma mulher do pescoço aos pés e ainda assim conseguia mostrar a um homem que tudo o que estava por baixo daquele vestido era perfeito. Isso o deixou fascinado.

Pedras brilhavam em suas orelhas e em seus dedos. Em uma corrente de prata trançada um simples disco gravado brilhava, quase à altura da cintura. Tinha os pés sedutoramente descalços.

Ela sorriu para ele de modo cativante e lhe estendeu a mão.

— Fiquei feliz por ter atendido ao meu convite, ainda por cima trazendo um presente. — Recebeu a garrafa de vinho. Era o seu tipo favorito, conforme reparou ao olhar o rótulo. — Como é que você soube?

— Como?... Ah, o vinho?... Faz parte do meu trabalho descobrir dados pertinentes.

— Seja bem-vindo à minha casa. — Com uma risada agradável, ela puxou-o para dentro. — Deixe-me pegar o seu casaco.

Mia se deixou ficar muito próxima dele, fazendo com que as pontas dos dedos lhe deslizassem pelo braço. Ela considerava isso uma espécie de teste, para ambos.

— Estou tentada a dizer, pomposamente: *Por favor, vamos nos dirigir à minha sala de estar.* — Sua risada voltou, grave e cheia. — Então, vamos para lá — e o encaminhou para uma sala que ficava logo depois do saguão. — Sinta-se em casa, Mac. Vou abrir o vinho.

Ligeiramente deslumbrado, ele caminhou lentamente para o interior de uma sala imensa, onde uma lareira acesa brilhava e crepitava alegremente. O lugar era cheio de cores fortes, tecidos macios, madeira polida e vidros brilhantes. Tapetes antigos maravilhosamente desbotados estavam espalhados estrategicamente por cima de um lindo piso de tábuas corridas.

Mac reconheceu de imediato o ambiente de riqueza. Um tipo de riqueza confortável, de bom gosto e, de algum modo, essencialmente feminino.

Havia flores, lírios com pétalas em forma de estrela e tão brancos quanto a neve lá fora, que formavam um cuidadoso arranjo dentro de uma jarra alta e transparente.

O ar estava impregnado do perfume daquelas flores... e do perfume dela.

Até mesmo um homem morto, Mac imaginou, teria começado a sentir seu sangue circular mais depressa e seus hormônios começarem a se agitar.

Havia livros enfiados em prateleiras, cercados de lindas garrafas e pedaços de cristais, e de pequenas estatuetas curiosas. Ele voltou sua atenção para os livros. O que uma pessoa costumava ler era capaz de dizer muito sobre ela.

— Sou uma mulher prática.

Ele deu um pulo. Ela voltara silenciosamente, como fumaça.

— Como disse?

— Sou prática — repetiu ela, colocando a bandeja com o vinho e dois cálices sobre uma mesinha. — Os livros são uma das minhas paixões, e eu abri a loja porque assim consigo obter lucros através dessa paixão.

— Sua paixão é eclética.

— Canais únicos são tão monótonos... — Ela serviu o vinho, entregando-o a Mac, sem desviar os olhos um só instante dos olhos dele. — Você deve concordar com isso, já que os seus interesses são igualmente variados.

— Sim. Obrigado.

— Vamos brindar então à variedade das paixões! — Os olhos dela sorriam quando os cálices se tocaram.

Sentando-se no sofá baixo, ela continuava a sorrir para ele enquanto afofava o almofadão atrás das costas.

— Venha se sentar aqui. Diga-me o que achou de nossa pequena ilha no meio do oceano.

Mac estava se perguntando se era a sala que estava quente demais ou se era ela que simplesmente irradiava calor onde quer que fosse. Por fim, ele se sentou junto de Mia.

— Gostei da ilha. A aldeia é esquisita na medida certa, sem ser estereotipada, e as pessoas são amigáveis no nível exato, sem parecerem excessivamente curiosas ou abelhudas. Sua livraria dá um toque de sofisticação muito interessante ao local, o mar acrescenta uma dose de glamour, e as florestas um quê de mistério. Sinto-me muito confortável aqui.

— Então isso vem a calhar, para o seu trabalho. E, morando lá no meu pequeno chalé amarelo, sente-se à vontade?

— Mais que isso. Na verdade, adiantei muito o meu trabalho; já estou com uma série de coisas prontas.

— Você é uma pessoa muito prática, assim como eu, não é, MacAllister? — Bebeu um gole de vinho, com elegância. Vinho tinto de encontro a lábios tintos. — Apesar de que muitos considerariam a área que escolheu para trabalhar pouco prática.

— O conhecimento é sempre prático. — Parecia que o colarinho de sua camisa estava encolhendo.

— E é isso que você procura por trás de tudo, então? O ato de saber? — Cruzou as pernas de lado, puxando-as para cima. Seus joelhos roçaram de leve na perna dele. — Uma mente que está sempre buscando é algo muito atraente.

— Sim... Bem... — Ele bebeu o vinho. De um gole só.

— Como é o seu... apetite?

— Meu apetite? — Seu rosto corou.

Ele era, Mia decidiu, absolutamente adorável.

— Por que não passamos para a sala de jantar? Vou alimentá-lo.

— Ótimo! Boa ideia.

Descruzando as pernas, ela passou suavemente as pontas dos dedos sobre o braço dele, mais uma vez.

— Traga o vinho, bonitão.

Puxa vida!, foi seu único pensamento claro.

A sala de jantar deveria dar uma sensação de formalidade, intimidar as pessoas com sua imensa mesa de mogno, os aparadores largos e as cadeiras de espaldar alto. No entanto, era tão acolhedora quanto a sala de estar. As cores eram mais quentes ali, também, com tons escuros de bordô misturado com ouro velho.

Flores nos mesmos tons também perfumavam o ar, saltando de vasos de cristal entalhado, como lanças. Uma outra lareira também estalava, como se tentasse acompanhar a suave música de harpas e flautas.

As três janelas altas ao longo da parede estavam com as cortinas completamente abertas, para reproduzir o contraste da noite negra e da neve branca dentro do ambiente. Tudo era tão perfeito quanto uma fotografia bem planejada.

Sobre a mesa havia uma suculenta travessa de carneiro assado, e as luzes de uma dúzia de velas.

Se ela estivera planejando criar um clima de romance, tinha conseguido, e magnificamente.

À medida que comeram, Mia direcionou a conversa para literatura, arte, teatro, e o tempo todo o ficava observando com uma atenção exclusiva e quase lisonjeira.

Mac sentiu, como se fosse algo quase hipnótico, o jeito que ela tinha de olhar para um homem de modo completo, profunda e diretamente.

A luz das velas brincava sobre a pele dela como se fosse ouro se espalhando sobre alabastro, e refletia em seus olhos como filetes amarelos que rebrilhavam através de fumaça. Mac sentiu, de repente, que gostaria de possuir talento para fazer mais do que simples esboços apressados com lápis. Aquele rosto merecia telas grandes e tinta a óleo.

Ficou surpreso ao descobrir que ambos tinham tantos interesses em comum. Livros dos quais gostavam e tipos de música que os dois apreciavam.

Por outro lado, cada um dos dois gastara um tempo considerável descobrindo todo o possível sobre o perfil do outro. Ele já sabia que Mia havia sido criada ali, naquela mesma casa, e que era filha única. E também que os pais dela tinham deixado a maior parte dos cuidados do dia a dia da criança nas mãos de Lulu. Que ela se formara em Radcliffe, completando cursos universitários em Literatura e Administração de Empresas.

Seus pais se mudaram da ilha antes de Mia terminar os estudos e raramente retornavam.

Ela vinha de uma família muito rica, como ele.

Não pertencia a nenhuma confraria de bruxas, a nenhum grupo e a nenhuma organização, e vivia ali de modo calmo, sereno e solitário, no mesmo lugar onde nascera. Jamais se casara e nem vivera em companhia de um homem.

Ele estranhava que uma mulher tão obviamente e tão elegantemente sensual jamais tivesse tido essa experiência.

— Você gosta de viajar — afirmou ela.

— Há muita coisa para se ver no mundo. Acho que gostava mais disso quando tinha 20 e poucos anos. Aquela emoção de fazer as malas de uma hora para a outra, levantar voo quando bem entendesse, ir para onde quisesse ou precisasse.

— E sempre morando em Nova York. A agitação da cidade, o estímulo.

— Isso tem suas vantagens. Meu trabalho, no entanto, pode ser desenvolvido em qualquer lugar. Você vai a Nova York com frequência?

— Não. Raramente saio da ilha. Tenho tudo o que quero e preciso, aqui mesmo.

— E museus, teatros, galerias de arte?

— Não tenho muita atração por eles. Prefiro meus penhascos, minha floresta, meu trabalho... E o meu jardim — acrescentou. — É realmente uma pena que estejamos no inverno, pois em outra estação poderíamos dar uma volta, depois do jantar, por todo o meu jardim. Em vez disso, teremos que nos contentar com café e sobremesa na sala de estar.

Ela ofereceu delicados profiteroles, ainda molhados com a cobertura de chocolate, que ele adorou. A seguir, lhe ofereceu conhaque, que ele recusou. Um relógio em algum lugar das profundezas da casa soou algumas badaladas, enquanto ela, mais uma vez, se sentava com as pernas recolhidas para o lado, junto dele, no sofá.

— Você é um homem que possui um grande controle emocional e muita força de vontade... Estou certa ao dizer isso, Dr. Booke?

— Não estou bem certo dos motivos que a levam a dizer isso. Quais são?

— Fiz esse comentário porque você está na minha casa, sozinho comigo, há mais de duas horas. Tentei envolvê-lo com o vinho, a luz de velas e a música. Apesar de todo o clima que eu criei, você não trouxe para a nossa conversa, em nenhum momento, o seu interesse profissional por mim e também não tentou me seduzir. Isso é admirável, eu imagino, ou será que deveria me sentir insultada?

— Pois saiba que pensei em fazer as duas coisas.

— Sério? E o que o impediu?

— O fato de que foi você quem me convidou para vir à sua casa. Portanto, trazer aqui para dentro os meus interesses profissionais seria completamente inapropriado.

— Ah... — Mia jogou a cabeça para o lado deliberadamente, oferecendo a ele a chance, a grande oportunidade, de se inclinar e tomar-lhe a boca. — E quanto à sedução?

— Posso afirmar que, se existe um homem que se aproxime a menos de um quilômetro de você e não imagine como seria seduzi-la, então esse é um sinal inequívoco de que o homem precisa de terapia com urgência.

— Ora... Eu estou começando a gostar mesmo de você. Mais do que pensei que fosse gostar a princípio, de verdade. Agora, devo me desculpar por ter tentado jogar todas essas iscas para você.

— Por quê? Gostei delas.

— Mac... — Ela se inclinou na direção dele e tocou-lhe os lábios levemente com os dela. — Vamos ser apenas amigos, não vamos?

— Espero que sim.

— Eu bem que gostaria que pudéssemos ser mais do que isso, mas no final tudo teria sido breve e acabaria complicando o destino e os caminhos.

— Os seus ou os meus?

— Ambos. E tem mais. Não fomos feitos para sermos amantes. Não imaginei que você já tivesse percebido isso.

— Espero que você não se ofenda se eu disser que, no fundo, lamento esse fato.

— Não, até ficaria aborrecida se você não dissesse isso. — Ela atirou para trás a massa de cabelos ruivos encaracolados. — Agora, me faça todas as perguntas profissionais que estão gravitando em sua cabeça. Eu me proponho a respondê-las, se puder.

— O círculo no bosque atrás do chalé. Como vocês o fizeram?

A surpresa a fez apertar os lábios, instintivamente. Levantou-se para oferecer a si mesma alguns instantes para pensar.

— Essa pergunta foi muito boa — comentou, olhando aparentemente distraída pela janela. — Como foi que descobriu? — Antes que ele tivesse a chance de responder, ela levantou a mão: — Não me diga; deixe para lá. Sei que esse é o seu trabalho. Só que eu não posso responder a uma pergunta que envolve outras pessoas que poderiam preferir segredo.

— Já sei a respeito de Ripley e Nell.

— Já sabe? — Ela olhou para ele, admirada, por sobre os ombros.

— Descobri através de pesquisas, por processo de eliminação e por observação. — Encolheu os ombros. — Descobri porque sou muito bom no que faço. E ainda não me aproximei de Nell, apenas pelo fato de tanto você quanto Ripley terem feito objeções a isso.

— Entendo. E você não tem medo do que poderíamos fazer se você ignorasse nossas objeções?

— Não.

— Não. Assim, simples e direto. Um homem corajoso.

— De modo algum. Vocês jamais usariam seus dons para me punir ou me prejudicar de algum modo. Pelo menos sem haver uma provocação, e, mesmo assim, se fosse o caso, seria apenas para me proteger. Ripley não possui o seu controle ou dedicação à Arte, mas ela tem seus códigos próprios, que possivelmente são mais rigorosos do que os seus.

— Você consegue ver através das pessoas, muito bem. Quer dizer que já se aproximou de Ripley? Já conversou com ela?

— Sim, já.

As pontas da boca de Mia se levantaram ligeiramente, como em um projeto de riso, mas havia pouco humor nesse sorriso.

— E você ainda diz que não é corajoso?... — Havia suficiente insinuação nessas palavras para deixar Mac intrigado.

— O que aconteceu entre vocês duas?

— Essa já é uma segunda pergunta, e eu ainda estou decidindo se devo responder à primeira. Até Ripley confirmar a sua suposição...

— Não é uma suposição, é um fato. E ela já confirmou isso para mim.

— Agora você está conseguindo realmente me surpreender. — Tentou entender aquilo, enquanto, com uma expressão enigmática no rosto, Mia deu alguns passos até a lareira e depois foi dali até a cafeteira para se servir de café, embora na verdade estivesse sem vontade de tomá-lo.

— Você a protegeria, também, eu sei — disse Mac, articulando as palavras com calma. — Ela tem muita importância para você.

— Éramos muito amigas, tão próximas quanto é possível ser, durante a maior parte de nossas vidas. Agora, não somos mais. — Mia disse isso com simplicidade, embora tal assunto parecesse tudo, menos simples. — Eu até hoje ainda não me esqueci do que nós éramos ou daquilo que dividíamos. De qualquer forma, Ripley é capaz de proteger a si mesma. O que não consigo imaginar é um motivo forte o suficiente para fazê-la ter admitido para você, tão depressa, os dons que possui e o que ela é.

— Eu a encostei contra a parede.

Mac hesitou por um breve momento e, então, contou a Mia sobre a explosão de energia, a imagem da mulher na praia, a aposta e a hora que Ripley tivera que passar com ele no chalé.

Mia pegou no pulso dele e o examinou pessoalmente, com cuidado.

— Seu temperamento forte sempre foi um problema. Mas sua consciência é ainda mais forte. Ela vai sofrer por ter ferido você. Quando ela curou você, transferiu a dor das queimaduras para ela, sabia?

— O que quer dizer?

— Que essa foi a forma de se penitenciar, para que tudo ficasse correto e em harmonia novamente, de uma forma justa. Tirou as queimaduras da sua carne e as colocou nela mesma.

— Mas que droga! — Ele se lembrou do calor e da dor intensa que sentira, xingando a situação, bem baixinho. — Isso não era necessário.

— Para Ripley era essencial. Deixe para lá. — Ela soltou o pulso dele, circulando em torno da sala, até acomodar os pensamentos. — Você a deseja, não é? Sexualmente, eu quero dizer.

— Bem... — Ele se remexeu no sofá, sentindo-se desconfortável. O rubor de seu rosto parecia vir do peito para subir-lhe pelo pescoço. — Não fico muito à vontade discutindo um assunto desse tipo com uma outra mulher.

— Os homens às vezes são tão sensíveis a respeito de sexo! *Falar* sobre sexo, é o que estou dizendo; não é *fazer*. Está tudo certo. — Voltou até o sofá para se sentar novamente. — Agora, respondendo à sua pergunta...

— Desculpe, Mia, mas... Será que você se incomodaria se eu gravasse a sua resposta?

— Dr. Booke... — Um tom divertido sobressaiu em sua voz quando ela o viu tirar o pequeno gravador do bolso. — Parece um escoteiro. Sempre alerta e preparado. Não, não vejo motivos para me incomodar, mas concordo em gravar apenas sob a condição de que nada do que eu disser será publicado sem a minha autorização por escrito.

— Você está parecendo um escoteiro também. Então, combinado.

— Nell já tinha tomado as precauções dela, e eu também. A ação legal já estava igualmente para começar, para proteção adicional. Zack, que é muito bom no seu trabalho e estava perdidamente apaixonado por Nell, também a estava protegendo. Mesmo assim, Evan Remington chegou à ilha e a encontrou. Ele a machucou e a aterrorizou. Por pouco não matou Zack e teria matado Nell também. Apesar de todas as precauções que tomamos, ele teria conseguido tirar a vida dela naquela noite. Ela fugiu correndo para o bosque a fim de atraí-lo e para evitar que matasse Zack, que estava realmente muito ferido. Tinha certeza de que ele iria segui-la.

— É uma mulher de coragem.

— Ah, isso ela é... Sem dúvida! E conhecia muito bem aquele bosque. Era o bosque dela, e nós estávamos em plena escuridão, pois era noite de lua nova. Mesmo assim, ele a alcançou, como uma parte dela sabia que aconteceria. Existem destinos que nada pode reverter: nem a magia, nem o intelecto e nem a força. — Os olhos de Mia pareciam ainda mais azuis ao dizer isso, enquanto o encarava fixamente. — Você acredita nisso?

— Sim, acredito.

— Imaginei que sim — concordou ela com a cabeça enquanto lhe estudava o rosto, detalhadamente. — E também achei que, em algum nível, você até mesmo *compreenderia* isso. Ele estava destinado a reencontrá-la, daquela forma e naquele momento. Essa espécie de... teste, que colocou a vida dela sobre uma balança, foi escrita há três séculos. A coragem de Nell e a sua fé nela mesma é que foram as chaves.

Mia fez uma pausa longa na narrativa, como se estivesse recolhendo forças para continuar, e finalmente foi em frente.

— Mesmo sabendo de tudo isso, eu estava muito temerosa. Como mulher, tinha medo. Evan Remington colocou uma faca encostada na garganta dela. O rosto dela já estava com uma marca de pancada, que tinha sido feita pela mão dele, momentos antes. Eu detesto e desprezo aqueles que agem como aves de rapina sobre os outros, aqueles que deliberadamente causam medo e sofrimento aos que consideram mais fracos.

— Você é uma mulher civilizada — disse ele, sem acrescentar mais nada.

— Será que sou, Dr. Booke? Será que você compreende que estava ao alcance do meu poder, naquele momento, ter feito com que o coração de Evan Remington simplesmente parasse de bater, para colocar um fim à sua vida? Ou lhe provocar dores inimagináveis, no instante em que o vi ameaçando a minha irmã, daquela maneira?

— Uma maldição dessa magnitude e com essa quantidade de ódio e violência requer que a pessoa amaldiçoada acredite no Poder e na Magia. É também necessário um ritual muito complexo que... — Parou de falar subitamente, porque reparou que Mia estava sorvendo o café suavemente e sorrindo... um sorriso de pura diversão, agora. — Bem... Pelo menos, todas as minhas pesquisas confirmam o que eu acabei de dizer.

— Como queira!... — Ela falou isso com muita suavidade, mas ele sentiu no mesmo instante a parte de trás da nuca se arrepiar. — Enfim, o que eu poderia ter feito é uma coisa. Mas estou presa às minhas próprias crenças e aos meus próprios votos. Não posso quebrar a minha fé e me transformar naquilo que desejar ser. Ficamos então ali, nós cinco, parados no meio daquela pequena clareira, no bosque. Tanto Zack quanto Ripley estavam portando revólveres. Usá-los naquela hora, porém, teria colocado um fim à vida tanto de Nell quanto de Remington. Havia apenas um caminho, uma saída. O círculo de três. E nós o conjuramos então, naquela noite, mesmo sem a cerimônia, as ferramentas, os cânticos e os chamados que são tantas vezes necessários. Conjuramos o círculo através da nossa própria vontade.

— Eu nunca vi isso, nem imaginei que fosse possível — comentou Mac, achando tudo aquilo fascinante e surpreendente.

— Eu também não. Pelo menos, até aquela noite, jamais tinha tentado. A necessidade obriga... — murmurou Mia. — Uma ligação profunda, mente com mente... com mente. E foi então que o Poder, Dr. Booke, surgiu com força total, formando um anel. Evan, então, já não poderia mais machucá-la, simplesmente porque Nell já *não* podia mais ser machucada. E ele, por sua vez, não poderia mais permanecer mentalmente são, depois de ter sido forçado a enfrentar as forças que moram em seu interior.

Mia falava baixo e de forma pausada. Alguma coisa, porém, algo que apenas a palavra "magia" parecia muito impotente para descrever, se espalhou subitamente em volta de toda a sala, aquecendo-a ligeiramente, e pareceu acariciar a pele de Mac.

— Ripley me contou que vocês conseguiram fechar o círculo, Mia.

— Nossa, a Ripley está bem tagarela com você, e isso não é uma característica dela. Sim, é verdade. Nós fechamos o círculo.

— A energia ainda está naquele lugar. Continua mais forte do que em todos os círculos que eu já documentei pelo mundo.

— O "três" tem uma energia muito forte quando se funde em um. Creio que a energia que foi criada naquele instante vai permanecer lá ainda por muito tempo, mesmo depois de todos nós termos morrido. Nell finalmente encontrou aquilo de que precisava. Foi dado o primeiro passo rumo ao equilíbrio.

O ar em torno do recinto se acalmou aos poucos e ficou um pouco mais frio novamente. Diante dele, estava de volta apenas uma mulher lindíssima segurando um bule de porcelana.

— Aceita mais café? — perguntou ela, candidamente.

Capítulo Sete

Aquele filho da mãe de mãos ágeis...

Primeiro, ele dá em cima dela. Depois, vem se insinuando de modo escorregadio, para convencê-la a mudar seu julgamento, usando aquela linda cena do "confie em mim", tudo para acabar deixando bem claro que o que ele quer é fazer sexo com ela.

Ripley rangeu os dentes enquanto dava a corrida matinal pela praia.

Depois disso, *depois de tudo isso,* vai e aproveita a primeira oportunidade para tentar dar em cima da Mia.

Os homens, ela decidiu, são todos uns vermes.

Ela não teria desconfiado de nada se Nell não tivesse comentado casualmente que Mia estava se preparando para receber Mac naquela noite para um jantar em sua casa.

Jantar?..., pensou ela soltando uma bufada, *me engana que eu gosto... Jantar!...*

Ela era capaz de apostar que ele pensara só no estômago quando comprou uma garrafa do sofisticado vinho francês favorito de Mia, na loja de bebidas da ilha. Ela soube disso também, só que depois do fato. O verme até chegou a *perguntar* ao atendente qual o tipo certo e a safra que Mia preferia.

Pois bem, ele era livre para dar em cima de Mia e de qualquer outra mulher da ilha, se quisesse. Mas *nunca* depois de ter se interessado por Ripley Todd primeiro.

Cretino. Primeiro o malandrinho da cidade vem para cima dela e a deixa toda animada, formigando. Depois, escapa de mansinho e vai tirar uma provinha de Mia. E ela provavelmente deve ter jogado todo o charme para cima do bonitinho, para conseguir laçar o gatão.

Era a cara dela.

Chegando na ponta da praia, Ripley fez a volta e começou a correr na direção oposta.

Não, droga, isso *não era* a cara dela. Por mais que tivesse vontade, em princípio, de treinar uns cruzados de direita na cara da Mia, Ripley não podia se enganar quanto a um fato incontestável. Mia jamais iria correr atrás de um homem que já estivesse com alguém. A verdade, pensando bem, é que ela não corria atrás de homem nenhum, o que provavelmente explicava o fato de ela ser uma mulher tão irritadiça e cheia de nove-horas. Um pouco de sexo descontraído e sem compromisso seria capaz de fazer muito bem a ela.

Mas roubar homens alheios não era, definitivamente, do seu estilo, e, por mais que as duas vivessem se estranhando, Mia Devlin era completamente leal e tinha muita classe para invadir propriedade alheia.

O que trouxe o pensamento de Ripley de volta ao começo de tudo... de volta a Mac.

Era culpa dele, afinal. Completa e totalmente. Tudo o que ela tinha a fazer agora era bolar qual seria a melhor maneira de fazê-lo pagar por isso.

Terminando de correr, tomou uma chuveirada, vestiu-se para mais um dia de trabalho, colocando as calças de lã e a blusa de gola rolê, e mais uma camisa de flanela por cima. Deu um laço bem apertado nas botas e finalmente foi até o espelho dar uma boa olhada em si mesma.

Jamais poderia competir com Mia no quesito beleza. Quem poderia? Por outro lado, ela nunca quisera isso. Tinha um estilo próprio e estava bastante satisfeita com ele. Além de tudo, sabia muito bem como se virar na área amorosa, quando estava a fim.

Brincando com as primeiras ideias para um projeto de vingança, Ripley passou batom, caprichou no delineador, na sombra, e colocou rímel. Satisfeita por ter feito o melhor uso das armas que tinha à mão, colocou em volta de si mesma uma nuvem do perfume que Nell lhe dera no Natal.

Era um aroma forte, bem profundo e envolvente, com cheiro selvagem de terra; combinava muito mais com ela do que qualquer outro perfume mais leve ou floral.

Depois de avaliar um pouco melhor, resolveu dispensar a camisa de flanela. Talvez ela sentisse um pouco de frio no final do dia, mas a blusa de gola rolê apertada e as calças de lã realçavam suas curvas. Satisfeita com o resultado, colocou a cartucheira em seu cinto largo e saiu em direção ao trabalho.

O vira-lata de Pete Stahr tinha escapado da coleira, de novo. Saíra para cheirar uma pilha irresistível de entranhas de peixe e fizera uma festa. Depois, passou mal e acabou vomitando tudo, junto com os restos de sua ração matinal esfarelenta, bem em cima da imaculada escadaria de entrada da varanda de Gladys Macey.

Esse era o tipo de crise entre vizinhos que Ripley preferia deixar para Zack resolver. Ele era mais diplomático, mais paciente. Zack, porém, estava do outro lado da ilha, ajudando a retirar algumas árvores que haviam tombado na estrada. Ela não tinha saída.

— Ripley, minha paciência já está se esgotando!...

— Não a culpo por isso, senhora Macey. — Elas conversavam em pé, um pouco recurvadas para frente por causa do frio e a vários passos de distância da sujeira espalhada na escadaria de entrada da casa.

— Aquele cachorro... — Ela apontava para o cão que não aparentava arrependimento, sentado calmamente e amarrado a um tronco por um pedaço de corda de varal. — Ele tem tanto discernimento quanto um pedaço de madeira.

— Sem dúvida, Senhora Macey. — Ripley estava olhando para o cão, que parecia estar exibindo um sorriso idiota, com a língua pendurada para fora. — Mas, veja só... ele é amigável.

Ao ouvir isso, Gladys simplesmente estufou as bochechas e deixou escapar uma rajada de ar, lamentando-se:

— Por que esse cachorro idiota tem uma preferência por mim, não faço ideia. O fato é que todo dia em que ele consegue se soltar da coleira vem até aqui fazer suas sujeiras no meu quintal ou enterrar algum osso nojento debaixo das minhas plantas novas... e agora me faz isso. — Colocando as mãos nas cadeiras, olhou de cara feia para o animal. — Só quero saber quem é que vai limpar toda essa nojeira horrível.

— Se a senhora estiver disposta a esperar, vou providenciar para que Pete faça isso. Ele está quase voltando para almoçar em casa, e eu posso segurá-lo e obrigá-lo a vir até aqui para resolver isso.

Gladys fungou com raiva e balançou a cabeça para a frente com força. Justiça, pensou, era justiça, e os Todd geralmente encontravam um meio de consegui-la.

— Ótimo, delegada. Quero isso resolvido logo e da maneira correta.

— Vou providenciar agora mesmo. E o Pete vai ter que pagar uma multa pesada também, eu posso lhe garantir.

— Ora, ele já foi multado por isso antes... — replicou Gladys, selando os lábios, insatisfeita.

— Sim, senhora, é verdade... — *Tudo bem, e agora?*, pensou Ripley. *O que Zack faria neste momento?* O cão era completamente inofensivo e excessivamente burro. Seu único defeito era aquela horrível obsessão por pilhas de pedaços de peixe morto, nas quais ele costumava rolar com alegria ou comer com gulodice. Sempre com resultados de revolver o estômago.

De repente, Ripley teve uma inspiração e imediatamente endureceu a expressão do rosto.

— A senhora está coberta de razão, Senhora Macey. Aquele cachorro é uma ameaça pública, e o Pete já tinha sido avisado. — Ela bateu com as pontas dos dedos na coronha do revólver, dentro do coldre. — Vamos ter que acabar com esse cachorro, de uma vez por todas.

— Bem, eu sabia que... — Gladys parou de falar de repente e piscou os olhos, confusa. — O que você quer dizer com "acabar com ele"?

— Não se preocupe mais com isso, senhora Macey. Vamos cuidar dele. Esse animal nunca mais vai aparecer por aqui no seu quintal para aprontar qualquer tipo de nojeira, no futuro.

— Ora, mas... espere um instante... — O bolo que sentiu se formar na garganta fez a voz de Gladys começar a tremer.

Como Ripley imaginava, ela a segurou pelo braço.

— Você está dizendo então que vai levar o cachorro e vai ter que... sacrificá-lo?

— É claro! Não conseguimos controlá-lo! — Ripley deixou que a frase e as suas implicações fizessem efeito. O cachorro cooperou, emitindo um doloroso gemido neste exato instante.

— Ripley Todd! — Gladys estava indignada. — Estou envergonhada de ouvi-la sugerir tal coisa. Não vou aceitar essa solução, de modo algum.

— Mas, escute, senhora Macey...

— Não me venha com essa para cima de mim. — Inflamada, começou a apontar o dedo indicador na cara de Ripley. — Esta é a coisa mais desumana que eu já ouvi! Sacrificar aquele pobre e inofensivo cão, só porque ele é idiota.

— Mas a senhora falou...

— Eu falei apenas que ele vomitou na entrada de minha varanda. — E Gladys começou a agitar os braços, cobertos por um suéter de lã rosa-choque. — E só por causa disso você vai fazer o quê? Pegar nesse revólver e dar um tiro na cabeça do coitado?

— Não, eu...

— Argh... Não quero nem mais falar com você. Vá, vá... vá embora e deixe o cachorro em paz. Eu só quero que a minha entrada seja limpa e já fico satisfeita.

— Sim, senhora. — Ripley abaixou a cabeça, deixou os ombros caírem e foi embora, caminhando devagar. No caminho, deu uma piscada para o cachorro.

Zack, decidiu, não teria se saído melhor.

Ripley foi procurar por Pete e lhe passou um sabão em regra. Ele iria ficar sem almoço naquele dia, os degraus da varanda dos Macey iriam ficar reluzindo de tão limpos, e o cão, que já tinha direito a uma bem-cuidada casinha vermelha de cachorro, completa, com cobertor elétrico e tudo, ainda iria ganhar uma corrente mais forte para mantê-lo dentro do terreno dos Stahr, quando não houvesse ninguém em casa.

E isso, pensou Ripley, iria garantir a manutenção da paz na Ilha das Três Irmãs por aquele dia.

No caminho de volta para a delegacia, avistou uma pequena figura escalando a parede para alcançar a janela do primeiro andar de uma casinha branca típica, recoberta por pranchas horizontais em madeira.

Bem, decidiu, enquanto colocava as mãos nos quadris, talvez ainda houvesse mais um pouco de paz pela frente para manter.

Suas sobrancelhas se levantaram e logo depois se uniram em sinal de estranheza. Aquela era a casa de um dos primos de Ripley, e o invasor de casaco azul-anil lhe era muito familiar.

— Dennis Andrew Ripley, que diabos você pensa que está fazendo?

Ela ouviu seu urro de dor quando bateu com a cabeça na quina da janela, mas não sentiu pena. O menino tinha 12 anos, e qualquer menino com essa idade que ainda não criara uma cabeça dura e cheia de galos deveria, na opinião dela, desenvolvê-la.

O garoto ficou paralisado por um momento, com metade do corpo para dentro e metade para fora, com os tênis de cano alto imundos pendurados e balançando. Então, lentamente, balançou o corpo e se deixou cair no chão. Seu cabelo era louro-claro, e saía em tufos confusos por baixo do gorro de esqui. Sardas explodiam-lhe por todo o rosto, e pareciam estar ainda mais vivas, em contraste com o rubor brilhante que tomou conta de sua face.

— Ahn... Oi, tia Ripley — disse ele, em um tom inocente.

Ele era, pensou Ripley com uma ponta de admiração, um grande arteiro.

— Nada de tia Ripley, é delegada Todd quando a gente está aqui na rua, seu cara de fuinha. O que é que você estava aprontando fora de casa, escalando a janela do seu quarto?

— Ahn... É que eu... não estou com a chave!

— Dennis!

— É sério! Minha mãe e as amigas dela foram até o continente para fazer compras e outras coisas. Ela deve ter trancado a porta.

— Vamos tentar fazer a pergunta de outra maneira. Por que você estava escalando a janela da própria casa em vez de estar sentadinho na sua carteira da escola assistindo aula?

— Ahn... É que eu... estou doente... — respondeu, em tom esperançoso de pergunta.

— Ah... Está doente? Vamos lá, então. Vou levá-lo para a clínica agora mesmo. Sua mãe está com o celular, não está? Vamos ligar para ela e contar que o seu doce filhinho está passando muito mal. Aposto que ela volta correndo na primeira barca.

Ripley teve a satisfação imensa de ver o rosto do menino ficar completamente desbotado, de tão pálido.

— Olhe, não telefone para ela, não... OK?... Por favor?... Já estou me sentindo bem melhor, agora. Deve ter sido apenas alguma coisa que eu comi, foi só isso.

— Aposto que sim! Vá soltando a língua agora, garoto, e, se tentar me enrolar de novo, carrego você agora mesmo até a clínica e peço para eles prepararem uma injeção com a agulha mais dura e grossa que tiverem.

— É que nós vamos ter uma prova de História. — Ele soltou, mais que depressa, falando muito rápido agora. — História é um saco, tia Rip!... O professor só fala de gente que já morreu mesmo, então, sabe como é... quem se importa com isso? E ainda por cima é aquela parte sobre a História Antiga da Europa, e a gente nem mora lá!... Quer dizer, você por acaso sabe me dizer o nome da capital do Liechtenstein?

— Você não estudou para a prova?... Foi isso, não foi?

Ele trocou o peso do corpo de um pé para o outro. *Nossa, por que é que todos os garotos dessa idade têm os pés compridos e desproporcionais, como os de um palhaço?*, ela ficou se perguntando.

O menino tentou um olhar sofrido por baixo das pestanas quase fechadas e respondeu:

— É... Acho que eu não estudei direito.

— Então, decidiu jogar a prova para o alto e matar a aula?

— Só um diazinho. Faço a prova depois. Havia pensado em me meter no mato e estudar — acrescentou com ar de intelectual —, mas está tão frio.

— Então... para dentro de casa. E estude.

— Ahn... tá! Tá bom, eu vou para casa e enfiar a cara nos livros. Será que não dá para você fingir que não me viu?

— Não.

— Ah..., tia Rip... — Ele suspirou fundo, reconhecendo o olhar de censura no rosto dela. — Desculpe... delegada Todd.

— Você vai ganhar uma escolta policial de volta até a escola — disse ela, puxando-o pela orelha.

— Mas a minha mãe vai me matar!

— Fará muito bem.

— Vou me dar mal na prova!

— Devia ter estudado.

— Vou levar suspensão por ter fugido.

— Garoto, você está partindo meu coração.

Quando ele murmurou “merda”, entre os dentes, ela lhe deu um tapa na cabeça.

— Cuidado com o palavreado, pivete! Vamos fazer uma visita ao diretor, você vai fazer uma confissão completa e depois levar todos os castigos que merece.

— Até parece que você nunca matou aula.

— Quando fazia isso, eu era esperta o suficiente para não ser apanhada. Isso, meu jovem Skywalker, é porque a Força estava comigo!

Ele soltou uma gargalhada. E porque fez isso, e porque era parente dela e igual a ela, Ripley foi caminhando com ele o resto do caminho com o braço colocado amigavelmente em volta de seus ombros.

O trabalho da manhã e o relato de ambos os incidentes para Zack a deixaram em um estado de espírito muito melhor. Foi até a livraria, para almoçar, e deu um leve aceno para Lulu.

— Segure o estômago por mais uns minutos, Ripley, e dê um pulinho até aqui no balcão.

— Tudo que a minha barriga consegue esperar é um minuto, Lulu. — Mas Ripley desviou do seu caminho e se encaminhou até o balcão do caixa. — O que houve?

— Recebi uma carta de Jane.

— É mesmo? — Ripley pensou na antiga cozinheira da loja. Ela e o namorado tinham ido embora para Nova York, a fim de que ele pudesse tentar um papel em uma peça do circuito "Off Broadway". — E como é que eles estão?

— Estão ótimos. Parece que estão pretendendo ficar por lá. Adivinhe quem é que apareceu um dia desses, vivo e bem disposto, na padaria onde a Jane está trabalhando.

— Harrison Ford! — Diante do olhar frio de Lulu, Ripley encolheu os ombros, desculpando-se. — Desculpe, eu ando com uma fixação por ele ultimamente. Tudo bem, quem é que apareceu?

— Sam Logan.

— Não brinca!... — A voz de Ripley abaixou um pouco, acompanhando o tom da voz de Lulu. — O que foi que a Jane contou sobre ele? Como é que ele está, de aparência? O que é que anda fazendo?

— Se você conseguir calar a boca por pelo menos cinco segundos, eu conto. Ele está, segundo Jane, melhor do que nunca. Alto, bonito, moreno e perigoso. Essas foram palavras de Jane, é claro. Ficou toda assanhada, só porque ele a reconheceu. Acho que Sam não contou a Jane o que anda fazendo, ou então ela não perguntou, senão teria me contado com todos os detalhes, isso eu posso lhe garantir. Mas o mais importante é que ela me disse que ele perguntou pela Mia.

— Como assim, "perguntou pela Mia"?

— Perguntou, simplesmente, de modo casual, de acordo com Jane. Tipo assim, *Como vai a Mia?*

— E depois?

— Depois, nada! Foi só. Comprou uma caixa de doces, desejou boa sorte para Jane e foi embora.

Pensando, Ripley apertou os lábios e fez os cantos dos maxilares pulsarem.

— Coincidência engraçada essa... De todas as incontáveis padarias da cidade de Nova York, ele entra justamente naquela em que a ex-cozinheira da Mia trabalha.

— Não acho que tenha sido coincidência. Para mim, foi a curiosidade que o levou até lá.

— Talvez eu concorde com você... Vai contar isso a ela?

— Não. — Lulu fungou com força o nariz. — Pensei muito a respeito, fiquei matutando, pesando tudo e cheguei à conclusão de que não há razão alguma para contar.

— E você quer saber a minha opinião?

— Está pensando o quê?... Que estou tendo o trabalho de contar a você toda essa história comprida só para fazer exercícios com a língua?

— Certo. Nesse caso, eu concordo com você. Não há motivos para contar. Esse assunto ainda a machuca. — Ela suspirou, porque sentiu que a ela também machucava um pouco o fato de Mia ainda estar magoada. — Além do mais, se Mia quisesse saber se ele está planejando algo, poderia descobrir.

— É que no fundo eu me sinto melhor sabendo que tem mais alguém que concorda comigo sobre esse assunto. — Lulu balançou a cabeça. — Vá, vá... Vá comer. Hoje temos sopa de feijão-preto.

— Beleza!... E, Lulu... — Ripley deu uma parada no caminho para a escada. — Se você escrever de volta para Jane, diga-lhe para não comentar nada sobre essa história. Você sabe.

— Pode deixar.

Então, pensou Ripley, estava tudo ótimo. Três boas ações em um só dia. O que mais poderia um escoteiro desejar? Encaminhando-se até o balcão, esticou o braço para tocar a campainha de chamada. Viu, então, através da porta que dava para a cozinha, que Nell estava servindo uma sopa com um sanduíche para Mac.

— Ele estava sentado na mesa da cozinha, no lugar reservado para os amigos. Ripley já tinha dado dois passos decididos em direção ao fim do balcão para entrar lá com toda a fúria, mas de repente parou.

Essa não era a melhor maneira, pensou. Entrar assim, atirando para todos os lados — ainda que metaforicamente, é claro —, não era a melhor maneira de lidar com aquele homem, com a situação e com a própria irritação.

Deu a si mesma um momento para relaxar e depois fez a volta em torno do balcão com a maior calma, entrando suave e casualmente na cozinha.

— Oi, Nell... Oi, Mac! — Fazendo tudo o que podia para irradiar boa vontade, cheirou o ar com os olhos fechados. — Humm... Este cheiro está muito bom. Vou querer o mesmo que ele. Tudo bem para vocês se eu comer aqui também?

— Claro! Quer café para acompanhar? — perguntou Nell.

— Vamos sofisticar um pouco; um café expresso com creme de leite. — Ripley se desvencilhou do casaco e o pendurou nas costas da cadeira. Enviou então um sorriso lento e quente para Mac. — Você não se importa com a companhia, não é, professor?

— Não. Você está com uma aparência ótima.

— Obrigada. — Ela se sentou diante dele. — E você, está aqui por algum motivo especial?

— Eu pedi para que ele voltasse aqui, Ripley. — Apertou o ombro da cunhada antes de servir a tigela de sopa. — Para podermos conversar.

— Se está bem assim para você, também está para mim — disse Ripley, sentindo uma pontada de irritação subir pela garganta, que ela engoliu.

— Na verdade, Mac está aqui me distraindo com histórias maravilhosas de suas viagens e de seu trabalho. É fascinante! Vou encomendar um daqueles livros que você recomendou — acrescentou, levantando o olhar para Mac enquanto preparava o sanduíche de Ripley.

— Depois quero que me conte o que achou, quando acabar de lê-los.

— Claro. — Ela serviu o sanduíche. — Vou pegar o seu café latte, Rip.

Quando Nell ficou fora do alcance de sua voz, Mac sussurrou, inclinando-se para Ripley:

— Não estou forçando a barra com ela.

— Quero uma trégua! — Ripley levantou a mão. — Nell é quem sabe da própria vida e é perfeitamente capaz de tomar as próprias decisões. — E pensou: *Seu filho da mãe miserável!*

— Então está certo. Mas quero que compreenda bem que estou perfeitamente consciente de que ela sofreu mais do que qualquer pessoa mereceria. Não vou forçar nada, não importam as circunstâncias.

O fato de que Ripley acreditava nele não mudava nada.

Ela comeu em sua companhia e o ouviu rir muito quando contou o caso do cachorro, e depois sobre o garoto. O que a deixava irritada era sentir o quanto gostava de conversar com ele e de ouvir a sua risada.

Até que o sujeito era uma ótima companhia, mesmo sendo um verme.

Sob outras circunstâncias, teria adorado passar mais tempo com ele, conhecê-lo melhor. Descobrir tudo o que se passava pelo interior daquele cérebro em alta voltagem.

Sua habilidade mental e inteligência não eram chatas. Ela já percebera isso. Depois, havia aqueles maravilhosos olhos castanhos, o sorriso lento e longo, o corpo perfeito. Sem falar nos movimentos ágeis, que eram mais do que excelentes.

Então o imaginou usando aqueles mesmos movimentos ágeis em Mia, horas... *poucas horas* depois de ter estado com ela.

Havia apenas um recurso. Ele precisava ser aniquilado.

— Então — disse ela. — Você deve andar muito ocupado caçando fantasmas e procurando por, como se chamam mesmo?, vórtices ou sei lá o quê.

— É verdade, bastante ocupado. Estou ainda aprendendo a me localizar, aprendendo a conhecer a ilha.

— E os nativos... — disse ela. Suavemente.

— Certo. Sabe de uma coisa, minha programação diária é bem flexível — disse. — Dá para ir ao ginásio praticamente em qualquer horário. Gostaria muito de malhar em companhia de alguém.

Por que não chama a Mia para ir até lá suar com você?, pensou.

— A que horas você vai até lá, de manhã? — Ela sabia, é claro. Sabia de tudo o que acontecia debaixo do próprio nariz.

— Mais ou menos às sete e meia.

— É, esse horário seria bom para mim.

Na verdade, ela decidiu, seria perfeito.

Ripley foi caminhando até o ginásio, e já eram quinze para as oito. Mac estava na esteira, começando a exibir marcas de suor. Não se barbeara, novamente. Quando ele lhe lançou um sorriso rápido, ela só conseguiu pensar que era realmente uma pena que fosse obrigada a esmagá-lo como a um inseto.

Estava malhando com música, em vez de usar a TV. Não era a cara dele, essa história de tentar ser cortês?

Ripley colocou os pesos em uma das máquinas para trabalhar a musculatura das pernas, esticou-se sobre a prancha, de barriga, e começou a repuxar os tendões, para fortalecê-los. O benefício extra desse exercício era dar a ele uma boa visão do traseiro dela.

Olhe e sonhe, meu chapa... Olhe e sonhe.

— Ouvi dizer que vamos ter mais neve — comentou Mac.

— O céu está bem carregado. — Ripley falava e continuava a contar suas rodadas de exercício. — Você conseguiu aquela madeira da qual eu lhe falei?

— Ainda não. Perdi o papel com o nome.

— Está no bolso do seu casaco.

— Está? — Ele era uma gracinha quando fazia cara de espantado.

— Pelo menos, foi lá que você o enfiou quando eu escrevi o nome e o entreguei para você. Bolso direito do seu casaco preto comprido.

— Ahh...

— Parece que mais ninguém está pensando em manter a saúde e a boa forma esta manhã — comentou ela.

— Bem, na verdade, havia um outro sujeito aqui, agora há pouco. Ele terminou os exercícios, pouco antes de você chegar. Sabia que você tem grandes pernas, delegada Todd? São realmente muito bonitas.

— Você acha? — Ela deu um sorriso de flerte meio escorregadio, acompanhado de uma olhada geral no corpo dele. — Você também não é assim tão mal, Dr. Booke.

— Pois você deveria ter me visto aos 18. Bem, aos 20 — corrigiu. — Até os 20 anos eu era tipo aquele garoto que vai à praia, mas só consegue pegar areia na cara.

— Magricela?

— Um palito com um cartaz nas costas: "Pode me zoar!"

Havia um quê de inevitável simpatia pelo garoto magrinho e sem dúvida esquisito que ele devia ter sido. Lembrando-se da sua cruel missão, porém, ela ignorou isso, implacável.

— Quer dizer que foi aí que você decidiu ficar malhado? — Ela trocou de exercícios, começando a trabalhar a musculatura da barriga das pernas.

— Um sujeito com o meu tipo físico jamais consegue ficar malhado, a não ser que devote a vida inteira a isso. Eu queria apenas ficar em boa forma. Comecei a ler sobre halterofilismo.

— Começou a... ler? — Ela não conseguiu segurar uma risada.

— Foi a minha abordagem inicial, foi mesmo — respondeu ele, encolhendo os ombros. — Depois, experimentei dois programas diferentes até encontrar o que mais se adaptava ao que eu queria. — Obviamente satisfeito consigo mesmo, riu para ela. — Comecei então a traçar diagramas e gráficos.

— Sério?

— Sério! — admitiu. — Tabelas e gráficos. Uma análise computacional, antes e depois. Uma mistura de métodos intelectuais com físicos. Acabou funcionando, para mim.

— Estou vendo — disse ela, reparando que ele estava um pouco vermelho.

— Bem, não demorei a perceber que, já que estava destinado a caminhar por trilhas na selva, escalar dentro de cavernas e abrir picadas no meio do mato, era melhor eu me preparar para encarar a parte física do trabalho. Tipo caminhar muitos quilômetros em um ar com cem por cento de umidade, carregando uma mochila pesada e equipamento sensível. Para isso, você acaba descobrindo que é melhor separar algumas horas por semana para gastar em uma academia.

— Não importam os motivos, o resultado ficou muito bom.

Ela se levantou para trocar de aparelhos e quando passou a seu lado lhe deu um beliscão na bunda. Quando ele ficou simplesmente olhando-a, Ripley deu uma risada e falou:

— Pode me beliscar de volta quando quiser, gostosão.

Ela começou a trabalhar a musculatura dos quadris, satisfeita de ver que tinha conseguido quebrar a concentração dele e seu ritmo.

— Você já deu uma volta completa em toda a ilha?

— Completa, não. — Ele já tinha perdido a contagem e agora tentava reencontrar o ritmo. — Tenho trabalhado mais ou menos na base do centímetro por centímetro.

— Na próxima oportunidade em que nós dois tivermos umas duas horas livres, posso servir de guia para você.

— Para isso, estou livre a qualquer hora. — Ele já estava começando a se aquecer, e não era só por causa dos exercícios.

— Cuidado!... Isso é uma coisa muito perigosa de se dizer para uma mulher. Eu gostei. — F. só faltou gemer, completando: — *Adoro* homens que gostam de correr riscos. — Ela passou a ponta da língua sobre os lábios. — Andou pensando em mim?

— Só umas dez ou doze vezes por dia.

— Humm... — Ela se levantou com graça, da prancha, enquanto ele pegava nos halteres de mão. — Essa é outra afirmação arriscada. Para não ficar para trás, devo confessar que pensei bastante em você.

Caminhou também até os pesos, mas, em vez de pegar um, deslizou a ponta de um dos dedos pelo braço dele.

— Você está todo molhado, não está? Eu também. — Ela se chegou mais para perto, deixando os seus corpos se roçarem. — Será que a gente não podia simplesmente se enroscar um no outro agora mesmo?

Talvez, mas apenas remotamente, se todo o sangue não tivesse sido drenado subitamente de sua cabeça, se ele pudesse perceber o brilho metálico do olhar dela e o seu sorriso malicioso. Até mesmo o mais resistente dos homens, porém, é capaz de com frequência parar totalmente de pensar quando uma mulher quente, sexy e oferecida fica roçando de encontro a seu corpo, como estava acontecendo naquele momento.

— Deixe-me pousar estes pesos — ele conseguiu articular. — Antes que eu os deixe cair no meu pé... Ou no seu.

— Gosto de homens assim... fortes. — Ela apertou os bíceps dele. — Com músculos compridos... Delgados... Com boa tonicidade.

Os pesos caíram como duas bigornas sobre o tablado. Ele agarrou nos cabelos dela com os punhos cerrados, puxou-a para junto de si e deixou sua boca a poucos centímetros da dela.

Foi então que o cotovelo dela o atingiu, com toda a força, um pouco abaixo do estômago.

— Chega pra lá!...

Ele começou a tossir sem parar. Era a única maneira de seu corpo conseguir um pouco de ar.

— Mas que... Que diabo foi isso? — Mac estava chocado demais para sentir raiva, muito ocupado tentando respirar de novo em ritmo normal para tentar fazer alguma coisa que não fosse olhar embasbacado para o rosto subitamente furioso de Ripley.

— Pensou que eu quero suas mãos em mim?

Conseguiu controlar a respiração e, esfregando com força a boca do estômago, ele respondeu:

— Pensei, sim!

— Pois pense duas vezes. Ninguém faz malabarismo comigo e outra mulher ao mesmo tempo.

— Mas de que diabos você está falando?

— E não venha se fazer de inocente comigo, não. Talvez você até pense que pode fingir que esqueceu que estava dando em cima de mim quando decidiu dar em cima dela ou vice-versa, mas isso já é levar esse gênero "professor distraído" um pouco longe demais!

— Quem? O quê?

Ripley juntou os dois punhos e quase os colocou em uso. Faltou muito pouco. Mas disse apenas:

— Você não vale a pena!

Girando nos calcanhares, ela foi andando com passadas compridas em direção ao vestiário feminino.

Chegando lá dentro, deu um chute na parede, só para se sentir um pouco melhor, e depois foi mancando de dor até o armário. Estava a ponto de despir a parte de cima de sua malha justa de ginástica quando Mac entrou, ventando em direção a ela.

— Pode fazer a volta e sair daqui agora mesmo! — ordenou ela. — Senão, prendo você por comportamento indecente e atentado ao pudor, dentro de um vestiário feminino.

Ele não fez a volta nem saiu. Continuou a andar decidido, com passos largos e enfurecidos que a deixaram realmente surpresa, até ficar frente a frente com ela.

— Eu tenho todo o direito a receber uma explicação sobre o que está acontecendo por aqui.

— Você não tem direito a receber nada. Não de mim. Agora, cai fora!

— E você acha que pode ficar roçando em mim, me deixando louco, para depois me dar um soco no estômago e sair?

— O nome daquilo, em boxe, é "soco de cotovelo". E eu nunca fiquei "roçando" em ninguém na vida.

— Mas deliberadamente veio para cima de mim com o propósito específico de me dar um troco. Quero saber o motivo.

— O motivo é que eu odeio traições, odeio gente sonsa. E principalmente odeio homens que ficam tentando descobrir com quantas mulheres conseguem dormir ao mesmo tempo, sem uma saber da outra, especialmente quando uma delas sou eu.

— Mas eu não dormi com ninguém! Nem sequer saí com alguém, desde que botei os pés nesta ilha.

— Podemos acrescentar o item "Odeio mentirosos" a essa lista.

Ele a segurou com firmeza pelos cotovelos, e a levantou ligeiramente do chão, de tanta raiva.

— Eu não minto! Jamais! E nem pense em vir com um de seus feitiços para cima de mim!

Ela abriu a boca e a fechou, lentamente. Quando conseguiu falar, disse com voz calma:

— Tire... as mãos... de mim.

Ele a colocou de volta no chão e deu um passo para trás.

— Saiba que eu tornei bem claro o meu interesse pessoal por você. E acontece que não estou interessado, no momento, em nenhuma outra pessoa nesse nível. Não "fiz malabarismos" com ninguém. Aliás, nem tenho reflexos para conseguir manter os pinos todos no ar ao mesmo tempo.

— Mas comprou uma garrafa do vinho mais caro e depois passou uma noite inteira aninhado com Mia.

— De onde foi que você tirou essa ideia? — Nervoso e agitado, ele passou as mãos pelos cabelos. — Eu fui jantar com Mia na casa dela, sim, mas isso é uma parte do meu trabalho. Ela é uma das principais razões de eu ter vindo até aqui. Tenho um grande interesse profissional por ela, é verdade. E, independentemente disso, acontece que eu também gosto muito dela como pessoa, só que não dormi com ela e nem tenho a menor intenção de fazer isso!

— Ótimo! — Como de repente tinha começado a se sentir tola, até mesmo antes de ele a ter soltado, Ripley se virou para o armário. — De qualquer modo, isso é problema seu e não me diz respeito.

— Você está com ciúmes! — Ele parou um momento, como que procurando ordenar os pensamentos. Ou raiva. — Depois que eu conseguir me livrar deste estado de séria revolta em que você me deixou, pode ser que acabe achando tudo isso até mesmo lisonjeiro.

— Eu *não estou* com ciúmes — reagiu ela, virando-se de repente.

— Então volte a fita e assista àquela pequena cena que aconteceu agora há pouco ali fora, com calma — sugeriu ele, torcendo o polegar em direção ao ginásio. — Depois me diga a que conclusão chegou. Agora, eu vou para o chuveiro esfriar a cabeça. Sugiro que faça o mesmo.

E saiu com largas passadas, batendo a porta com força.

Capítulo Oito

Só havia uma coisa que Ripley detestava mais do que se sentir culpada. Era se sentir envergonhada. Só que levou mais algum tempo para ela chegar a esse estado, porque seu temperamento não era do tipo "liga--desliga".

Primeiro, ela chafurdava na raiva. Gostava do jeito que ela borbulhava dentro de si mesma, se remexendo bastante e mantendo o pensamento claro e racional a distância.

Entregou-se essa maravilhosa sensação de irritação pela maior parte do dia, e era uma sensação muito boa. Um sentimento de justiça. A energia que isso dava lhe forneceu forças para enfrentar uma pilha imensa de papéis para encaminhar e arquivar, na delegacia, e ainda assumiu as tarefas de Zack, relativas à limpeza do lugar. Fez sua ronda a pé e, depois, ainda ávida para continuar a trabalhar, se ofereceu voluntariamente para assumir o turno de seu irmão com a viatura.

Dirigiu por toda a ilha à procura de algum problema. Torcia para que algo bem complicado aparecesse.

Como os problemas não quiseram cooperar, foi para casa e ficou mais de uma hora agredindo o saco de areia na sala de ginástica, até quase perder o fôlego.

Afinal, o bom senso começou lentamente a penetrar em seu cérebro. Detestou o que acontecera. Esse ataque de sensatez lhe abriu uma brecha, e através dessa brecha viu o próprio comportamento com uma clareza que a deixou atormentada.

O modo como agira tinha sido completamente estúpido, e isso era algo difícil de digerir. Estava totalmente errada, o que era um sapo ainda mais difícil de engolir. Sentia-se uma idiota, e isso a fez ficar deprimida. Então, foi sorrateiramente até a cozinha e comeu três maravilhosos brownies feitos por Nell.

Era quase impossível de acreditar que ela mesma tinha se colocado naquele estado... E por causa de um homem, para começar. Não que ela tivesse sentido ciúmes, é claro que não, pensou, enquanto decidia se comia ou não um quarto brownie. Mac estava completamente errado em achar isso. Mas ela agira de forma exagerada, certamente, e muito.

E também, decidiu, enquanto o sentimento de estupidez começava a se transformar lentamente em uma massa gosmenta de culpa, ela o tratara de modo injusto e inaceitável.

Ela o atraíra e o deixara excitado. Logo ela, que não tinha respeito algum por mulheres que usavam o sexo como arma ou suborno. Ou como recompensa, como naquele caso. E, no entanto, ela o usara quase da mesma forma, como isca e como punição.

Isso a deixava envergonhada.

Relembrar cada um dos seus atos daquela manhã, no ginásio do hotel, acabou por levá-la ao brownie número quatro.

Mesmo que Mac estivesse interessado em Mia como mulher, o que agora já estava convencida de que não tinha sido o caso, ele era um homem livre. Uns dois "amassos" com ela não o transformavam em propriedade dela nem o obrigavam a nenhum tipo de fidelidade.

Embora, por outro lado, ela acreditasse firmemente que o certo era acabar de comer um biscoito antes de morder o seguinte.

Mas também não era o caso, nem uma coisa e nem outra.

A melhor solução agora, pensou, enquanto massageava o estômago agitado, era ficar a distância, sem fazer mais nada. Permanecer fora do caminho dele e cortar qualquer conexão em nível pessoal, embora ela admitisse que, nesse caso, já era meio tarde para cortar o mal pela raiz.

Poderiam fingir que nada acontecera; afinal, nada devia mesmo ter acontecido, para início de conversa.

Voltando silenciosamente para o quarto, ela se fechou em sua concha, decidindo que seria mais sábio evitar qualquer contato humano pelas próximas oito ou dez horas.

O sono não veio com facilidade, mas ela atribuiu isso à overdose de chocolate dos brownies, e considerou a insônia uma punição justa pelos seus crimes.

Os sonhos, porém, quando chegaram, lhe pareceram mais cruéis do que ela merecia.

A praia no inverno estava deserta. A solidão pesava como grossas correntes amarradas em torno do seu coração. A lua estava cheia, madura e branca, de modo que a sua luz lavava tudo e se espalhava por todo o litoral e o mar. Parecia-lhe que seria possível contar cada um dos grãos de areia que reluziam sob o luar.

O barulho das ondas que quebravam na praia ribombava em seus ouvidos como mil tambores, fazendo um som forte e constante que servia apenas para relembrá-la de que ela estava totalmente sozinha. E que sempre estaria completamente sozinha.

Arremessando as mãos para o alto, gritou de dor e de fúria. O vento respondeu, e começou a formar um torvelinho com aqueles grãos de areia iridescentes. Cada vez mais depressa. Cada vez mais depressa.

Uma força poderosa começou a cortar-lhe a carne, passando através dela, como uma lâmina gelada que, ao contato com a pele, esquentava e começava a queimar. A tempestade que ela evocara chegara, então, rugindo, e continuou crescendo até bloquear por completo a luz daquela lua pura e branca.

— Por que você faz isso?

Virando-se no meio da tormenta, viu a imagem da irmã que se perdera. Os cabelos dourados cintilando e tremulando ao vento, os olhos azuis tornados escuros pela dor.

— Faço isso pela justiça. — Precisava acreditar nisso. — Faço por você.

— Não. — A mulher que um dia se chamara Ar não esticou os braços; em vez disso permaneceu quieta, com os braços cruzados sobre o peito. — É por vingança. Por ódio. Nós nunca poderíamos ter usado o nosso poder para fazer verter sangue.

— Foi ele que fez o seu sangue jorrar primeiro.

— E por acaso a minha fraqueza e os meus medos podem servir de desculpa para os seus?

— Fraqueza? — A magia escura e densa ferveu-lhe nas entranhas. — Sou muito mais forte hoje do que jamais fui. Não tenho medos!

— Você está sozinha. Quem você amava foi sacrificado.

E ela então conseguiu ver, como em um sonho dentro do sonho, o homem que conquistara seu coração. E conseguia observá-lo agora bem de perto. Olhava de novo e o via fulminado, levado para longe dela e dos filhos pelo fio cortante e amargo dos seus atos.

As lágrimas que nadavam na superfície brilhante de seus olhos queimavam como ácido.

— Ele deveria ter se mantido longe.

— Ele amava você.

— Estou fora do alcance do amor, agora.

A imagem de Ar virou as mãos com as palmas para cima, mãos que brilhavam com uma luz tão branca e ofuscante quanto a do luar. Disse, então:

— Não existe vida onde não há amor, e sem amor não existe esperança. Eu quebrei o primeiro elo entre nós e não tive coragem para construí-lo novamente. Agora, você está quebrando o segundo. Encontre a sua compaixão, a sua tolerância, e faça as emendas na corrente, agora! Ela está ficando cada vez mais fraca.

— Eu não conseguiria mudar nada.

— Nossa irmã vai passar por um teste. — De maneira mais apressada agora, Ar chegou mais perto: — Sem a nossa ajuda, pode ser que ela falhe. Se isso acontecer, nosso círculo estará quebrado de vez, para sempre. As filhas de nossas filhas é que terão que pagar, então. Já vi isso acontecer.

— Você está me pedindo para abrir mão do que já provei? Desistir daquilo tudo que consigo invocar apenas com um *pensamento*? — Ela levantou a mão suavemente, e o mar imenso cresceu com fúria e bateu violentamente contra uma vacilante muralha de areia, enquanto mil vozes gritavam de dor ao longe. — Pois eu não vou. Quero levar isso até o fim. Quando terminar, cada homem, cada mulher e cada criança que nos amaldiçoaram e nos perseguiram como vermes vão se retorcer em agonia.

— Então você nos estará levando à condenação final — disse Ar, calmamente. — E também a todas as que vierem depois de nós. Olhe para o futuro e veja o que pode acontecer.

A muralha de areia se dissolveu. O mar furioso voltou para trás e ficou como que congelado, por um momento pulsante. A lua, tão branca, tão pura, se partiu em duas e começou a gotejar sangue gélido. Através de todo o céu, escuro de repente, relâmpagos chicotearam o ar e açoitaram o vento, até caírem sobre o solo abrindo fendas, como se fossem punhais gigantescos, e a terra começou a arder em chamas, expelindo grossa fumaça negra.

As chamas entraram em erupção, como que saindo de um vulcão, alimentadas pelo vento selvagem e insaciável, e a escuridão se iluminou novamente, desta vez com a luz do fogo.

A noite se transformou em um só grito longo e aterrorizante, enquanto a ilha era lentamente tragada pelo mar.

Mesmo aborrecida por causa do sonho, Ripley conseguiu se convencer de que tudo aquilo era o resultado da sensação de culpa e do chocolate. À luz do dia, conseguiu retirar de seus ombros a ansiedade que o sonho causara, e gastou uma grande parcela de energia limpando a neve da entrada da casa e da garagem, ainda acumulada desde a última nevasca.

Quando Zack foi ajudá-la, ela já conseguira terminar de limpar os degraus da entrada e metade da passagem que ia da garagem até a rua.

— Deixe que eu termino. Vá lá para dentro e tome o seu café da manhã.

— Não consegui comer nada. Enchi a barriga com brownies ontem à noite, então é bom me exercitar um pouco para queimar essas calorias extras.

— Ei... — Ele a segurou pelo queixo, levantando o seu rosto para uma avaliação cuidadosa. — Você me parece cansada.

— É que não dormi muito bem.

— Que é que está corroendo você por dentro?

— Nada, ué... Apenas comi doces demais, abusei, acabei não dormindo bem por causa disso e agora estou pagando o preço da burrada.

— Escute aqui, garotinha... Está conversando com uma pessoa que conhece você muito bem, e você sabe disso. Quando está com um problema, cai dentro do trabalho e pega uma estiva física e mental, até conseguir sair do outro lado. Desembuche!

— Não há nada para desembuchar. — Trocou o pé de lugar, para depois acabar desistindo, com um suspiro. Seu irmão seria capaz de ficar ali olhando para ela impassível, na maior calma, durante toda uma era geológica, até conseguir a sua resposta. — Tudo bem, só que eu ainda não estou em condições de me abrir. Estou trabalhando nisso.

— Certo. Se toda essa canseira com a pá para retirar neve da entrada ajudar você a resolver o problema, vou deixar a tarefa por sua conta.

Ele voltou com toda a sua calma característica para dentro de casa. Ripley não estava só parecendo cansada, avaliou Zack. Parecia infeliz. Pelo menos por agora, pensou, ele bem que poderia tirar o peso do problema da cabeça dela. Pegou cuidadosamente um punhado de neve e o apertou discretamente, mas com força, entre os dedos, fabricando uma grande bola branca. Para que é que serviam os irmãos mais velhos, afinal? Mirou com cuidado e deixou a massa de neve voar na direção dela.

A bola acertou em cheio na parte de trás da cabeça de Ripley, promovendo um baque com som abafado, mas sólido. Ele não era o lançador de beisebol do time da ilha sem motivo.

Ripley se voltou um pouco curvada, lentamente, e estudou o sorriso vitorioso do irmão.

— Então... Isso quer dizer que você está querendo uma pequena guerra, não é, espertinho?

Ela agarrou uma boa quantidade de neve, enquanto saía de lado. No instante em que ele se abaixou para pegar mais munição, ela acertou uma bola compacta bem entre os olhos dele. A seguir, saiu correndo, desajeitada, mas foi pega por um corredor corajoso ou talvez tolo demais, que cometeu o erro de tentar segurá-la pelo braço.

Começaram a se espancar com neve, atirando bolas brancas seguidamente um contra o outro, correndo por todo lado sobre a parte já limpa da entrada da garagem, acompanhando os petardos atirados com insultos e provocações, entremeados de risadas.

Quando Nell chegou na porta para ver o que estava acontecendo, o tapete branco e ofuscante que cobria o chão até há pouco estava completamente cortado por caminhos misturados e anárquicos, e havia recortes profundos com o formato de corpos, marcando os locais onde os dois lutadores haviam caído durante a contenda.

Lucy, vindo lá de dentro e emitindo latidos agudos e alegres, passou zunindo como uma bala pela porta aberta e mergulhou também na neve, misturando-se à ação.

Com um olhar divertido, Nell abraçou o próprio corpo para se proteger do frio e deu um passo para fora da varanda.

— Crianças, é melhor vocês entrarem e se limparem! — gritou. — Senão vão acabar se atrasando para a escola.

Foi por instinto, mais do que por planejamento, que os dois irmãos giraram sobre o eixo de seus corpos ao mesmo tempo e de forma idêntica, como se fosse um passo ensaiado. As duas bolas de neve atingiram Nell em cheio. O grito agudo que resultou disso teve como efeito deixar Ripley em um estado de riso descontrolado tão intenso que a colocou de joelhos, momento que Lucy aproveitou para pular sobre ela.

— Opa... — Zack preferiu engolir todos os vestígios de riso ao notar o olhar com brilho furioso que surgira no rosto de sua mulher. — Desculpe, querida. Atiramos porque foi, você sabe, um reflexo.

— É... depois vou lhe mostrar o que é um "reflexo"! É reconfortante saber que toda a força policial da ilha é capaz de atirar em alguém completamente desarmado, apenas por reflexo. — Ela, fungando, levantou o queixo. — Quero toda essa bagunça no chão da entrada limpa agora mesmo, e vocês podiam também aproveitar e liberar a passagem para o meu carro, já que estão aí, se isso não for atrapalhar os seus maravilhosos momentos de hilaridade.

Ela voltou correndo para dentro de casa, batendo a porta.

— Ai... — disse Ripley, séria, acabando em seguida por explodir novamente de tanto rir. — Parece que hoje você vai ter que passar a noite no sofá da sala, Senhor Mira Certa.

— Nell normalmente tem espírito esportivo, não é de ficar aborrecida por tão pouco... — Ele encolheu os ombros, colocando-se com o corpo curvado. — Vou até cuidar do carro dela.

— Parece que Nell já conseguiu colocar rédeas curtas em você, hein?

— Volto para acabar com você já, já... — e simplesmente fulminou Ripley com o olhar antes de sair.

Ainda sem conseguir controlar o riso, Ripley tentou se desenterrar da neve e se colocar de pé. Lucy saiu e foi procurando abrir caminho sobre a neve à sua frente, aos pulos, em direção aos fundos da casa. Nada melhor, pensou Ripley, do que uma boa guerra de bolas de neve para colocar as coisas novamente de volta nos trilhos. Assim que ela acabasse de limpar a entrada, iria lá dentro e procuraria ser gentil com Nell.

Apesar disso, imaginava que sua cunhada tivesse um pouco mais de senso de humor. Qual o problema que havia em uma divertida guerrinha de neve entre amigos? Espalhando a neve que ficara grudada na roupa, Ripley pegou a pá para dar continuidade aos trabalhos e então ouviu um rugido alto de dor e latidos fortes e agitados, vindos de parte dos fundos da casa.

Pondo-se em estado de alerta de imediato e na mesma hora agarrando o cabo da pá com toda força, como se ela fosse um bastão de beisebol, correu com cuidado em volta da casa, deixando o corpo bem junto da parede. Assim que chegou na ponta do caminho, pulou para frente com rapidez, mas foi recebida com uma quantidade inacreditavelmente grande de neve na cara. O grito e o choque a fizeram engasgar, engolir um pouco e tossir o resto. Enquanto limpava o rosto, olhou para o lado e viu o irmão com a cabeça e os ombros totalmente cobertos por um manto branco e gelado, que se desprendia aos pedaços.

Nell, com um sorriso orgulhoso, estava parada bem ao lado, segurando dois grandes baldes vazios, um em cada mão. Virou-os de cabeça para baixo com um movimento rápido e bateu um contra o outro com jeito de especialista, para espalhar qualquer porção de neve remanescente.

— Isso... — explicou ela com um aceno de cabeça — é o que eu chamo de "reflexo".

— Caramba!... — disse Ripley para Zack, enquanto tentava enfiar a mão por dentro do colarinho do casaco, por onde a neve estava se derretendo e infiltrando, úmida e gelada. — Ela é mesmo boa, sabia?

Ripley conseguiu manter o espírito leve e o bom humor pela maior parte do dia. E teria mantido a cara alegre por mais tempo se, subitamente, Dennis Ripley não tivesse aparecido na delegacia arrastando os pés, o que a fez reconstruir o semblante de seriedade.

— Ora, ora, o meu delinquente favorito!... — Como ele raramente deixava de distraí-la, Ripley se preparou para a diversão, colocando os pés sobre a mesa e se aprontando para aproveitar ao máximo o espetáculo. — O que aconteceu agora?

— Mandaram que eu viesse até aqui para pedir desculpas pelos problemas que causei ontem, para agradecer a você por ter me levado de volta para a escola, e todo esse blá-blá-blá...

— Puxa, Den... — Ripley enxugou uma lágrima imaginária. — Estou emocionada.

— Minha mãe foi quem mandou que eu viesse até aqui. — O canto da sua boca começou a se levantar. — Peguei duas advertências, estou de castigo por três semanas e ainda vou ter que apresentar duas redações sobre responsabilidade e honestidade, valendo nota.

— Redações, é?... Essa é a pior parte, hein?

— Pois é!... — Puxou uma cadeira, sentou-se diante dela do outro lado da mesa e soltou um suspiro longo e pesado. — Acho que foi mesmo muita burrice.

— Acho que foi.

— Não faz sentido matar aula bem no meio do inverno — acrescentou ele.

— Sem comentários. E como foi na prova de História?

— Me dei bem.

— Sério? Você é mesmo um bobão, Den.

— É que a prova não foi tão difícil quanto eu achei que ia ser. E minha mãe não me esculhambou tanto quanto eu achava que ia. Nem meu pai. Só escutei um sermão comprido.

— Ah, não!... — Ripley sacudiu os ombros dele com uma cara de horror que o fez rir. — Não me diga que foi *aquele* sermão!

— Bem, vou poder usar, na redação, muito do que fui obrigado a escutar. Acho que aprendi a lição.

— Então me conte o que aprendeu.

— Bem, que eu devo me planejar melhor para não ter que acabar congelando as orelhas no meio do bosque porque tive que matar aula. E que dá muito menos trabalho e traz menos problemas, quase sempre, fazer o que a gente deveria fazer mesmo, desde o início.

— Quase sempre — concordou ela. E, porque gostava muito dele, levantou-se para preparar uma xícara de chocolate instantâneo.

— E também aprendi que... só o fato de você ter me obrigado a ir até a escola, para confessar o que fiz, logo de cara me tirou o peso da preocupação com aquilo, entende? Meu pai falou que, quando a gente faz uma besteira, tem que assumir e enfrentar as consequências, e que isso é o correto. As pessoas então passam a respeitar mais você, e, o que é melhor, você pode se respeitar mais, entende?

Ela sentiu uma fisgada bem na boca do estômago ao ouvir isso, enquanto despejava o chocolate em pó na caneca.

— Bem na minha testa! — murmurou.

— Todos cometem erros — continuou o menino. — Só que os covardes se escondem. Essa é boa, você não acha, tia Rip? Posso usar essa frase na redação.

— É. — E se xingou entre os dentes: — Essa é uma frase muito boa.

Se um menino de 12 anos era capaz de enfrentar um problema sem fugir, Ripley disse a si mesma, então uma mulher de 30 tinha que ser capaz de fazer o mesmo.

Mesmo assim, preferia ficar de castigo, talvez até ser obrigada a fazer uma redação terrível, a ir bater na porta de Mac. Mas não havia alternativa. Não com a culpa, a vergonha e o exemplo de um pirralho de 12 anos pressionando sua cabeça.

Achava que Mac iria simplesmente bater-lhe com a porta na cara, e ela não podia deixar de lhe dar razão se isso acontecesse. É claro que, *se* ele fizesse isso, ela poderia então escrever um bilhete educado, pedindo desculpas. O que era muito parecido com fazer uma redação, se pensasse bem.

Ficar cara a cara com ele, porém, era o primeiro movimento. Assim, ela permaneceu um bom tempo na frente da porta do chalé, enquanto a luz do entardecer ia diminuindo cada vez mais, e começou a se preparar para baixar a crista.

Ele abriu a porta. Estava usando os óculos e uma camiseta que tinha escrito em letras grandes "Universidade do Desenho Animado" e uma figura de Alceu, o personagem das histórias infantis. Sob outras circunstâncias, isso seria até cômico.

— Delegada Todd — disse ele, de modo muito frio.

— Será que eu poderia entrar por um minuto? — Só de falar o que vinha a seguir, para ela já era como engolir o primeiro sapo. — Por favor?

Ele deu um passo para trás, esticando o braço.

Ela notou que ele andara trabalhando muito. Dois monitores estavam ligados. Um deles apresentava linhas em zigue-zague que a fizeram pensar imediatamente em um equipamento de hospital.

A lareira estava acesa, e ela sentiu o cheiro de café vindo da cozinha.

— Estou interrompendo... — disse ela.

— Não, tudo bem. Deixe-me tirar seu casaco.

— Não! — De modo defensivo, apertou o casaco mais para junto do corpo. — Não vou demorar muito e logo, logo vou deixar de incomodar você, para que possa voltar em paz para o seu trabalho. Queria apenas me desculpar pelo ocorrido no outro dia. Estava errada. Totalmente errada; saí completamente da linha. Não há justificativas para o que eu fiz, para o que eu disse ou para a forma como me comportei.

— Bem, acho que isso resolve tudo. — Ele teve vontade de continuar aborrecido com ela, por um instante. Isso o deixava em uma posição muito confortável, mas ele acabou cedendo. — Suas desculpas foram totalmente aceitas — falou, educadamente.

Ela enfiou as mãos nos bolsos. Não gostava quando as coisas eram fáceis demais.

— Reagi com exagero — disse Ripley.

— Não posso discordar disso.

— Gostaria de terminar de explicar.

— Vá em frente.

— Não sei direito por que foi que reagi daquela forma, mas foi o que eu fiz e sei disso. Mesmo que você tivesse entrado com Mia em um clima de... intimidade, isso não era da minha conta. Sou responsável por meus atos, minhas decisões e minhas escolhas, e é assim que gosto das coisas.

— Ripley... — disse ele, de modo mais gentil dessa vez. — Deixe-me pegar seu casaco.

— Não, já estou de saída. É que aquilo me incomodou muito, muito mais do que era de se justificar, considerando as coisas. Acabei fula da vida. E o fato é que fiquei imaginando que você tentou dar em cima de mim, e depois foi dar em cima de Mia, apenas para nos amolecer um pouco e fazer com que ajudássemos você com o seu trabalho.

— Bem... — Mac tirou os óculos lentamente e ficou com eles pendurados por uma das hastes. — Isso é um insulto.

— Eu sei — disse ela, com um jeito sombrio. — E sinto muito por isso. Mais até, estou muito envergonhada de ter me permitido usar isso como justificativa para atrair você com sexo... Quer dizer, tentar deixar você todo ligado como eu fiz e usar isso como um castigo. Mulheres que usam o sexo dessa forma têm um nome muito feio. Então...

Ela expirou com força, testando-se, e notou que não estava melhor, e, droga, sentia-se mortificada.

— Então, isso é tudo. Agora, vou deixá-lo voltar ao que estava fazendo.

Ela se virou em direção à porta, sentindo que ele vinha logo atrás dela. Colocou a mão na maçaneta para sair.

— Sabe, Ripley, escavando bem por baixo da superfície, o que é algo que eu adoro fazer, há uma região pequena, uma área específica nessa sua reação exagerada que me deixa um pouco satisfeito, de uma forma bem rasa, superficial e egoísta.

Ela não olhou para ele. Recusava-se a fazer isso. Por que se importar com o risinho contido que ela conseguia detectar em sua voz? Respondeu apenas:

— O que você está falando apenas serve para que eu me sinta ainda mais idiota.

— Não me oponho a esse resultado. — Ele percorreu a mão lentamente pela parte de trás do cabelo dela. — Vou tirar o seu casaco — e começou a arrancá-lo dos ombros dela. — Quer uma cerveja?

— Não. — Ficou surpresa ao sentir que o que ela queria mesmo era um abraço. Apenas um aconchego físico rápido e reconfortante. Logo ela, que jamais tinha sido do tipo carente. — Não posso beber agora, estou de serviço.

Mac tocou o cabelo dela novamente, com uma dança rápida dos dedos através da suave fluidez dos fios.

— Quer um beijo para fazer as pazes?

— Acho melhor a gente fazer uma pausa na escala de beijos da nossa agenda. — Pegou o casaco da mão dele, deu um passo para o lado e o colocou no chão ao lado da porta. A seguir, apontou para a camiseta dele. — Esse alce do desenho animado é da sua universidade?

— O quê? — perguntou ele, olhando para o peito e focando a figura. — É... fiz um trabalho de pós-graduação nessa universidade. Você não pode dizer que viveu até ter passado uma primavera em Frostbite Falls, em companhia de Alceu e de seu fiel amigo Dentinho.

— Não consigo enquadrar você em um tipo específico, Mac. — Ela riu e se sentiu um pouco melhor.

— Pois eu também não consigo. Será que você não quer... — Parou de falar quando ouviu o som do telefone e ficou então olhando em volta de toda a saia com ar aparvalhado.

— Acho que esse ruído significa que um telefone está tocando — disse Ripley, com o tom de quem tenta ajudar.

— Ahh... Mas qual deles?... O da mesinha de cabeceira! — decidiu e deu um pinote para trás em direção ao quarto.

Ela pegou o casaco do chão. Provavelmente era melhor se ela saísse de mansinho enquanto ele estava ocupado. Então o ouviu conversar com alguém em outra língua, que lhe pareceu espanhol.

O que é que o fato de falar outras línguas tinha de tão interessante que sempre mexia com ela? Ripley largou o casaco de novo e caminhou casualmente em direção à porta do quarto.

Ele estava parado ao lado da cama, com os óculos pendurados agora no bolso da frente do jeans, pela haste. A cama estava feita. Ripley gostava de um mínimo de asseio e organização em um homem. Havia livros empilhados e espalhados por toda parte. Mac caminhava de um lado para o outro enquanto falava, e notou que ele não usava sapatos. Estava só de meias, meias grossas. Uma preta e a outra azul-marinho. Uma gracinha.

Ele parecia estar falando muito depressa. Sempre que ela ouvia uma língua estrangeira, parecia-lhe que tudo era dito depressa demais, formando uma torrente de palavras incompreensíveis, com sotaques fascinantes.

Jogou a cabeça ligeiramente para o lado, para observá-lo melhor. Ele parecia bastante concentrado, mas não, aparentemente, devido a alguma dificuldade na comunicação em espanhol. As palavras pareciam brotar de sua boca de modo fluente demais, quase como se fosse uma segunda natureza.

Então, de repente, começou a circular pelo quarto à procura de algo, enquanto apalpava a camisa com a mão livre.

— Estão no bolso da frente da calça — disse ela, fazendo com que ele se virasse e olhasse para ela, piscando. — Não são os óculos que você está procurando?

— Ahn... Não. Sim. *¿Qué? No, no, uno momento!* Droga, cadê a caneta?

Ela apanhou uma das três canetas que estavam bem na frente dele, na mesinha de cabeceira. Ao ver que ele ainda parecia frustrado, fez surgir um bloco, para acompanhar.

— Obrigado. Não sei por que essas coisas sempre... — *¿Como? Sí, sí.*

Ele se sentou na beira da cama e começou a rabiscar alguma coisa. Já que tinha metido o nariz onde não era chamada, Ripley não encontrou motivo algum para parar. Virou a cabeça para tentar ler as anotações, mas acabou se confundindo toda porque elas estavam sendo escritas, mais uma vez, em símbolos de taquigrafia.

Provavelmente em espanhol, também, imaginou, aproveitando então a oportunidade para examinar o quarto dele.

Não havia nenhuma roupa espalhada. Também não haveria lugar para peças de roupa, com todos aqueles livros, revistas e pilhas de papel em toda parte. Não havia também nenhuma foto pessoal, o que lhe pareceu, por algum motivo, muito ruim.

Sobre a cômoda havia a pilha de moedas comuns para troco, junto com uma medalha de São Cristóvão. Lembrou-se do artefato de vodu no porta-luvas do carro dele e ficou imaginando de quantas outras formas ele se protegia.

Havia um canivete Leatherman, um conjunto de minúsculas chaves de fenda, alguns pedaços de plástico e metal não identificáveis, que pareciam ser parte de algum tipo de fusível, e um pedaço de pedra preta e muito brilhante.

Ao tocá-la, Ripley sentiu uma vibração grave e forte e decidiu colocá-la de volta no lugar.

Ao se virar, ele ainda estava sentado na beira da cama. Já recolocara o fone no gancho e olhava para o espaço vazio à sua frente com uma expressão um pouco distraída e sonhadora. Pigarreou para chamar a atenção dele e se preparar para falar.

— Quer dizer que você sabe falar espanhol?

— Mnn...

— Más notícias?

— Hein?... Não, não. Apenas algo muito interessante. Era um colega pesquisador, telefonando da Costa Rica. Parece que conseguiu entrar em contato com um EBE.

— E o que é isso?

— Anh?... EBE quer dizer Entidade Biológica Extraterrestre.

— Um homenzinho verde?

— Certamente. — Mac colocou as anotações de lado. — Combina com todas as bruxas que voam em vassouras que eu já documentei.

— Rá!

— Enfim, é muito interessante. Vamos ver o que acontece. Pelo menos isso serviu para trazer você para dentro do meu quarto.

— Você não é tão desligado quanto tenta parecer.

— Só metade do tempo. — Ele deu algumas batidinhas na superfície da cama, chamando-a para se sentar a seu lado.

— Essa é uma oferta realmente empolgante, mas eu dispenso. Vou direto para casa.

— Por que não arrumamos algo para comer? — Tirando os óculos, atirou-os descuidadamente sobre a cama. — Comer fora, eu quero dizer. Podemos sair e comer alguma coisa. Já não está na hora do jantar?

— Deve estar. Tire os óculos de cima da cama. Você vai acabar esquecendo e se sentando em cima deles ou algo assim.

— Certo. — Ele pegou os óculos, colocando-os com cuidado sobre a mesinha de cabeceira. — Como é que você sabia que eu costumo fazer isso?

— Apenas um palpite. Você se importa se eu telefonar para casa e avisar o pessoal de que eles não precisam me esperar para jantar?

— Vá em frente, fique à vontade.

Quando ela chegou perto do telefone, Mac pegou em sua mão e a virou de frente para ele, puxando-a até que ela ficou em pé diante dele, entre suas pernas.

— Queria conversar um pouco mais sobre aquela interrupção na escala de beijos da qual você falou. E acho que, já que foi você que veio me pedir desculpas, também devia ser você que devia tomar a iniciativa de me beijar.

— Vou pensar no assunto. — Pegou o telefone, mantendo os olhos nele enquanto conversava, falando rapidamente com Zack para a seguir recolocar o fone no gancho. — Agora veja bem, Mac, o acordo é o seguinte: mãos sobre a cama. E você vai ter que mantê-las lá, aconteça o que acontecer. Não vale me tocar, nem tentar me agarrar.

— Regras muito rígidas, mas tudo bem. Eu aceito. — Ele colocou as mãos espalmadas na beira da cama.

Já estava na hora, decidiu ela, de mostrar que ele não era o único a ter boas técnicas. Curvando-se em sua direção, de modo lento, fez os dedos deslizarem lentamente por entre os seus cabelos, antes de fazê-los repousar sobre os ombros. Sua boca parou a poucos centímetros da dele, aberta em um meio sorriso.

— Sem mãos — alertou novamente.

Um ligeiro esfregar de lábios, um leve toque com os dentes e a pontinha da língua. Ela o beliscou com a ponta dos dentes um dos cantos da boca, depois o outro, deixando a respiração escapar em um longo suspiro.

Em seguida, afastou a cabeça alguns calculados milímetros para trás, deixando espaço para apenas uma estreita passagem de ar, e manteve o momento em suspenso. Então, os dedos mergulharam novamente em seus cabelos, agarraram-nos com força, de modo a deixar a cabeça firme no lugar, e então ela mergulhou.

Uma labareda instantânea surgiu, suficiente para queimar um homem vivo, de dentro para fora. As mãos dele apertaram a ponta do colchão como dois tornos, e seu coração pulou, até ele o sentir bater na garganta.

Era como estar sendo devorado, pouco a pouco, com impiedosa ganância.

Ela assumiu todo o controle sobre ele, bombeando o seu sistema por dentro como se fosse uma droga de efeito rápido, uma droga que arranhava as terminações nervosas, em vez de entorpecê-las. Mac começou a sentir como se aquilo tudo fosse... demais, e parecia que o seu corpo estava simplesmente prestes a implodir.

Ela quase o atirou para trás, quase sucumbindo à necessidade que fizera surgir dentro dela mesma, de empurrá-lo de costas sobre a cama. Alguma coisa acontecia com ela, sempre que estava tão junto dele. Era algo que entrava em dissonância com o bom senso do seu cérebro, lançava ondas de choque pelo seu corpo e esmagava seu coração. Mesmo dessa vez, quando ela tinha dado início ao processo e o tinha sob controle, em princípio, começava a sentir que estava perdendo esse controle.

Ela o sentiu tremer, e o seu próprio calafrio foi a resposta.

Mac soltou um suspiro entrecortado. Ripley podia sentir a pulsação dele latejando na garganta como um bate-estaca. No entanto, não a tocara nem por um segundo. Aquele tipo de controle era algo para ser respeitado, pensou. E também admirado... e desafiado.

Ela deslizou a mão sobre o rosto dele e tocou de leve o canto da sua boca com a ponta de um dos dedos.

— Vamos comer! — sentenciou ela, enquanto saía do quarto, quase deslizando.

Ponto por ponto, avaliou Ripley, enquanto caminhava e recurvava a ponta de um dos dedos, formando um gancho para pegar o casaco, eles estavam agora tecnicamente empatados.

Capítulo Nove

Jonathan Q. Harding sabia muito bem como fazer as pessoas falarem. Era uma questão de, antes de tudo, saber que sob o manto da dignidade e da discrição, ou até mesmo da relutância, as pessoas no fundo *desejavam* falar. Quanto mais remendado ou bizarro fosse o assunto, mais elas tinham necessidade de tagarelar a respeito.

Era apenas uma questão de persistência, paciência e, ocasionalmente, molhar a mão de alguém com uma nota de vinte dólares discretamente dobrada.

Aquela história estava com os dentes cravados nele e vice-versa. Foi até o despenhadeiro na Rodovia 1, perto de Monterey, onde uma mulher desesperada simulara a própria morte, havia mais de um ano. Era um local pitoresco, com mar, céu e rochedos. Fazia-o imaginar contrastadas fotos em preto e branco, pelo drama e pela intensidade que a paisagem carregava.

Harding já não pensava apenas em uma grande reportagem para uma revista. Tinha elevado suas ambições até os níveis de um grande e suculento best-seller.

As sementes dessa ambição tinham sido plantadas em sua primeira visita a Remington. Era curioso, pensou, que a ideia não lhe tivesse ocorrido antes. Que ele não tivesse percebido o quanto, bem... *sedento* de fama e de fortuna ele, no fundo, estava.

Outros haviam feito isso antes dele. Transformaram sua excelência em determinada área, ou seu hobby, em um livro com capa em papel lustroso de boa qualidade e vendas rápidas. Por que ele não poderia fazer o mesmo?

Por que estava desperdiçando seu tempo e considerável talento em reportagens secundárias e pequenos textos? Em vez de correr atrás de Larry King para conseguir uma entrevista, era Larry King quem iria procurá-lo, para recebê-lo em seu programa transmitido mundialmente.

Uma voz que ele não sabia que estava dentro dele acordara de repente, continuamente sussurrando: *Lucre com isso, lucre com isso...*

Era exatamente isso que pretendia fazer.

Arrebanhando pequenos pedaços de informação aqui e ali, migalhas de ideias baseadas em especulações e grandes nacos de fatos reais obtidos nos relatórios policiais, Harding começou a reconstruir a trilha que Helen Remington, agora Nell Channing Todd, seguira após a sua "morte".

Teve uma conversa muito interessante com um homem que lhe garantira ter vendido uma bicicleta de segunda mão a Helen, que ela acabara usando como transporte após o acidente. Depois de fazer muitas pesquisas e cavar outras tantas informações na estação de ônibus em Carmel, confirmou a descrição da bicicleta.

Helen Remington começara sua longa jornada pedalando uma bicicleta azul de seis marchas.

Tentou imaginá-la sobre a bicicleta, subindo e descendo os montes, pedalando sem parar. Usava uma peruca na ocasião. Algumas pessoas afirmavam que a peruca era ruiva; outras diziam que era castanha. Resolveu ficar com a cor mais escura. Ela jamais iria querer chamar a atenção.

A seguir, Harding gastou mais de duas semanas seguindo pistas, voltando para trás várias vezes para confirmar dados, eventualmente batendo em desanimadores muros de falsas dicas e pistas erradas, até que conseguiu seu primeiro golpe de sorte em Dallas. Ali, descobriu que Nell Channing alugara um quarto barato de motel, uma quitinete e depois conseguira arrumar um emprego como cozinheira de refeições rápidas em uma lanchonete vulgar, de baixa categoria.

O nome do golpe de sorte que cruzou o caminho de Harding era Lidamae; era esse o nome que ela exibia no crachá pregado no corpete rosa-bebê de seu uniforme. Contou a ele que ela servia mesas havia trinta anos e, segundo seus próprios cálculos, já servira café em quantidade suficiente para encher todo o Golfo do México. Tinha sido casada por duas vezes e dera um chute nos dois maridos imprestáveis, vagabundos e filhos da mãe.

Tinha um gato chamado Bola de Neve, não chegara a terminar o ensino médio, e exibia um sotaque do Texas tão forte e cortante que dava para riscar diamantes com ele.

Lidamae não se importava de deixar de lado os seus clientes famintos como cães, por alguns minutos, para conversar com um repórter. E não teve nenhum escrúpulo em aceitar a oferta dos vinte dólares pelo seu tempo e sua atenção. Enfiou a nota dobrada exatamente no lugar onde se imaginava que ela o fizesse: dentro da fenda generosa por trás do sutiã.

A completa perfeição de sua figura forte, o cabelo exageradamente descolorido e fosco que lhe caía em imensas cascatas sobre os ombros, o corpo bronzeado e ligeiramente desajeitado, o ofuscante tom de azul da sombra que lhe cobria as pálpebras até chegar quase às sobrancelhas, tudo isso fez com que Harding começasse a pensar de repente em quem poderia desempenhar o seu papel no filme que seria baseado em seu livro.

— Eu falei com Tidas... Tidas é a responsável pela cozinha lá atrás. Bem, eu falei com ela que havia algo de estranho com aquela garota. Algo meio estranho e assustador.

— O que você quer dizer com "assustador"?

— Aquele jeito de olhar que ela tinha. Era um olhar de coelho assustado. Vivia apavorada com a própria sombra. Ficava sempre vigiando a porta, também. É claro que eu descobri logo de cara que ela estava fugindo de alguma coisa ou de alguém. — Com um satisfeito aceno de cabeça, Lidamae tirou um maço de cigarros Camel do bolso de seu avental. — Nós, as mulheres, sentimos essas coisas, especialmente quando se trata de uma outra mulher. O meu segundo marido tentou me dar uns tapas, uma ou duas vezes. — Deu um trago no cigarro com tanta força que parecia que estava puxando ar para dentro dos pulmões. — Rá!... Essa é muito boa... O idiota foi quem acabou levando um belo chute na bunda. Quando um homem resolve levantar a mão para mim, é bom que esteja com o plano de saúde em dia, porque com certeza vai passar um bom período em algum tipo de instituição médica, se é que você me entende.

— Você alguma vez conversou com ela a respeito disso?

— Aquela garota era totalmente tímida. — Lidamae pigarreou com força, parecendo um dragão quando soltou uma névoa de fumaça densa pelas duas narinas. — Ficava muito na dela. Fazia bem o seu trabalho, não se pode dizer nada com relação a isso, e sempre foi impecavelmente educada.

Uma dama. Foi isso que eu comentei com Tidas, certa vez... *Aquela Nell é realmente uma dama.* Dava para ver a classe que tinha em tudo o que fazia; era algo que estava dentro dela. Mesmo magra como um pedaço de arame, com os cabelos todos desgrenhados de qualquer maneira e pintados em um tom castanho misturado com marrom-escuro, não importa, a classe da pessoa acaba aparecendo.

Deu mais um trago profundo e bateu com o polegar no cigarro, com força, para fazer a cinza cair.

— Não fiquei nem um pouco surpresa quando vi as reportagens no noticiário noturno da TV em todos os canais, depois que ela foi encontrada. Reconheci a cara dela na mesma hora, mesmo reparando que ela estava toda bonitona, bem-tratada e com o cabelo louro, na foto que mostraram na TV. Disse na mesma hora para a Suzanne... Suzanne e eu estávamos trabalhando no turno do jantar; Suzanne é aquela moça que está ali adiante, depois do balcão — e apontou a atendente, a fim de orientar Harding. — Eu disse então para ela: *Olha lá, na TV, Suzanne. É aquela moça magrinha, a Nell, que trabalhou conosco aqui na lanchonete, no ano passado.* Suzanne ficou completamente pasma, mas para mim não foi surpresa nenhuma, não mesmo!

— Por quanto tempo ela trabalhou aqui?

— Mais ou menos três semanas. De repente, um belo dia, não apareceu para o turno dela. Nunca mais soubemos do seu paradeiro e não tivemos nem sinal dela, até aquele dia da reportagem na TV. Tidas ficou revoltada quando ela sumiu, isso eu posso lhe assegurar. Porque aquela garota sabia cozinhar muito bem.

— Por acaso alguém apareceu por aqui, procurando por ela? Ou prestou mais atenção a ela do que seria de esperar?

— Não, nada disso. De qualquer jeito, era muito raro ela colocar a cara para fora da cozinha.

— Você acha que Tidas me deixaria dar uma olhada nos registros e na ficha de contratação dela?

Lidamae deu uma última tragada no cigarro, estudando Harding com atenção, através da cortina de fumaça azul.

— Não custa nada perguntar, não é?

Custou-lhe mais uma nota de vinte dólares para olhar a papelada, mas com isso ele conseguiu a data exata da partida de Nell. Armado com essa informação e depois de uma cuidadosa avaliação das finanças dela quando foi embora, Harding foi explorar a estação de ônibus.

Seguiu a pista dela até El Paso onde quase a perdeu, mas encontrou o homem que lhe vendera o carro.

Seguiu a trilha dela dia a dia; leu e tornou a ler todos os artigos dos jornais, entrevistas, declarações e comentários que haviam sido escritos desde a prisão de Remington.

Ela trabalhara em várias outras lanchonetes, restaurantes de hotéis, cafeterias, raramente ficando no mesmo lugar por mais de três semanas durante os primeiros seis meses logo após a fuga. A sua rota parecia não ter pé nem cabeça.

Era esse, pensou Harding, o ponto principal da coisa. Ela em primeiro lugar seguia para o sul, depois para o leste. A seguir, cruzava por lugares por onde já passara e ia em direção ao norte novamente. Mesmo assim, sempre, no final das contas, acabava indo para o leste mais uma vez.

Embora não desse muito crédito às opiniões pessoais de Lidamae, Harding conseguiu encontrar um fio de consistência e coerência, através das entrevistas com outros empregadores e colegas de trabalho.

Nell Channing era realmente uma dama.

O que mais Nell era, ele teria que descobrir e julgar por si mesmo. Mal podia esperar para se encontrar com ela, cara a cara. Mas, antes de chegar a esse ponto, ele queria outra coisa... Queria mais. Queria obter a versão da história oferecida por Evan Remington.

Sem ter a menor suspeita de que sua vida estava, naquele exato momento, sob a lente de um microscópio, Nell aproveitou o seu dia de folga e uma trégua na baixa temperatura de inverno. O degelo de fevereiro oferecia um indício animador de primavera, com um calor quase gostoso e reconfortante, que não exigia mais do que um casaco leve.

Levou Lucy para uma volta na praia e considerou a ideia de ir até o centro da pequena cidade, só para comprar algo tolo e desnecessário. O simples fato de que ela já era capaz de aceitar algo assim era um dos milagres diários que andavam enfeitando sua vida.

Por agora, no entanto, estava perfeitamente satisfeita com a praia, o mar e a grande cadela preta. Enquanto Lucy se distraía caçando gaivotas, Nell se sentou na areia e ficou observando as ondas.

— Sorte a sua que eu estou de bom humor, senão seria obrigada a multar você por deixar aquela cadela imensa fora da coleira.

Nell olhou para cima enquanto Ripley se deixava cair ao lado dela.

— Então você teria que multar a você mesma também, porque eu não vi nenhuma coleira quando vocês duas saíram para correr hoje de manhã.

— É que eu estava usando uma coleira invisível, hoje cedo. — Ripley encolheu as pernas, abraçando os próprios joelhos. — Meu Deus, que dia lindo. Eu bem que conseguiria aturar algumas centenas de dias como este, todo ano.

— Eu sei, também me senti assim. Não consegui ficar dentro de casa. Minha lista de coisas para fazer é tão comprida quanto o seu braço, mas mesmo assim eu fugi e vim para cá.

— As coisas podem esperar.

— Vão ter que esperar.

Quando viu que Nell continuava a olhar fixamente para ela, Ripley puxou os óculos escuros para a ponta do nariz e olhou por cima deles, perguntando:

— O que foi?

— Nada. É que você me parece assim... satisfeita consigo mesma — explicou Nell. — Não tenho visto muito você nas últimas duas semanas; mas, sempre que nos encontramos, noto que você está me parecendo meio presunçosa ou orgulhosa... mais segura de si.

— É mesmo? Bem, é que a vida é boa.

— Anh, ahn... E você tem passado mais tempo em companhia do tal MacAllister Booke.

Ripley fez uma trilha cheia de curvas na areia, com os dedos, desenhando pequenos arabescos encaracolados.

— Esse é o seu jeito educado de me perguntar se a gente está transando?

— Não. — Nell esperou um momento e suspirou. — Mas, afinal de contas... vocês estão?

— Não... ainda não. — Com um sorriso de satisfação, Ripley se inclinou para trás, ficando apoiada nos cotovelos, sobre a areia. — Estou curtindo este interlúdio pré-sexual muito mais do que achei que poderia curtir. Na maior parte das vezes, sempre achei que, quando você está a fim de dançar, deve levantar-se e cair na dança. Mas desta vez...

— O romance já é uma dança, por si mesmo.

— Mas eu não falei que a gente estava tendo um romance. — O olhar de Ripley foi rápido e penetrante. — Assim, do tipo com flores, corações desenhados e olhares sonhadores. Ele é um cara interessante para se ter como companhia e sair, isso é tudo, e mesmo assim só quando ele não está fazendo rondas, à procura de fantasmas. E tem andado em toda parte, pelo mundo afora. Quer dizer, tem ido a locais que eu nem mesmo sabia que *existiam*. — Ele conseguiria dizer qual era a capital do Liechtenstein, ela se lembrou, imagine só isso.

E, olhando novamente para Nell, continuou:

— Você sabia que ele se formou na faculdade com apenas 16 anos? Isso é ser gênio ou não é? E mesmo com tudo isso gosta de coisas normais, como cinema e beisebol. O que eu quero dizer é que não é metido a superior em relação à... como é que se diz?... cultura popular.

— Não tem esnobismo intelectual — comentou Nell, divertindo-se com a conversa.

— É... Isso mesmo. Gosta dos desenhos de Alceu e Dentinho e ouve música comum. Tem uma enorme capacidade dentro do cérebro, que o faz entender tudo sobre a equação da Teoria da Relatividade e todo esse lixo científico, mas também tem lugar para o som pop das Barenaked Ladies, por exemplo. Pior, é fã de carteirinha delas e também tem uma excelente forma dentro de uma piscina, embora às vezes seja capaz de tropeçar nos próprios pés. E assim... com esse tipo de charme.

Nell abriu a boca para fazer um comentário, mas Ripley já estava levando a conversa adiante.

— Claro, eu sei que ele é completamente viciado em brinquedos tecnológicos e computadores, mas isso até que vem a calhar. Consertou o meu fone de ouvido, que eu já estava a ponto de jogar fora. E no outro dia, ele... — Ela parou de falar ao notar o sorriso largo de Nell. — Que foi?

— Você está gamada.

— Ah, por favor... Que tipo de palavra antiga é essa? — Ripley fez cara de nojo, cruzando as pernas. — "Gamada!"... Jesus...

— É a palavra perfeita, totalmente adequada, pelo meu ponto de vista. E acho que isso é maravilhoso.

— Não entre nesse barco do amor; deixe de viajar na maionese, Nell. Nós só estamos saindo juntos. Depois, pode ser que a gente faça sexo e continue saindo juntos. Vamos continuar amigos enquanto ele não tentar me enfiar as histórias de bruxa pela goela. Depois dessa aventura, ele vai voltar para Nova York e escrever o livro dele ou o artigo, sei lá. Não estamos grudados um no outro.

— Pode dizer o que quiser, mas o fato é que, em todos esses meses em que estou morando aqui na ilha, jamais tinha visto você passar tanto tempo com alguém ou parecer tão feliz como agora.

— Então, isso quer dizer apenas que eu gosto mais dele do que da maioria dos outros. — Ripley se colocou sentada novamente, encolhendo os ombros. — E também tenho mais atração por ele do que pelos outros.

— Gamada... — disse Nell, bem baixinho.

— Cale a boca.

— Quer trazê-lo para jantar?

— Hein?

— Traga-o para jantar conosco hoje à noite.

— Por quê?

— Porque vou preparar o prato favorito de Zack, e vai ter bastante comida.

— Vamos ter uma legítima caçarola ianque, completa? — Ripley ficou com a boca cheia d'água.

— Tenho certeza de que Mac iria gostar de experimentar uma refeição caseira para variar, em vez de ficar comendo em restaurantes ou esquentando um de meus pratos prontos. — Nell se levantou, sacudindo a areia das calças.

— Bem, ele bem que gosta de comer, só que... Nell, você não está planejando me preparar um clima para encontro de namorados nem nada desse tipo, está?

— Claro que não! — Seus olhos azuis se arregalaram, transparecendo inocência. — Diga-lhe para chegar às seis e meia e me avise se esse horário não estiver bom para ele.

Batendo as mãos para sacudir os restos de areia, chamou por Lucy e foi direto para casa.

Tinha muita coisa para fazer em pouco tempo.

— Eu não vou preparar um encanto!

Mia colocou a cabeça meio de lado e sorriu docemente, enquanto Nell olhava de cara feia para a batata que estava descascando.

— Então me conte por que é que me pediu para passar aqui e discutir seus planos para o jantar de hoje à noite.

— Porque admiro o seu bom gosto.

— Não me convenceu. Tente de novo.

— Porque você conhece Ripley melhor do que eu.

— Continue.

— Ah, tudo bem... — Fazendo uma careta de desgosto, Nell agarrou outra batata. — Não se trata de um encanto. Isso seria errado... não seria? — acrescentou olhando rapidamente, meio de lado.

— Sim, isso seria errado. Você não tem permissão de nenhuma das partes. Além disso, interferir na vida pessoal de outra pessoa é ultrapassar um limite.

— Sei disso. — Os ombros de Nell caíram um pouco, apenas por um instante. — Mesmo quando a gente está fazendo tudo com a melhor das intenções, pensando no coração deles? — Ela deixou a pergunta em suspenso, embora no fundo já soubesse a resposta. — É que ela parece tão feliz, Mia. Você mesma já reparou. Você devia ter ouvido quando ela falou a respeito de Mac. Estava babando por ele.

— A delegada Todd babando?... — Mia caiu na risada. — Essa cena até eu pagava pra ter visto.

— Pois ela estava, e foi adorável. Tudo o que eu queria era dar um empurrãozinho. Não com um encanto — acrescentou ela depressa, antes que Mia tivesse a chance de reclamar. — Vai ser um agradável jantar em família. Se eu adicionasse um pouco disso, um tantinho daquilo, apenas alguma coisa para incentivá-la a clarear a sua visão. Algo que pudesse fazer baixar um pouco as muralhas em torno dela, pelo menos alguns centímetros.

— E se eles estiverem vendo o que precisam ver e sentindo o que precisam sentir, nesse momento? Como é que você pode ter certeza de que o seu... empurrãozinho não os levaria para a direção errada?

— Puxa, Mia, você é tão frustrante quando vê apenas o lado prático das coisas. E pior ainda é quando está certa. Mas é difícil não usar o que está tão à mão para ajudar.

— O Poder é algo traiçoeiro. Se não fosse, não significaria coisa alguma. Você está apaixonada — explicou Mia. — Ainda está nessa onda, sentindo a maravilhosa emoção de tudo aquilo e vendo todas as outras pessoas enamoradas, juntas, aconchegadas e satisfeitas. Nem todas as pessoas merecem ou estão preparadas para o que você compartilha com Zack.

— Se você tivesse ouvido o jeito como ela falou dele antes de perceber e se segurar! — Balançando a cabeça, Nell lavou os vegetais que tinha descascado. — Já está a meio caminho de ficar completamente apaixonada por ele e ainda nem se deu conta.

Mia se permitiu um instante de prazer e um pouco de inveja ao pensar em sua grande amiga de infância encontrando um grande amor e prestes a mergulhar de cabeça nisso.

— Se ela percebesse isso, Nell, se você a ajudasse a enxergar o que pode estar acontecendo dentro dela, Ripley poderia muito bem recuar da beira, antes de dar esse mergulho. Seria bem típico dela.

— Você está certa novamente. Odeio pensar isso. Diga-me o que você acha de Mac. Você já conversou com ele, mais do que eu.

— Acho que é um homem muito inteligente, muito astuto e muito centrado. Não está forçando a barra com Ripley em relação à pesquisa dele porque sabe que ela vai se afastar na mesma hora. Então, está trabalhando em círculos ao redor dela.

Enquanto dizia isso, Mia deu uma olhada dentro do pote de cookies e arregalou os olhos.

— Ai... cookies crocantes com pedaços de chocolate... Estou perdida!

— Mas isso *é* ser calculista!... — Automaticamente, Nell foi até o fogão para preparar um chá a fim de acompanhar os cookies de Mia. — Se por acaso ele a estiver usando...

— Espere um instante! — Mia levantou um dedo enquanto engolia. — E claro que ele a está usando. Isso nem sempre é errado. Ela se recusa a deixá-lo ser direto quando chega nessa área; então ele está sendo indireto. Por que motivo ele teria que ignorar o que ela é? Só porque ela própria age assim, Nell?

— Mas... gastar todo esse tempo com ela, brincar com seus sentimentos. Isso é errado.

— Não digo que não seja, mas não acredito que seja o caso. Ele tem maneiras muito refinadas. E acho que, além de ser inteligente e educado, é um homem muito bom.

— É... Eu também acho. — Nell suspirou.

— Imagino que ele também esteja realmente atraído por Ripley, apesar de ela ser abrasiva, irritante e cabeça-dura.

— Isso faz sentido — concordou Nell. — Você, por exemplo, também se importa muito com ela, apesar de tudo isso.

— Já me importei — respondeu Mia, secamente. — Sua chaleira está fervendo.

— Ela é importante para você. Vocês são importantes uma para a outra, não importa o que tenha acontecido entre as duas. — Nell se virou para lidar com o preparo do chá, perdendo a expressão comovida no olhar de Mia.

— Ela vai ter que lidar comigo mais uma vez, e eu com ela. Até o dia em que ela aceitar quem ela é, o que ela é e o que está destinada a fazer; jamais estará totalmente aberta para ter o que você tem. Você teve muito medo. Ela também tem. Todas nós temos.

— E qual é o seu medo, Mia? — Assim que acabou de fazer a pergunta, Nell se virou para trás. — Desculpe, mas eu olho para você e vejo apenas confiança, uma incrível e total segurança.

— Tenho medo de meu coração se machucar uma segunda vez, porque não estou certa de que conseguiria sobreviver a isso. Prefiro viver sozinha a sofrer o risco de passar por essa dor.

Essa afirmação e a calma verdade que havia nela fizeram o próprio coração de Nell doer um pouco.

— Você o amava tanto assim?

— Sim. — Doía, Mia pensou, simplesmente dizer isso; sempre doía. — Eu não tinha nenhuma barreira em relação a ele. Por isso é que eu falo que poderia ser perigoso dar um empurrão no caso de Ripley. MacAllister Booke faz parte do destino dela.

— Você já sabe disso?

— Sim. Só que ver é diferente de interferir. Eles estão conectados um ao outro. A maneira com que vão proceder com relação a isso, no entanto, e as escolhas que fizerem pertencem apenas a eles.

Não havia como argumentar com a lógica de Mia. No entanto, também não havia motivos para *não* escolher velas cor-de-rosa para colocar sobre a mesa. Nell não as encantou nem inscreveu coisa alguma em volta delas. O fato de que essa cor era usada para encantos de amor poderia ser pura coincidência.

Já colocara um potinho com alecrim no peitoril da janela da sala de jantar, plantado evidentemente para fins culinários, é claro... Além de absorver energias negativas. É verdade que aquela erva em particular também era usada para poções de amor, mas colocá-la sobre a janela não significava nada em si.

Da mesma forma, não havia finalidade específica para o quartzo rosa atirado no fundo de uma tigela, nem os cristais de ametista que ajudavam a estimular a intuição.

Não era como se ela tivesse preparado um saquinho de encantos direcionado para eles.

Nell usara o serviço de jantar de porcelana que tinha sido da avó de Zack e Ripley, os candelabros de prata que ela desencavara semanas antes e polira até que parecessem novos, de tão brilhantes, e colocara sobre a mesa uma antiga toalha rendada que tinha sido presente de casamento de alguém, além de um arranjo de lírios-do-vale para usar como centro de mesa, e que ela havia mantido belos, frescos e perfumados, para manter longe a atmosfera depressiva do inverno.

Os cálices de vinho haviam sido um outro presente de casamento, e suas longas hastes em cor granada, vermelho-acastanhadas, combinavam bem, ela considerou, com as velas no tom rosa-pálido e também com os botões de rosa do padrão das peças de porcelana.

Nell estava tão concentrada em fazer uma última inspeção para avaliar o resultado final de sua produção quase cenográfica, que levou um susto, dando um pulo quando Zack chegou por trás dela e a enlaçou, colocando seus longos braços em volta da sua cintura.

— Está tudo muito bonito! — Ele remexeu os lábios para cima e para baixo, de modo pensativo. — A mesa não tem uma aparência tão maravilhosa como esta desde que... Bem, pensando bem, eu nunca a vi assim tão bem-arrumada e com tanto bom gosto e elegância.

— Quero que seja tudo perfeito.

— Não sei como poderia parecer melhor. Ou cheirar melhor. Quase caí de joelhos e fiz reverências quando passei há pouco pela porta da cozinha. Por que é que Ripley não está aqui para ajudar você a arrumar tudo? O convidado não é dela?

— Eu a expulsei daqui, uma meia hora atrás. Estava no meio do caminho, me atrapalhando — completou ela, beijando-o rapidamente. — E você está atrapalhando também.

— É que eu achei que você pudesse precisar de alguém para provar aqueles pequenos canapés que vi na mesa da cozinha.

— Não!

— Tarde demais! — Ele sorriu para ela. — Estão fantásticos!

— Zack! Que droga, eu já tinha arrumado as bandejas todas.

— Eu arrumei todos eles juntinhos de novo. Não ficou nenhum buraco.

— Fique com os dedos longe da comida, senão eu não preparo ensopado com almôndegas com os ingredientes que sobraram, para amanhã.

— Mas meu amorzinho, isso é maldade pura.

— Estou brincando. Agora deixe que eu dê uma olhada geral em você. — Recuou um passo para observar melhor, olhando-o de cima a baixo. — Meu Deus, não é que você está muito bonito, xerife Todd?

Ele enfiou o polegar por dentro do cinto, flexionando ligeiramente uma das pernas e levantando a cabeça.

— Venha até aqui pertinho e repita isso de novo.

Ela obedeceu, já levantando a boca em direção à dele quando ouviu uma batida na porta da frente.

— Nossa, deve ser ele! — Ela se afastou de Zack, arrancando o avental fora.

— Ei, volte aqui. Ripley pode atender a porta.

— Não, não pode. Ela tem que fazer uma entrada triunfal. Olhe, veja se... — Ela acenou com a mão para ele se mexer e fazer algo de útil. — Vá até o som e coloque alguma música.

Mac chegou com uma garrafa de vinho e algumas flores, recebendo a aprovação irrestrita de Nell. Por três vezes, Nell contou, ele tocou nas mãos de Ripley, enquanto beliscavam os aperitivos e canapés na sala de estar.

O ambiente estava confortável, como Nell queria, e casual como planejara. Ao ver os dois assim juntos sentiu um ponto aquecido brilhar dentro dela. No momento em que todos foram se acomodar na sala de jantar, Nell já estava começando a se congratular em silêncio pelo sucesso da noite.

— De todos os lugares onde você já esteve, Mac — perguntou Nell —, qual é o seu favorito?

— O lugar em que estou é sempre o meu lugar favorito. No momento, a Ilha das Três Irmãs é o meu recanto predileto do planeta.

— E os nativos são também bastante amigáveis, não são? — acrescentou Zack.

— São, são sim. — Mac enviou para Ripley um sorriso discreto enquanto comia um pedaço do assado. — Pelo menos, a maioria deles.

— Atualmente estamos procurando desencorajar o sacrifício ritual de missionários e exploradores — comentou Ripley, espetando uma batata. — Pelo menos, a maioria deles.

— Que sorte a minha. Já fiz uma série de entrevistas interessantes. Estive com Lulu, com os Macey...

— Você conversou com Lulu? — interrompeu Ripley.

— Mnn, mnn — Mac fez que sim com a cabeça. — Ela estava no topo da minha lista. Já mora aqui há muitos anos, mas não nasceu aqui. E tem o fator da sua associação muito próxima com Mia. Fico intrigado com a maneira simples, quase casual, com que Lulu aceita o metafísico. Parece aceitar os dons de Mia do mesmo modo que outros aceitam a cor dos cabelos de uma criança. Deve ter sido muito diferente para você — continuou, voltando-se para Nell. — Que descobriu seus talentos já depois de adulta.

— Acredito que sim. — Ela não se importava de conversar sobre isso. Na verdade, Nell achava que seria até muito agradável discutir aquele assunto mais a fundo, analisando-o sob um ponto de vista científico e intelectual. Reconheceu, porém, de imediato, os sinais da sensação de mal-estar com o rumo que a conversa estava tomando, pela forma com que Ripley enrijeceu os ombros. — Quer mais carne? — perguntou então a Mac, de forma descontraída.

— Aceito sim, obrigado. Seria ótimo, Zack, se eu conseguisse marcar um horário com você, também. Ter a sua perspectiva, o ponto de vista de alguém que viveu aqui durante a vida toda, e que se casou com uma mulher com talentos consideráveis.

— Claro. Os meus horários são bastante flexíveis. — Ele estava consciente da reação da irmã a essa resposta, mas considerava isso um problema dela. — Você vai descobrir, Mac, que a maioria de nós não pensa a respeito da história, do passado e das lendas da ilha todos os dias. Guardamos isso para os turistas. A maioria de nós simplesmente mora aqui.

— Esse é um dos pontos que eu gostaria de analisar. Vocês convivem com isso, seguem com a sua vida, seus interesses e seus planos. Constroem e mantêm vidas normais.

— É porque nós somos normais — disse Ripley, com suavidade.

— Exatamente! — Mac levantou a sua taça de vinho e a estudou fria e calculadamente. — O Poder não altera, e não precisa alterar, as necessidades humanas fundamentais. Uma casa, uma família, o amor, a segurança financeira. O relacionamento familiar tão chegado, por exemplo, entre Lulu e Mia, não está baseado no que Mia é, mas em quem ela é, na pessoa humana que ela é.

Ele olhou novamente para Zack.

— Tenho certeza de que você não se casou com Nell porque ela *é* uma bruxa, ou apesar desse fato, mas principalmente porque ela é a Nell, uma pessoa.

— É verdade. E também por causa da carne de caçarola que ela sabe preparar.

— Algo que não deve ser descartado. Emoções fortes alimentam o Poder. Eu mesmo fiquei bastante abalado emocionalmente, de modo positivo, devo acrescentar, com os dotes culinários de Nell, desde que provei o meu primeiro prato de sopa preparado por ela.

Zack deu uma risada, enquanto servia mais uma rodada de vinho para todos, e disse:

— Ainda bem que eu a encontrei primeiro.

— O momento certo é a chave de tudo, sempre. Se Lulu não tivesse chegado à ilha no momento em que chegou, pode ser que não tivesse desempenhado o papel tão importante que acabou desempenhando na criação de Mia. E pelo que entendo, Nell, se você não tivesse entrado na livraria de Mia naquela manhã, no momento em que a antiga cozinheira estava saindo do emprego, poderia não ter feito contato com Mia, ou pelo menos não seria uma conexão tão precisa e perfeita. Essa conexão a levou até Zack, e até Ripley, e, de uma forma sinuosa e indireta, até mim.

— Não tenho nada a ver com isso. — A voz de Ripley continuava calma, mas as farpas estavam começando a aparecer na sua maneira de falar.

— Uma escolha sua, Ripley — replicou Mac, de forma descontraída. — A escolha é uma outra chave importante nesse labirinto. De qualquer modo, já que você tem se mostrado relutante em me mostrar a ilha quando estou trabalhando, gostaria pelo menos de perguntar a respeito de um local no extremo sul da ilha. Uma casa grande e antiga. Tem muitos detalhes em estilo rococó e uma varanda bem larga, toda coberta. Não há muito mais em volta dela. Fica em uma pequena enseada, junto de uma praia argilosa. Há uma pequena caverna fantástica, lá nessa praia.

— É a antiga casa dos Logan — respondeu Ripley, de modo lacônico. — A família que é dona do hotel.

— Mas ela parece vazia.

— Eles não moram mais ali. Durante a alta temporada, eventualmente alugam a casa para veranistas. Por que quer saber a respeito dela?

— Em primeiro lugar, porque fica em um local belíssimo e é uma casa antiga, mas muito atraente. Depois, porque consegui registros particularmente fortes com os meus instrumentos, naquele local. — Ele notou que o olhar de Ripley voou para o rosto do irmão, e esperou um momento antes de continuar. — Não ouvi falar muito a respeito dos Logan. Eles sempre aparecem nas minhas pesquisas, é claro, mas ninguém parece ter muito a contar a respeito deles na ilha. Faz quanto tempo desde que a última pessoa dessa família se mudou da casa?

— Ah, já faz mais de dez anos — respondeu Zack, vendo que Ripley ficara em silêncio. — O velho senhor Logan, ou um de seus representantes, aparece por aqui de vez em quando para dar uma olhada nas coisas e na casa, mas sempre ficam no hotel.

— E uma pena que uma casa linda como aquela fique ali, vazia e desabitada. Ela é assombrada?

Os lábios de Zack tremeram um pouco ao ouvir o rosnar profundo que a irmã, sem conseguir evitar, fez.

— Assombrada? — respondeu ele. — Que eu saiba, não.

— Que pena! — E ele parecia estar realmente sentindo isso. — E quanto à caverna? Os meus registros mais fortes foram obtidos lá.

— Aquela caverna... — soltou Ripley, de repente — ... é apenas uma caverna. — Ela sentiu um pequeno aperto no coração, que a deixou aborrecida.

— Nós a usávamos muito, quando éramos crianças — começou Zack a explicar. — Brincávamos de pirata, caçadores de tesouros. Depois, quando adolescentes, foi um tipo de cantinho para namorados. — Parou de falar abruptamente, atingido por lembranças.

Sam Logan e Mia. Eles eram adolescentes, nessa época, e tinham, evidentemente, usado a caverna. Um rápido olhar para o rosto da irmã serviu para lhe mostrar que ela também já sabia disso. Estava tentando proteger a privacidade de uma amiga de infância.

— Não ficaria surpreso se soubesse que os seus equipamentos andaram pegando a antiga energia de todos aqueles hormônios — disse Zack, com um jeito alegre. — O que temos para sobremesa, querida?

Sem conseguir entender nada do que estava acontecendo, Nell se levantou, dizendo:

— Vou lá dentro pegar a torta. Ripley, você se importa de me dar uma mãozinha?

— Não, claro que não, eu ajudo você. — Aborrecida, Ripley afastou a cadeira da mesa e seguiu direto até a cozinha.

— O que está acontecendo? — quis saber Nell. — Por que é que vocês não estão querendo falar a respeito da antiga casa dos Logan?

— É apenas uma casa velha.

— Ripley, eu não vou poder ajudar nesse assunto se você continuar me deixando no escuro.

— Sam e Mia. — Com as mãos nos bolsos, Ripley começou a andar de um lado para o outro na cozinha. — Eles foram muito ligados.

— Já sei disso. Ele foi embora, nunca mais voltou e isso ainda a machuca.

— Sim, mas que diabo, ela já deveria ter superado isso. — Com um suspiro, Ripley se inclinou para fazer carinho na cabeça de Diego, o gato. — Eles eram amantes. Mia e eu, nós ainda éramos... nós éramos amigas. Sabíamos de tudo o que acontecia uma com a outra. O dia em que ela conheceu Sam, depois a primeira vez em que os dois estiveram juntos, na caverna. Aquele era um dos lugares para os encontros entre eles.

— Entendo.

— Isso ainda é uma ferida aberta para Mia, e ela não precisa de nenhum idiota fazendo perguntas sobre isso ou fazendo medições de níveis de energia naquele lugar.

— Mas, Ripley, você não acha que, se Mac soubesse de tudo isso, não estaria insistindo tanto em tocar nessa ferida?

— Não sei o que pensar a respeito dele. — Desgostosa, Ripley ficou ereta. — Uma hora, ele é um cara legal, e no momento seguinte, está na minha casa, tentando obter dados para pesquisa, no meio de um jantar social. Ele não tem nada que vir até aqui como convidado, para depois ficar pressionando você e Zack.

— Eu não me senti pressionada. — Nell pegou uma torta de creme da geladeira. — Sinto muito se isso a deixa chateada, Ripley, mas já decidi conversar e colaborar com Mac. Estou interessada no trabalho dele e estou disposta a colaborar no que puder.

— Quer virar um dos ratos de laboratório dele?

— Não me sinto assim. Não tenho vergonha de ser o que eu sou, e não tenho medo daquilo que me foi dado. Pelo menos agora, não tenho mais...

— E você acha que eu estou com medo? — O temperamento de Ripley começou a pegar fogo. — Isso é baboseira! Uma pilha de besteiras tão grande quanto o projeto idiota dele. Não quero ter nada a ver com isso. Vou dar é o fora daqui, agora mesmo.

E, girando o corpo, saiu com raiva pela porta dos fundos.

Ripley não conseguia pensar direito, mas sabia que precisava dar uma volta a fim de dissipar a raiva, antes que dissesse algo de que pudesse se arrepender mais tarde. Os assuntos de Nell diziam respeito apenas a ela, ficava repetindo para si própria, continuamente, enquanto descia, quase correndo, pelos degraus que levavam até a praia, nesse momento totalmente coberta pelo brilho perolado da luz do luar. E se Nell queria se exibir, se deixar expor ao ridículo, cair na boca do povo e virar alvo de fofocas e sabe-se lá mais o quê, tinha todo o direito de fazer isso.

— Uma ova, que é assim tão fácil! — gritou Ripley para o vento, chutando a areia assim que colocou o pé fora do último degrau.

Tudo o que Nell dissesse ou fizesse tinha uma ligação direta com ela. Não havia como evitar isso. Não só porque elas estavam relacionadas pelo casamento de Nell com Zack, mas também porque as duas estavam igualmente conectadas em outro nível.

E aquele filho da mãe do MacAllister Booke sabia muito bem disso.

Mac a estava usando para chegar até Nell e estava usando Nell para chegar até ela. E ela havia sido burra o suficiente para baixar a guarda nessas últimas semanas. Muito burra! E o pior é que havia poucas coisas no mundo que ela detestava mais do que descobrir que tinha feito papel de boba.

Ao ouvir os latidos atrás dela, Ripley se virou, bem no momento em que a sombra preta surgiu da escuridão e foi iluminada pelo luar. O pulo empolgado de Lucy a derrubou, e Ripley caiu sentada no chão.

— Mas que droga, Lucy!

— Você se machucou? Está bem? — Mac correu logo atrás da cadela e tentou levantar Ripley para colocá-la de pé.

— Sai fora, sai de perto de mim!

— Você está congelando, aqui fora. Qual é o problema, você saindo desse jeito sem colocar um casaco? Tome... — Enquanto ela ficava dando tapas na mão de Mac, este a embrulhava com o casaco que Nell lhe entregara.

— Legal... — disse Ripley. —Já fez a sua boa ação, agora caia fora!

— O seu irmão e a sua cunhada provavelmente já estão acostumados com as suas frequentes e espontâneas exibições de falta de educação. — Ele tinha consciência do tom de censura em sua voz, mas a cara dela, amarrada e teimosa, lhe dizia que ela merecia o que ele estava lhe dizendo. — Entretanto, eu gostaria de uma explicação sobre o seu comportamento.

— Falta de educação? — Ripley usou então as duas mãos para afastá-lo, antes de dar dois passos para trás. — Você ainda tem a coragem de vir me falar de falta de educação depois daquele interrogatório todo, durante o jantar?

— Eu me lembro de uma conversa civilizada durante o jantar, não de um interrogatório. Agora escute aqui, e escute bem... — Agarrou os braços dela com força, enquanto Lucy, querendo brincar, ficava tentando pular entre eles. — Você não quer conversar comigo a respeito do meu trabalho, e eu não pressionei você. Só que isso não quer dizer que eu não vá conversar com mais ninguém, sobre o que eu quiser.

— Você cercou Nell, e sabe muito bem que isso vai envolver a mim. Depois, conversou com Lulu, e deve ter feito várias perguntas a meu respeito.

— Ripley!... — *Tenha paciência*, Mac alertou a si mesmo. *Ela não está apenas zangada, está assustada.* — Eu jamais disse a você que não iria fazer perguntas a outras pessoas. O compromisso foi apenas o de não fazer perguntas a você. Se quer ter controle sobre os assuntos que envolvem você, é melhor então conversar sobre eles comigo. Senão, vou ter que acabar usando a versão que consegui ouvir de terceiros.

— Tudo isso foi armado só para me encurralar.

Mac era um homem paciente por natureza, mas a paciência dele também tinha os seus limites.

— Olhe aqui, você sabe muito bem que não é isso, da mesma forma que sabe que dizer o que você acabou de falar é um insulto a nós dois. Então, fique na sua.

— Eu apenas...

— Tenho sentimentos por você, e isso torna as coisas muito mais complicadas, mas estou tentando lidar com isso, estou mesmo. E, deixando tudo isso de lado, Ripley, saiba que você não é o centro de tudo, como provavelmente imagina. E apenas uma parte dessa história. Vou continuar trabalhando em volta de você, mesmo sem a sua ajuda, ou então com ela. A escolha é toda sua.

— Não quero mais ser usada.

— E eu também não, muito menos como alvo para os seus tempestuosos chiliques emocionais.

Ele estava certo, acertou na mosca, e ela vacilou.

— Não quero ser a atração de um espetáculo.

— Ripley, entenda bem... — A voz dele estava mais suave. — Você não é uma aberração. Você é um milagre!

— Não quero ser nenhum dos dois. Você não consegue entender isso?

— Sim, consigo entender muito bem. Sei exatamente o que é ser olhado pelos outros como um ou como outro, e às vezes como os dois ao mesmo tempo. O que é que eu posso lhe dizer? Tudo o que a gente pode ser na vida é apenas o que a gente é e quem a gente é.

A raiva tinha passado. Ripley não conseguia mais encontrar nem os pedaços dela. Ele a tinha conseguido convencer, não porque estivesse querendo fazer isso, mas simplesmente porque já sabia como era. No fundo, ele já tinha compreendido.

— Talvez eu não achasse que você fosse me entender, sabia? Por outro lado, devia ter imaginado que você conseguiria, Mac. Acho que ser assim uma espécie de gênio, como você, também é uma espécie de mágica. Imagino que nem sempre deve ser confortável. Como *é* que você consegue lidar com isso? — quis saber ela. — Como é que você consegue ficar tão irritantemente centrado e sereno?

— Eu não sou... Pare com isso, Lucy! — Ainda apertando os braços de Ripley, ele se aproximou um pouco mais para frente, enquanto a cadela continuava a latir desesperadamente e pular entre eles. Foi então que ele notou o que atraíra a atenção de Lucy.

A imagem da mulher estava de novo na praia, como estivera antes. E os estava observando. Seu rosto parecia muito pálido sob a luz do luar, e os cabelos escuros brincavam em sua face, agitados pelo vento. Seus olhos pareciam brilhar intensamente em contraste com a escuridão da noite. Profundamente verdes, profundamente tristes.

As ondas quebrando formavam uma espuma densa que se espalhava sobre seus pés e seus tornozelos, mas ela não parecia estar sentindo o frio ou a umidade. Continuava simplesmente de pé, observando e chorando.

— Você pode vê-la, também — sussurrou Mac, em tom de afirmação.

— Eu a vi a vida inteira. — Cansada agora, Ripley se afastou um pouco dele porque seria fácil demais, assustadoramente fácil demais, se aconchegar a ele e abraçá-lo. — Vou avisar a você sobre o que vou decidir a respeito da minha vida, quando conseguir decidir algo. E gostaria também de pedir desculpas por ter sido rude e mal-educada, por explodir com você e estragar as coisas. Só que neste momento eu... preciso ficar um pouco sozinha.

— Eu levo você de volta lá para dentro.

— Não, não precisa, obrigada. Venha, vamos, Lucy.

E Mac ficou parado ali, entre as duas mulheres. E sentiu que ambas o atraíam imensamente.

Capítulo Dez

Nell achou esquisito bater na porta de uma casa onde ela mesma já morara. Parte dela ainda pensava no chalé amarelo como se fosse seu. Vivera por muito mais tempo no palácio branco da Califórnia, e jamais conseguira considerá-lo como seu. A não ser como a sua prisão, da qual, para escapar, tivera que arriscar a própria vida.

O pequeno chalé junto do bosque, no entanto, havia pertencido a ela apenas por alguns meses, e mesmo assim lhe proporcionara alguns dos momentos mais felizes de sua vida.

Foi o seu primeiro lar verdadeiro, o lugar onde ela havia conseguido se sentir em segurança e a salvo. O lugar onde ela e Zack haviam se apaixonado.

Nem mesmo o terror das experiências pelas quais passara ali, nem o medo e nem o sangue derramado conseguiram estragar o sentimento de que a casa fazia parte dela ou foram capazes de anular a sensação de que ela pertencia àquele pequeno chalé amarelo, com seus cômodos tão pequenos que mais pareciam os de uma casinha de bonecas.

Mesmo se sentindo em casa, bateu na porta e aguardou educadamente na porta da frente, até que Mac a abriu.

Parecia distraído. Estava com a barba por fazer e com os cabelos em pé, espalhados em todas as direções.

— Desculpe, Mac. Por acaso acordei você?

— O quê? Não. Estou de pé há horas. Ahn... — Ele passou a mão sobre o cabelo, desarrumando-o ainda mais. O que é que ela estaria fazendo ali?

Será que eles tinham marcado um horário? Será que tinham ficado de se encontrar? Nossa, que horas deviam ser?... — Desculpe, Nell, minha cabeça está meio... Por favor, entre.

Uma olhada rápida por cima do ombro dele mostrou a Nell uma sala lotada de equipamentos. Luzes variadas estavam piscando, e alguma coisa em algum lugar estava fazendo um "bip" insistente.

— Você deve estar trabalhando, e eu não quero incomodar. Queria apenas trazer um pouco da torta da sobremesa de ontem à noite, que você acabou perdendo.

— Sobremesa?... Ah, certo. Obrigado. Mas, entre.

— Na verdade, estou indo para o trabalho, então vim apenas... — Mas, já que ela estava falando e ele continuava recuando lentamente para lhe dar passagem, Nell encolheu os ombros e entrou, fechando a porta atrás de si. — Que tal eu colocar isto na cozinha para você?

— Está bem. Olhe ali! Espere, espere! — Ele levantou a mão estendida, enquanto fazia anotações com a outra e estudava um gráfico que passava sobre um tambor giratório. Nell pensou que aquilo parecia um sismógrafo.

Depois de um momento, olhou para ela novamente e deu um sorriso.

— Você acabou de cintilar, sabia?

— Como assim, "cintilar"?...

— Os registros. Eles mudaram de padrão no exato momento em que você entrou na casa.

— É mesmo? — Fascinada, Nell chegou um pouco mais próximo da mesa. Só para descobrir que, por mais perto que chegasse daquele equipamento complicado, jamais conseguiria entender coisa alguma a respeito daquilo.

— A leitura é diferente da que obtenho com Ripley — explicou Mac. — Os registros dela ficam por toda parte, a agulha se agita de um lado para o outro do papel e não existe um padrão. Mas você cria registros mais estáveis, a leitura é mais previsível e confiável.

— Falando assim, eu me sinto uma pessoa desinteressante. — Seus lábios se apertaram, com o princípio de um beicinho de frustração.

— Pelo contrário. — Pegou o prato das mãos dela, levantando o plástico protetor para pegar um pedaço da torta, já começando a espalhar migalhas. — Você é um conforto. Diria que é uma pessoa que descobriu o seu lugar e está feliz vivendo nele. Desculpe se eu estraguei o jantar, ontem à noite.

— Você não estragou nada. E se vai começar a comer a torta agora, é melhor que eu pegue um garfo para você.

Quando ela foi em direção à cozinha, ele a seguiu e notou que Nell foi direto até a gaveta certa e pegou um garfo com naturalidade.

— Nell, você não se sente... Desculpe.

— Você quer saber se eu não me sinto mal de estar aqui de volta? — terminou para ele, enquanto lhe entregava o talher. — Não, não mesmo! Esta casa está completamente limpa. Eu a limpei pessoalmente. Era necessário que eu mesma fizesse isso.

— Fico mais confortado. O xerife Todd é um homem de muita sorte.

— Sim, é mesmo. Sente-se um pouco, Mac. Ainda tenho uns dez minutos antes de entrar na loja. Quer um pouco de café para acompanhar a torta?

— Bem... — Olhou para o prato com a torta em sua mão e notou que não conseguia nem se lembrar de ter tomado o café da manhã. Além do mais, a torta já estava ali, mesmo. — Sim, aceito.

— Você acabou de dizer que com a Ripley as coisas são diferentes — comentou Nell, enquanto media a quantidade certa de café para colocar na cafeteira elétrica. O resto que estava no bule apresentava uma aparência quase tão terrível quanto o cheiro, e ela despejou tudo direto na pia. — Você está certo. Não sei bem quais são os motivos, mas ela jamais comenta alguma coisa comigo a respeito disso. E, se comentasse, *eu* não falaria nada especificamente sobre esse tema. Mas isso é lá com ela. Por outro lado, ela é minha irmã. Então vou lhe perguntar algo bem direto. O seu interesse por Ripley tem a ver apenas com o seu trabalho?

— Não. — Ele se remexeu um pouco, meio desconfortável. Era um homem mais habituado a fazer perguntas do que respondê-las. — Na verdade, seria provavelmente muito mais fácil para mim, e certamente mais fácil para ela, se ela não estivesse envolvida no trabalho. Mas está. Depois que voltou para casa ontem à noite ela ficou bem?

— Pelo menos não estava mais zangada. Estava meio confusa, mas não zangada. Vou confessar uma coisa a você para tirar isso da minha cabeça. Eu preparei algumas coisas na noite passada.

— Você quer dizer as velas rosadas, o quartzo cor-de-rosa, os ramos de alecrim e assim por diante? — Sentindo-se relaxado, novamente, Mac colocou mais um pedaço de torta na boca. — Eu reparei.

— Pronto, lá se foi a sutileza! — Com uma careta fingindo irritação, Nell se serviu de uma caneca de café. — Mas gostaria de que soubesse que não preparei nenhum encanto.

— Agradeço por isso — respondeu ele, com a boca cheia. — Agradeço também por ficar sabendo que você *pensou* em preparar um. Sinto-me lisonjeado por descobrir que me considera alguém que você gostaria de ver com Ripley.

— Está debochando?

— Não exatamente. Deixei Ripley aborrecida ontem à noite, e sinto muito por isso. Esse problema, porém, é uma coisa que nós dois vamos ter que encarar e resolver. Ela é o que ela é. E eu faço o que eu faço.

Colocando a cabeça ligeiramente para o lado, Nell o estudou detidamente.

— Ela não se sentiria atraída por você, pelo menos não por muito tempo, se você fosse fácil e não apresentasse algum tipo de complicação.

— Bom saber disso. Você aceita conversar comigo, com a discreta companhia de um gravador?

— Aceito.

— Simples assim? Sem condições?

— Não vou lhe contar nada que eu não queira que você saiba. — Ela recolocou o café sobre a mesa. — Eu mesma ainda estou aprendendo, Mac. Pode ser que eu aprenda tanto com você quanto você comigo. Neste momento, porém, preciso ir para o trabalho.

— Só mais uma pergunta, rapidinho. O Poder que você possui a deixa feliz, Nell?

— Sim. Feliz, centrada, e forte. Mas sei muito bem que poderia conseguir tudo isso, sem ele. — Suas covinhas apareceram. — Agora, me pergunte se eu conseguiria ser assim tão feliz sem ter Zack.

— Não é preciso perguntar isso.

Depois que Nell foi embora, Mac se sentou, pensando nela durante algum tempo, e sobre como parecia se ajustar tão confortavelmente ao ritmo da ilha e ao ritmo do próprio Poder.

Não deveria ter sido nada fácil para ela, e, no entanto, Nell dava a impressão de que aquilo era a coisa mais natural do mundo, conseguir reconstruir uma nova vida a partir dos horrores de outra.

O que aconteceu com ela não tinha deixado cicatrizes. Ela conseguira confiar novamente, amar novamente. Transformar-se. Só isso já a tornava a mulher mais admirável que conhecia.

Mac também conseguia enxergar, agora, o motivo de Ripley estar tão determinada a protegê-la. De algum modo, ia ter que fazer a cabeça-dura da delegada enxergar que Nell não estava em perigo.

Após meditar sobre isso, preparou o equipamento que pretendia levar para a pesquisa de campo que planejara para aquela manhã. E levou dez frustrantes minutos procurando pelos óculos, até descobrir que eles estavam, o tempo todo, enganchados no bolso de sua camisa.

Achou as chaves do carro dentro do armário de remédios do banheiro, pegou alguns lápis extras, e seguiu seu caminho, rumo ao ponto mais ao sul da ilha.

A casa da família Logan parecia chamar por ele, como se fosse um ímã. Mac não conseguiu pensar em nenhuma outra maneira para descrever a atração quase física que experimentou ao parar o carro na beira da estrada estreita, aberta em terreno argiloso, para estudar a construção. Era grande e apresentava um formato irregular. Não poderia dizer que ela era particularmente grande ou particularmente charmosa.

Era simplesmente *cativante*. Foi esse o termo que decidiu usar enquanto pegava o gravador para registrar seus pensamentos.

A casa da família Logan está situada no ponto sul da ilha, e o único acesso a ela é uma estrada estreita, de terra batida. Existem outras casas na região, mas essa fica no lugar mais elevado e é a que está mais próxima do mar.

Parou por um minuto, deixou que o vento o atingisse e sentiu o gosto salgado dele. A água do mar estava com um forte tom de azul naquele dia, um matiz que o fez se perguntar por que o oceano não se dividia e se abria com suas próprias ondas.

Ao se virar para o outro lado, estudou as casas em volta. Mais residências para alugar, deduziu. Não havia nenhum som, nenhum movimento, exceto o emitido pelo mar, pelo vento e pelas gaivotas que aproveitavam para mergulhar aos gritos sobre aquele calmo pedaço solitário de mar.

Os penhascos onde estava a casa de Mia, que ficavam, estranhamente, no exato ponto oposto da ilha, eram muito mais pitorescos, pensou Mac.

Mais dramáticos, mais contrastantes, mais completos. Apesar disso, aquele lugar parecia, de certa forma... um lugar certo, o lugar certo para ele.

Continuou então a recitar para o gravador as suas observações.

A casa possui três andares. Parece que várias partes e anexos foram adicionados, através dos anos, à estrutura original. É toda feita de madeira. Cedro, segundo me parece, que está agora desbotado e apresenta um tom de cinza-claro, quase prateado. Alguém deve fazer a manutenção periódica da estrutura, porque a tinta das janelas e dos adornos, em um tom de cinza-azulado, parece recente. As varandas da frente e de trás são fundas e largas, com uma seção na parte de trás que é totalmente aberta. Existem ainda outras pequenas varandas, mais estreitas, que saem de todas as janelas do segundo e do terceiro andares, com frisos (acho que o nome correto é "sanefas", vou verificar) acima de todas elas. É um local muito isolado, mas não transmite a sensação de solidão. É mais como se a casa estivesse à espera. E é estranho sentir que é como se ela estivesse esperando por mim.

Caminhando pelo estreito pedaço coberto de grama que acompanhava toda a parede lateral da casa e ia até os fundos, Mac chegou a um lugar onde era possível ficar acima do mar e ao mesmo tempo observar a calma enseada. Havia lá embaixo uma pequena doca, igualmente bem-conservada, embora não tivesse nenhuma embarcação atracada.

Ele iria querer colocar ali um pequeno veleiro, concluiu. Talvez uma lancha, também.

E a masculinidade da casa iria ter que ser contrabalançada com alguns vegetais e flores. Seria necessário pesquisar para ver qual era o tipo de planta que se adaptava melhor àquele tipo de solo. De repente, se pegou imaginando se as duas chaminés estavam em boas condições de funcionamento e como é que seria ficar sentado ali dentro no auge do inverno, com a lareira acesa e observando o mar.

Balançando a cabeça para se desvencilhar dos devaneios, voltou ao Land Rover e começou a descarregar seu equipamento. Era apenas uma pequena caminhada para chegar até a caverna. Reparou que a entrada dela, quase encoberta pelas sombras, ficava escondida da casa devido a uma pequena curva no terreno. Isso a tornava ainda mais privativa, mais misteriosa. Um local perfeito para aventuras de crianças e jovens amantes, avaliou.

Se ela ainda era usada para esses propósitos, porém, pensou Mac, não havia sinais disso. Não se via nenhuma espécie de lixo ou detrito, não havia pegadas nem marcas de nenhum tipo, conforme ia notando ao caminhar, pisando no terreno argiloso.

Teve que fazer duas viagens para trazer tudo e, embora o ar dentro da caverna estivesse frio e úmido, ele tirou o casaco. Instalou o equipamento ao som da maravilhosa música pela água lambendo a praia e pelos ecos daquela câmara subterrânea.

A caverna não era grande. Mac a mediu; tinha pouco mais de quatro metros de comprimento por três de largura. Ficou grato, no entanto, pelo fato de a altura dela ser de mais de dois metros. Ele já fora obrigado a estudar outras cavernas que o fizeram ficar agachado, ou recurvado, ou até mesmo a fazer explorações deitado com a barriga no chão.

Equipado com uma lanterna de lâmpada halógena, um item importante que ele não tivera à mão durante a primeira visita, Mac estudou cada centímetro da caverna, enquanto os seus aparelhos registravam tudo.

— Existe alguma coisa aqui dentro — murmurou ele, falando sozinho. — Não preciso de nenhuma máquina para me informar isso. Existe algo por aqui. É como se fossem camadas de energia, novas e antigas. Não é nada de científico, mas *sinto* que está aqui. É uma sensação forte, quase visceral. Se esta é a caverna mencionada nas minhas pesquisas, isto só pode significar que... O que é isto?

E fez uma pausa, fazendo o brilho da lanterna percorrer todas as paredes da caverna. Acabou tendo que se curvar até quase ficar de cócoras, para conseguir enxergar com clareza.

— Parece idioma gaélico — disse, lendo com cuidado as palavras gravadas na pedra. — Vou ter que traduzir isso depois que voltar.

Resolveu copiar as palavras em seu livro de anotações, bem como o símbolo embaixo delas.

— O formato é celta, mas o padrão é trino. Estas inscrições não são assim tão antigas. Devem ter 10 anos, 20 no máximo. Mas isso é apenas mais um palpite. Vou ter que fazer testes para verificar a idade.

Então passou a mão sobre as letras entalhadas. As reentrâncias se encheram de luzes que brilharam em raios finos. As pontas dos seus dedos ficaram quentes com o calor que a luz emanava.

— Caramba! Isto é muito legal!

Deu um salto para cima, cheio de empolgação, para pegar o seu contador e a sua câmera de vídeo, e esqueceu-se da curvatura do teto nas laterais da caverna. A batida com a cabeça na pedra foi tão forte que ele chegou a ver estrelas.

— Idiota! Imbecil! Droga! Ai, meu Deus! — Com uma das mãos espalmada cobrindo a cabeça, Mac foi se arrastando e xingando, até que o mais lancinante da dor foi diminuindo aos poucos e se transformando em um latejar terrível.

A raiva pela dor foi substituída por indignação e nojo quando notou a papa molhada de sangue na palma de sua mão. Resignado, puxou do bolso um lenço e o aplicou suave e repetidamente, com todo o cuidado, sobre o galo que já estava se formando. Acabou colocando o pano no lugar e o ficou segurando ali, enquanto começava a recolher a câmera e o equipamento.

Desta vez, ficou sentado no chão.

Tirou várias medidas, registrou-as no caderno e então se preparou para documentar as mudanças que ocorriam nos entalhes, correndo os dedos mais uma vez sobre eles. Só que desta vez nada aconteceu.

— Vamos lá, ora bolas, sei muito bem o que acabei de ver aqui, e tenho até um galo para provar.

Tentou novamente, mas as inscrições continuavam escuras, e a pedra em volta permanecia fria e úmida.

Sem se dar por vencido, permaneceu exatamente onde estava e clareou seus pensamentos. Tentou ignorar a horrível dor de cabeça que já tomava conta de tudo, a todo vapor. Ao levantar a mão de novo, seus monitores começaram a apitar.

— O que é que você está fazendo sentado aí dentro? Promovendo uma sessão espírita?

Ripley estava em pé na entrada da caverna, com o sol formando um halo em volta de seu corpo. Uma grande quantidade de pensamentos surgiu, emaranhando-se de repente na mente de Mac, e todos estavam relacionados com ela. Desistindo do estudo das inscrições, pelo menos naquele momento, simplesmente ficou olhando-a.

— Está fazendo a ronda das cavernas hoje?

— Vi o seu carro. — Dando uma olhada panorâmica no equipamento, Ripley penetrou na caverna. O equipamento ainda estava apitando, loucamente. — O que *é* que você estava fazendo, esparramado no chão ali no fundo?

— Trabalhando. — Girou o corpo para ficar de frente para ela e a seguir se agachou, apoiado nos calcanhares. — Por acaso você tem uma aspirina aí?

— Não. — Ela pegou a lanterna, levantou o facho na direção do rosto dele e foi em frente.

— Você está todo ensanguentado. Pelo amor de Deus, Mac, o que aconteceu?

— Está sangrando só um pouquinho. Bati com a cabeça no teto.

— Calado! Deixe-me examinar. — Ela esticou a cabeça para a frente, ignorando os seus gritos de protesto e afastando os fios de cabelo com cuidado, para chegar ao local atingido.

— Puxa, você está parecendo a atendente cruel do filme *Um Estranho no Ninho*. Por favor, tenha coração, enfermeira Ratched.

— Não está assim tão mal. E você não vai nem precisar levar pontos. Se não tivesse tanto cabelo aqui para amortecer a pancada neste miolo mole, poderia ser muito pior.

— Já estamos nos falando de novo?

Ela suspirou ligeiramente e depois se agachou até quase se sentar no chão da caverna, ficando de cócoras na mesma posição que ele.

— Pensei muito a respeito, Mac. Não tenho direito algum de interferir no seu trabalho. E também não tenho nenhum direito de ficar ressentida. Você foi honesto e direto com relação a tudo, desde o princípio, e o que falou na noite passada é a pura verdade. Você jamais tentou me forçar a fazer alguma coisa.

Ripley estava usando brincos. Nem sempre ela os usava. Eram pequenos pingentes de prata e ouro. Ele teve vontade de brincar com eles e com a linda curva da orelha dela. Mas disse, apenas:

— Pelo jeito, então, você andou pensando bastante.

— Acho que sim. Talvez ainda tenha que pensar um pouco mais. Por agora, no entanto, gostaria de colocar as coisas de volta nos trilhos entre nós.

— Ficaria feliz com isso, mas quero que você saiba que eu vou conversar com a Nell e vou gravar a entrevista.

— Isso depende apenas dela. — Ripley apertou os lábios. — É só que eu...

— Não se preocupe, vou ser cuidadoso com ela.

— Sim. — Ripley olhou para ele nos olhos e disse, depois de um momento: — Eu sei que vai.

— E com você também.

— Não preciso que você seja cuidadoso comigo.

— É que talvez eu goste disso. — Ele enlaçou os braços em volta da cintura dela, levantando-se, ficando de joelhos e colocando-a de joelhos também.

No fundo de sua mente, Mac podia ouvir os monitores apitando novamente, mas não se importava nem um pouco. Só queria uma coisa naquele momento, uma coisa apenas. A sua boca sobre a dela.

Quando os lábios se tocaram, os braços de Ripley se enlaçaram em torno dele. Seu corpo se encaixava perfeitamente no de Mac, como se fosse a última peça que faltava para completar um complexo e fascinante quebra-cabeça.

Por um momento, era macio, e era quente, e era tudo.

Estremecendo, ela recuou de repente. Algo dentro dela estava tremendo.

— Mac...

— Não vamos falar sobre isso, não vamos analisar nada. — A boca dele continuava a se esfregar levemente sobre a face dela e em suas têmporas, até deslizar docemente de volta e arranhar de leve o pescoço. — Depois de algum tempo, falar só serve para intelectualizar demais as coisas. Sou da área e sei que é assim que acontece.

— É um bom argumento.

— Tem que ser logo, Ripley. — Seus lábios esmagaram novamente os dela. — Logo... ou eu vou enlouquecer.

— Preciso pensar no assunto mais um pouco.

— Então pense bem depressa, está bem? — Ele expirou ruidosamente antes de diminuir a força que estava usando para segurá-la.

— Estou bem certa de que estou quase terminando esta etapa da nossa programação — disse ela, espalmando a mão sobre a face dele.

— Isso é muito esquisito! — disse Mia, entrando na caverna de repente. — E muito embaraçoso. — Enquanto observava Ripley e Mac, que a essa altura já estavam se afastando um do outro, ela jogou os cabelos para trás. — Eu não pretendia interromper vocês.

Enquanto ela falava, o equipamento de Mac começou a fazer um barulho estridente. As agulhas dos visores se movimentavam como chicotes. Quando um dos sensores começou a soltar fumaça, ele o recolheu depressa.

Sem dizer nada, Mac saiu da caverna para a luz do dia.

— Jesus! O aparelho derreteu! Ficou todo frito!

Já que ele parecia mais empolgado do que chateado, Ripley deixou Mac com seu equipamento e seguiu Mia para fora da caverna.

— Espere, Mia!

Como se não tivesse escutado, Mia continuou a caminhar até o lugar onde a água do mar alcançava a caverna para a seguir recuar, onde pequenas poças formadas pelas marés estavam cheias de vida.

— Mia, espere um minuto! Eu não sabia que você ainda andava por estes lados da ilha.

— Eu ando por onde me dá vontade. — *Mas não aqui*, parou, pensativa, olhando com os olhos vidrados para a água. *Nunca aqui, neste lugar... até hoje.* — Foi você quem o trouxe até aqui, Ripley? — perguntou ela, virando-se para trás de repente, com os cabelos esvoaçando, os olhos rasos com lágrimas não derramadas e uma expressão de terrível pesar. — Você contou a ele o que este lugar representa para mim?

Os anos pareceram retroceder entre as duas, por um rápido momento.

— Ah, Mia... Como é que você pode pensar uma coisa dessas de mim?

— Desculpe. — Uma lágrima escapou. Ela havia jurado que nunca mais derramaria uma lágrima sequer por ele, mas, naquele momento, uma escapou. — Eu não devia ter perguntado. Sei que você jamais faria isso. — Enxugou a lágrima e virou o rosto novamente para a água. — Foi só que... ver vocês dois juntos ali, abraçados um ao outro, naquele lugar em particular...

— O que você...? Ah, meu Deus, Mia. — Ripley apertou os dedos sobre a testa, como se só então estivesse se lembrado das inscrições. — Eu não imaginei... Juro, eu não estava nem pensando...

— E por que deveria? De qualquer maneira, isso não importa mais nada. — Ela cruzou os braços sobre os seios, apertando bem os cotovelos. Porque sempre importaria e importava. — Já faz muito tempo que ele escreveu aquilo. Já faz muito tempo desde a época em que eu era tola o suficiente para acreditar que ele estava sendo sincero. Para necessitar disso.

— Ele não merece esse sofrimento. Nenhum homem merece.

— Você está certa. É claro que está. O problema é que eu acredito, infelizmente, que existe uma pessoa para cada um de nós, e que essa pessoa merece tudo.

Em vez de falar, Ripley colocou a mão sobre o ombro de Mia e a deixou ali até que esta esticou o braço sobre o próprio ombro e a segurou.

— Sinto falta de você, Ripley. — O pesar dessas palavras fazia-lhe a voz tremer, como se ela estivesse em lágrimas. — Vocês dois deixaram imensos vazios dentro de mim. E nenhuma de nós duas vai se sentir bem amanhã por eu ter dito isso hoje. Portanto... — Bruscamente soltou a mão de Ripley do seu ombro e deu alguns passos para a frente. — Pobre Mac. Agora eu preciso tentar consertar as coisas.

— Acho que você derreteu um dos brinquedinhos dele. Mas ele pareceu mais empolgado do que chateado.

— Mesmo assim, a gente deveria ter um pouco mais de controle — replicou ela. — Como você sabe muito bem.

— Então me castigue!

— Ah, enfim estamos de volta ao normal. Que bom! Bem, como eu disse, vou até lá ver o que posso fazer para remendar os estragos. — Começou a caminhar de volta para a entrada da caverna, olhando para Ripley por sobre os ombros. — E então, você não vem também?

— Não, vá você na frente. — Ripley esperou até que Mia desaparecesse nas sombras da caverna antes de soltar um longo suspiro, entre os dentes. — Eu também sinto muito a sua falta.

E ficou ali, agachada ao lado de uma das poças que a maré deixara, até conseguir se recompor. Mia tinha sido sempre melhor, pensou ela, quando se tratava de gerenciar as próprias crises e problemas. E Ripley sempre invejara o seu autocontrole.

Olhando para baixo, observou o pequeno mundo que havia naquela simples poça de água, como se fosse uma espécie de ilha, só que ao contrário. Um universo independente, mas onde cada um dependia totalmente dos outros para a sobrevivência de todos.

Mia dependia dela. Ripley não queria pensar a respeito disso, não queria aceitar essa conexão, a responsabilidade que esse peso representava sobre os seus ombros. Recusar-se a acreditar nisso lhe garantira uma década de normalidade, mas lhe custara a perda de uma amiga querida.

Então, no ano anterior, Nell chegara, e o círculo se formara novamente. O poder desse encontro tinha sido tão brilhante e tão forte! Como se não tivesse ficado trancado e isolado por tanto tempo.

E tinha sido difícil, muito difícil, girar a chave de novo, depois de tantos anos.

Agora, havia Mac. Ela precisava decidir se ele representava o elo seguinte em uma cadeia que poderia atrasá-la em sua jornada, prendendo-a muito no fundo, ou se era a chave certa para uma outra fechadura.

No fundo, esperava de todo o coração que ele pudesse ser simplesmente um homem.

A gargalhada de Mia foi tão alta que deu para ouvir fora da caverna, e Ripley se levantou. Como é que ela conseguia fazer aquilo? Como é que era capaz de transmutar o seu jeito de sentir as coisas e se transformar completamente, em um espaço de tempo tão curto?

Ripley chegou na entrada da caverna no momento em que Mia e Mac já estavam saindo. Por um instante, viu uma outra mulher, com os cabelos brilhantes como chamas, saindo da boca escura da pedra. Dobrada em seus braços estava uma pele de animal, preta e sedosa.

A visão tremulou, foi ficando desfocada, até que desapareceu, como uma aquarela que tivesse sido esquecida na chuva. Deixou em seu lugar a vaga sensação de uma dor de cabeça distante, que aquelas imagens sempre traziam consigo.

Dez anos, pensou novamente. Durante dez anos ela tinha conseguido bloquear todas aquelas visões. Agora, tudo estava voltando lentamente, como um líquido que começa a escorrer de um recipiente de vidro que apresenta rachaduras. Se ela não fechasse com urgência essas rachaduras, tudo seria solto. E nunca mais poderia ser contido.

Apesar de sentir os joelhos bambos, seguiu em frente, perguntando, em tom casual:

— E então, qual foi a piada?

— Estamos apenas aproveitando a companhia um do outro. — Mia envelopou o braço em volta do de Mac, lançando-lhe um olhar lento e quente por trás dos longos cílios.

Ripley simplesmente balançou a cabeça.

— Tire esse sorriso apatetado da cara, Booke. Ela faz isso de propósito. Qual é o estranho efeito que você tem sobre os homens, Mia? É só você chegar a menos de um metro de um deles, e o QI do infeliz despenca para os níveis abaixo da cintura.

— Este é apenas um dos meus muitos talentos, querida. Não fique tão envergonhado, bonitão. — Ela se esticou até ficar na ponta dos pés para conseguir beijar a bochecha de Mac. — Ela sabe muito bem que eu jamais invado a propriedade alheia.

— Então pare de se insinuar e provocar o coitado. Ele já está até começando a suar.

— Gosto muito dele. — Deliberadamente, Mia se aninhou carinhosamente de encontro ao corpo de Mac. — Ele é uma gracinha.

— Tem algum jeito de eu conseguir me infiltrar nessa conversa — quis saber Mac — sem ficar parecendo um retardado?

— Não. Mas acho que nós duas já acabamos. — Ripley enfiou os dedos no bolso do casaco. — Como está a sua cabeça?

— Não é nada que algumas aspirinas não possam curar.

Ao levantar a mão para massagear com cuidado o lugar onde estava um imenso galo, Mia perguntou:

— Você se machucou? Deixe-me dar uma olhada. — E foi muito mais gentil e cuidadosa do que Ripley tinha sido, embora avaliasse a ferida com a mesma firmeza. Depois de dar uma verificada, virou-se para Ripley e falou sem mexer os lábios: — Você bem que podia ter um pouco mais de piedade pelos outros.

— Ora, mas é apenas um arranhão.

— Está escorrendo sangue, com um grande inchaço, e deve estar doendo muito. Nada disso é necessário. Sente-se ali! — ordenou a Mac, e apontou para uma pequena pilha de rochas em um dos cantos da caverna.

— Olhe, não é nada sério, Mia. Não se preocupe com isso. Eu estou sempre batendo com a cabeça em alguma coisa.

— Sente-se! — Mia só faltou empurrá-lo com força e então pegou um saquinho de pano em seu bolso. — Eu tenho uma... conexão com esta caverna — explicou, enquanto retirava um pouco de pimenta-de-caiena de dentro do saco. — E também tenho uma conexão com isto aqui. Agora, fique bem quieto.

Mia esfregou os dedos sobre o corte. Mac sentiu uma súbita onda de calor concentrada naquele local, bem no foco da dor. Antes de ele poder dizer alguma coisa, ela já estava recitando, em um suave tom de voz:

Com estas ervas, este toque e a energia de curar
Esta ferida, sob meus cuidados, vou agora fechar
Que a doença e a dor o libertem, e que o mal não mais cresça
É isso que aqui desejo, e quero que assim aconteça.

— Pronto! — disse ela. — Já está feito! — Ela se inclinou para a frente, dando um beijo no corte da cabeça de Mac, agora já completamente fechado e curado. — Está se sentindo melhor?

— Sim. — Ele soltou um suspiro longo. Toda a dor e o latejar alucinante haviam desaparecido, antes mesmo de ela terminar de falar as palavras de seu encanto. — Eu já tinha visto pimenta-de-caiena funcionar bem depressa em pequenos cortes, mas jamais dessa maneira... E nunca assim, instantâneo.

— Essa planta serve para muitas coisas. Agora, seja mais cuidadoso com essa sua cabecinha linda. Sábado à noite, então; combinado, querido?

— Espere aí!... — Ripley levantou a mão com determinação. — Sábado à noite vocês vão fazer o quê?

— Achei que era muito justo que eu oferecesse algum tipo de compensação por ter estragado o equipamento de Mac. Assim, eu o convidei para assistir a um ritual.

Ripley ficou muda por um instante, depois agarrou Mia pelo braço.

— Posso falar com você um instantinho?

— Claro. Por que não caminhamos juntas até o meu carro? — Mia enviou para Mac um sorriso descontraído. — Sábado, então, logo depois do pôr do sol. Você já conhece o caminho.

— Obviamente, Mia, você ficou completamente louca — começou Ripley, enquanto a acompanhava através do caminho. — Desde quando você dá shows com plateia?

— Ele é um cientista.

— Pior ainda! Escute... — Ripley parou de falar de repente, quando elas já estavam se aproximando do carro, como se estivesse articulando o que dizer. — Certo, me escute... — voltou a falar. — Compreendo que você esteja provavelmente um pouco abalada neste momento e não está raciocinando direito.

— Estou me sentindo ótima, mas agradeço a sua preocupação.

— Ótima uma ova! — Ripley deu três passadas largas para frente e depois voltou, balançando os braços. — Por que você não vende, por aí, alguns ingressos para o show?

— Ele não é apenas um curioso idiota e deslumbrado, Ripley, e você sabe perfeitamente disso. É um homem inteligente, com a mente aberta. Confio nele. — Mia deu uma olhada meio de lado para Ripley, e seus acinzentados olhos feiticeiros demonstravam tanto diversão quanto estranheza. — Estou realmente surpresa de que você não confie.

— Não é uma questão de confiança. — Rolou então os ombros ligeiramente, como se estivesse se sentindo incomodada com aquilo. — Pense melhor sobre isso tudo, Mia. Analise melhor antes de fazer algo que depois você não vai poder desfazer.

— Ele é parte de tudo isso — afirmou Mia, calmamente. — Você já sabe disso. Sinto alguma coisa especial por ele. Nada sexual — explicou ela. — Mas é um senso de intimidade. Um tipo de calor humano, que não tem nada a ver com atração. Se houvesse atração, eu já teria agido. Mas ele não foi feito para mim.

A seguir, Mia disse mais uma coisa, de forma bem contundente:

— O que você sente por ele, Ripley, é algo diferente, e isso a deixa desorientada e confusa. E se fosse simplesmente uma atração sexual, já teria feito sexo com ele.

— E como é que você pode saber se eu ainda não fiz? — Quando Mia simplesmente sorriu, Ripley soltou um xingamento, entre os dentes. — Além do mais, isso não tem nada a ver.

— Isso tem tudo a ver com todas as coisas. Você, porém, vai ser capaz de fazer as suas próprias escolhas, no tempo certo. Vou pedir a Nell para que se junte a nós, se for do agrado dela. — Mia abriu a porta do carro, enquanto Ripley ficou de pé ao lado, fumegando. — Você também é bem-vinda, é claro, se desejar aparecer.

— Se eu quisesse me juntar a esse circo, já teria aprendido a fazer malabarismos.

— A escolha é sua, como eu disse. — Entrando no carro, baixou o vidro da janela: — Ele é um homem excepcional, Ripley. Eu invejo você.

Essa declaração final fez o queixo de Ripley cair, enquanto olhava Mia, que se afastara com o carro, rapidamente.

Mac já estava recolhendo tudo quando Ripley voltou. Já conseguira tudo o que havia planejado para aquele dia, mas pretendia retornar quando a atmosfera não estivesse tão volátil.

De qualquer modo, eram necessários alguns reparos no equipamento, e ele também precisava se acalmar.

Quando a sombra de Ripley cruzou a entrada da caverna, ele estava enfiando a câmera portátil de vídeo dentro da sacola.

— Você tentou convencer Mia a não me receber na sexta-feira.

— Isso mesmo.

— É assim que você está se abstendo de interferir no meu trabalho?

— Isso é diferente.

— Por que você não me explica a sua definição exata de "interferência"?

— Certo, você está zangado, já percebi. Desculpe, mas não vou manter a minha boca fechada quando alguém que eu... alguém que eu conheço toma uma decisão impensada, apenas porque está meio desorientada emocionalmente. Isso não é justo.

— E você acha que eu me aproveitaria em tirar vantagem de alguma coisa que a tivesse deixado perturbada?

— E não aproveitaria?

Ele ficou calado por um momento, depois deu de ombros.

— Não sei. Ela tem vários dias para pensar melhor e mudar de ideia, se quiser e se for o caso.

— Só que foi ela quem propôs o acordo e o convite. E vai mantê-lo, não importa o que sinta. É assim que a sua cabeça funciona.

— Igual a você. Vocês duas são as partes de um mesmo quebra-cabeça. O que foi que separou vocês duas?

— Coisas do passado.

— Não, não é isso. Ela se machuca e é você que sangra por ela. Já estive observando vocês. Agora mesmo, você a teria protegido, se pudesse. — E, pegando duas das suas sacolas, ficou em pé. — E a mesma coisa com você, Nell. Você se faz de escudo para proteger as pessoas de quem você gosta. Quem é que protege você, Ripley?

— Eu posso cuidar de mim sozinha, e muito bem.

— Não duvido, mas a questão não é essa. Elas também protegem você, e isso é uma coisa com a qual você não sabe exatamente como lidar.

— Você não me conhece o suficiente para saber com o que eu consigo lidar ou não.

— Pois eu conheci você por toda a minha vida.

Ela esticou o braço e o fez parar antes que ele saísse da caverna novamente, perguntando:

— E qual é exatamente o significado disso que você acabou de falar?

— Uma vez, eu lhe perguntei a respeito dos seus sonhos. Um dia, eu vou lhe contar tudo a respeito dos meus.

Foi ele quem colocou aqueles sonhos na cabeça dela. Pelo menos, foi isso o que ela ficou repetindo para si mesma para tentar se convencer, mesmo quando se viu sugada para dentro deles. Saber que tudo era apenas um sonho não fazia a ação parar.

Ela se viu na praia sob uma tempestade furiosa, que parecia atacar o ar como um trem de carga. E a tempestade era a fúria que ela mesma sentia. Havia outros com ela, sombras e luzes. Amor de um lado, e uma armadilha cheia de arames farpados do outro.

Um raio atravessou o céu, cortando-o ao meio, como uma lâmina prateada que penetrava e rachava a terra em duas. O mundo à sua volta era feito de loucura, e o sabor daquilo era terrivelmente tentador.

A escolha é sua, agora e sempre.

O Poder a agarrava, e ela sentia a sua fisgada.

A escolha, agora e sempre. Ela podia esticar o braço, agarrar a mão que acenava aflita, e que oferecia uma ponte que a levaria para a luz. Ou ela poderia permanecer na escuridão e satisfazer seu apetite.

Estava faminta.

Ripley acordou chorando baixinho, com imagens da destruição ainda bem vivas em sua mente.

Capítulo Onze

Ripley raramente buscava conselhos. Pelas experiências passadas, os conselhos nunca eram fáceis de engolir. Mas o estranho sonho a deixara abalada.

Por meia dúzia de vezes, no decorrer do dia, quase se abriu e despejou tudo sobre Zack. Ele sempre estivera ali para ajudá-la, sempre que precisava, e a amizade entre eles era tão sólida e verdadeira quanto os seus laços de sangue. Naquele momento, porém, ela se viu forçada a admitir que precisava do ombro de uma mulher. Mia e Nell estavam fora de questão. As três estavam muito fortemente conectadas entre si.

Mas havia uma que estava ligada a todas elas, uma com quem sempre se podia contar quando se tratava de falar com sinceridade. Tanto fazia se você gostasse ou não do que ela dizia.

E Ripley foi procurar Lulu.

Calculou os minutos e esperou até que Lulu tivesse tempo suficiente para chegar em casa, depois de sair da livraria, mas não estivesse ainda muito confortavelmente instalada. Depois de atravessar com dificuldade o famoso jardim artístico que ela tinha na frente de casa, Ripley tentou ajustar os olhos para as cores berrantes que Lulu habitualmente escolhia para pintar a casa e bateu na porta dos fundos. Quando a porta se abriu, ficou satisfeita ao ver que tinha calculado o tempo com precisão.

Lulu já havia trocado as roupas de trabalho e colocara uma camiseta onde se lia, em letras grandes: "Café... Chocolate... Homens... Existem coisas que ficam ainda melhores quando possuem *substância*." Estava com uma garrafa de vinho ainda fechada na mão, usava uns chinelos vermelhos surrados e exibia o olhar levemente irritado de uma mulher que tinha acabado de ser importunada.

— Qual é o problema com você, delegada? — quis saber de cara.

Não era a mais calorosa das recepções, mas Lulu era assim mesmo.

— Você tem um minuto?

— Acho que sim. — Ela se virou, arrastando os chinelos até o aparador para pegar o saca-rolhas. — Vai querer um copo disto aqui?

— É, não me importaria de aceitar.

— Sorte que eu ainda não tinha acendido o meu baseado.

Ripley fez uma cara feia.

— Droga, Lulu, pare com isso.

Lulu deu uma gargalhada e puxou a rolha com força para fazer barulho.

— Estou brincando, sua otária. Sempre foi fácil pegar você. Não fumo um baseado há quase... — Ela parou, pensativa, suspirando de forma nostálgica. — Deve ter uns 26 anos. Seu pai foi o primeiro policial, e o último, a me dar uma dura. Confiscou a minha linda plantinha e levou todo o meu estoque. Disse-me que sabia muito bem que eu poderia conseguir mais da mesma fonte onde arrumara aquele lote, se quisesse, mas se eu preferisse seguir por esse caminho ia ter que escolher entre isso ou continuar trabalhando para a avó de Mia e seguir cuidando dela. Sabia muito bem que eu ia ter o bom senso de escolher aquilo de que eu tinha mais necessidade. Sempre gostei muito do seu pai.

— Essa foi uma história comovente, Lu. Fiquei até engasgada de emoção.

Lulu serviu vinho em dois cálices e depois se sentou, colocando os pés sobre uma das cadeiras da cozinha.

— E então, delegada, o que a trouxe até a minha porta?

— Podemos começar pelas generalidades, algo bem leve, para que eu possa chegar ao ponto?

— Tudo bem... — Lulu tomou o vinho, saboreando com satisfação o primeiro gostinho do fim de um dia de trabalho. — Como vai a sua vida sexual?

— Essa é uma das partes do assunto em que eu quero chegar.

— Nunca pensei que veria o dia em que "Rip-Deixa-Comigo" apareceria na minha casa para ter uma conversa sobre sexo.

Sem conseguir evitar, Ripley ficou meio embaraçada.

— Puxa, Lu, ninguém me chama mais por esse apelido.

— Eu chamo. — Lulu sorriu. — Sempre admirei seu jeito direto de abordar as coisas e os problemas. Está com algum problema relacionado com homens, garotinha?

— Mais ou menos. Mas...

— Ele é um homem muito bonito. Ph.Dee-licioso! — Lulu estalou os lábios. — É claro que não faz o seu tipo. É bem calmo, pensativo, muito fino, educado e um pouco doce. Não tão doce, porém, a ponto de estragar os dentes, ou algo assim. Possui o sabor na medida exata. Se eu fosse uns trinta anos mais nova...

— Sei, sei... você tem uma quedinha por ele também, não é? — Fazendo cara feia, Ripley pousou o queixo sobre os punhos fechados.

— Não se faça de espertinha comigo. De qualquer modo, é bom saber que você descobriu que um homem que tem cérebro também pode ser sexy. E então, qual é a cotação dele debaixo dos lençóis?

— Ainda não chegamos lá.

Em vez de se mostrar surpresa, a afirmação confirmou as observações mais recentes de Lulu. Colocando o copo sobre a mesa, apertou os lábios e balançou afirmativamente a cabeça.

— É, eu já imaginava. Agora, me confirme uma coisa. Ele apavora você, não é?

— Não, não estou apavorada com ele. — Acusações desse tipo sempre colocavam Ripley na defensiva, especialmente quando eram verdadeiras. — Estou só sendo cautelosa e dando tempo ao tempo. É meio... complicado.

Lulu juntou as pontas dos dedos, formando uma espécie de tenda que significava oração, no estilo do guru do antigo seriado *Kung Fu*, e disse, de modo solene:

— Vou lhe oferecer um pouco da minha sabedoria milenar, gafanhoto.

— Quem é que está se fazendo de espertinha, agora? — Sem querer, Ripley começou a rir.

— Cale a boca e escute minhas palavras. A profunda sabedoria do que eu tenho a lhe dizer é que "o sexo é muito melhor quando é mais complicado".

— Por quê?

— Porque sim. Quando você conseguir ser rápida o suficiente para retirar as pedrinhas da minha mão antes que eu a feche, vai descobrir a resposta por você mesma.

— Eu realmente gosto dele, Lu. Gosto muito *mesmo.*

— E o que há de mal nisso?

— Nada. Só que eu gostaria de, tipo assim, já ter ido adiante com isso de uma vez, e não estar aqui toda encucada e pensativa, tentando entender as coisas de uma forma que faz tudo parecer tão...

— Importante.

— Certo, reconheço... Importante. — Ripley deixou o ar sair dos pulmões em um sopro. — O pior de tudo é que eu acho que ele sente que é importante, e, se isso for verdade, vai significar que, na hora em que tudo acontecer, não vou estar realmente, você sabe, no comando das coisas.

Lulu simplesmente tomou mais um gole e continuou à espera, ouvindo.

— Isso tudo soa assim meio idiota, não é, Lu? Tudo bem... — Ripley acenou com a cabeça, conseguindo chegar, meio sem graça, ao ponto mais importante da conversa. — Acho que agora eu já estou chegando no problema.

— Quer dizer que ainda há mais?

— Sim. Mia vai deixá-lo observar um ritual na sexta-feira. — Ripley soltou, um pouco depressa demais. — E, se a Mia se envolver, Nell vai acabar se envolvendo também. E ela só está fazendo isso porque ficou aborrecida ontem, na caverna... Você sabe, a caverna. Mia ficou toda perturbada, não importa o quanto tenha tentado se mostrar imperturbável logo em seguida. O fato é que aquilo mexeu com ela. E agora está fazendo isso apenas para provar que pode lidar com qualquer situação.

— Mas ela realmente pode lidar com isso — disse Lulu, com a voz calma. — Se você tivesse continuado quando tudo aconteceu, há tantos anos, agora saberia como ela consegue realmente lidar com todas as coisas.

— Não pude, não consegui, na época.

— Águas passadas. O que interessa é o que você vai fazer agora.

— Não sei o que fazer. Esse é que é o problema.

— E veio aqui esperando que eu lhe diga?

— Acho que vim aqui para saber o que você diria, o que pensaria. — Ripley levantou o cálice. — Isso está me deixando confusa, Lu. Tudo está voltando em cima de mim, *dentro* de mim. Ah, droga, não sei como explicar. Eu quis fugir. *Tentei* fugir. Agora é como se estivessem se abrindo pequenos buracos em todo lado, à minha volta, e eu não vou ser capaz de tapá-los todos.

— Você nunca se sentiu confortável com isso. Mas certas coisas não são feitas para serem confortáveis.

— Talvez a minha preocupação fosse a possibilidade de me sentir confortável demais. Não possuo o controle de Mia nem a compaixão de Nell. Não tenho essas coisas.

As coisas acontecem em círculos, pensou Lulu. E elas sempre voltam.

— Não, Ripley, você não possui isso. O que você tem é paixão, um senso nato do que é certo ou errado, e uma necessidade imensa de ver esse senso saciado. É por isso que vocês três formam um círculo, Ripley, em que cada uma entra com o que tem de melhor em si.

— Ou o pior. — Esse era o medo dela, o seu terror. — Foi assim que aconteceu há trezentos anos, se é que você acredita nessa história.

— Você não é capaz de modificar o que aconteceu, mas pode mudar o que está para acontecer. No entanto, não pode se esconder nem de um nem de outro. A mim, parece que você, Ripley, está começando a descobrir que já está se escondendo do problema há tempo demais.

— Nunca pensei nisso como uma fuga. Não sou covarde. Mesmo depois de termos lidado com Remington, consegui muito bem colocar tudo de volta lá atrás, manter o *status quo.* Mas desde que Mac apareceu, o controle sobre as coisas parece estar escapando por entre os meus dedos.

— Então o seu medo é o de que, se ficar com ele, você não será capaz de deixar tudo aquilo para trás. Não apenas tudo o que é, mas também o que sente a respeito.

— Mais ou menos isso.

— Então você vai ficar andando em círculos, na ponta dos pés, rondando o problema. — Lulu deixou escapar uma bufada de raiva, balançando a cabeça: — Preocupações e aborrecimentos sobre o que não é e sobre o que poderia ser, em vez de ir em frente até descobrir o que realmente é!

— Não quero magoar as pessoas de quem gosto.

— Não fazer nada às vezes pode ser mais danoso do que fazer alguma coisa. A vida não vem com certificado de garantia, e ainda bem, porque a maioria das garantias são apenas papo-furado, mesmo.

— Bem, analisando desse modo... — Não havia nada nem ninguém como Lulu, pensou Ripley, para iluminar as trevas. — Acho que eu estive a ponto de fazer uma coisa importante já há algum tempo, e não fazê-la está me levando à loucura... e também fazendo com que eu me sinta idiota — acrescentou, de uma forma que só teria feito com poucas pessoas.

— E você vai dar esse passo definitivo agora?

Ripley tamborilou com os dedos na mesa, e suspirou.

— Vamos dizer que eu vou dar um passo e ver o que acontece depois. Posso usar o telefone?

— Para quê?

— Preciso pedir uma pizza.

Mac levou a maior parte do dia consertando o sensor, e mesmo assim o aparelho só ficou funcionando precariamente. Iria levar um dia ou dois para conseguir as peças para reposição, e, com a sexta-feira se aproximando, ele estava em uma enrascada.

Não estou certo sobre o que esperar na sexta-feira, escreveu. É até melhor que seja assim. É um erro ir para uma experiência antecipando resultados específicos. Isso fecha a mente para as possibilidades. Já tenho, agora, uma teoria a respeito dos eventos que ocorreram na caverna Logan. A frase em idioma gaélico que está encravada na parede de pedra tem a seguinte tradução: "Meu coração pertence a você. A qualquer tempo e eternamente." Embora ainda vá levar algum tempo para avaliar com precisão a idade do entalhe, pois tenho que enviar os resíduos que raspei e esfreguei para o laboratório, assim que for possível, continuo a acreditar que as palavras foram escritas há menos de vinte anos. Baseado nessa intuição, na localização da caverna e na reação de Mia Devlin ao me encontrar lá dentro com Ripley, a conclusão lógica é a de que aquela caverna possui um significado pessoal e especial para ela. O entalhe, acredito, foi feito por ela ou para ela.

Os Logan tinham um filho chamado Samuel, que foi criado na ilha. Ninguém se refere a ele fazendo conexão com Mia. Parece ser uma omissão deliberada e estudada, o que naturalmente me leva a concluir que ele e Mia Devlin estiveram envolvidos e mais provavelmente eram amantes antes de ele se mudar da ilha.

Isso, por sua vez, pode ser a base para a última peça da lenda, que está sendo repetida, como em um espelho, refletindo a vida das três irmãs originais.

Nell e Zack foram os primeiros e, hipoteticamente, Mia e Sam Logan são os últimos.

O que deixa Ripley no meio. Ripley e...

Seus dedos começaram a perder a firmeza sobre o papel, e então ele parou, recostou-se com cuidado na cadeira e esfregou os olhos, por baixo dos óculos. Esticou a mão, distraído, para pegar a caneca de café e a derrubou da mesa. A limpeza obrigatória que se seguiu deu tempo para que o seu sistema voltasse a se acalmar.

Estou conectado a esse padrão, continuou ele a escrever. Senti isso mesmo antes de chegar aqui e, a partir dos documentos que ainda vou ter que analisar, com a ajuda de outras pessoas, formei certas hipóteses. Hipóteses e realidade, porém, são duas coisas bem diferentes, com efeitos igualmente diversos sobre aqueles envolvidos. Sobre mim. É muito mais difícil do que imaginei conseguir manter a objetividade, permanecer no papel de observador e apenas documentar os fatos quando...

Não consigo parar de pensar nela. Tentar separar os sentimentos pessoais do julgamento profissional já é muito difícil. Mas como é que eu posso estar certo de que esses sentimentos não nasceram a partir do interesse profissional?

— E glandular... — murmurou, mas sem colocar a observação no papel.

Será que a delegada Ripley Todd me fascina porque possui um dom sobrenatural que veio até ela através de três séculos? Ou simplesmente porque ela é uma mulher que consegue me atrair em todos os níveis possíveis?

Estou começando a achar que estão acontecendo ambas as coisas e que eu já estou envolvido demais a essa altura para tentar descobrir ou me importar com o lugar de onde esses sentimentos estão vindo.

Mac tornou a sentar-se; quando o seu nível de concentração estava novamente aumentando, ouviu os súbitos "bips" e zumbidos no equipamento que estava na sala de estar. Levantou-se correndo da pequena escrivaninha e bateu violentamente com o joelho bem na quina da mesa. Saiu depressa do escritório, mancando e xingando.

Ripley estava de pé na sala, já do lado de dentro, encostada na porta e olhando com uma careta para as máquinas dele.

— Você nunca desliga esse troço não?

— Não. — Mac teve que resistir à vontade de massagear o estômago, que doía só de olhar para ela.

— Eu bati na porta.

— Estava no escritório trabalhando e nem ouvi.

— Você tem sorte por eu ser insistente. — Ela mostrou a caixa de papelão que vinha carregando. — Entrega de pizza. Gigante e com tudo o que tem direito, como você pediu. Está a fim?

A boca de Mac se encheu de água, e ele sentiu um aperto na barriga.

— Acontece que eu estou louco de vontade de comer pizza há várias semanas.

— Eu também. — Ela colocou a embalagem na mesa, sobre uma máquina tão sofisticada que parecia custar muitos milhares de dólares. Livrou-se do casaco e o deixou cair no chão. Arrancou o boné e o atirou, sem olhar, na direção do casaco caído no chão, enquanto caminhava na direção dele. — Está com fome agora?

— Nossa, e como!...

— Que bom. Estou morrendo de fome também. — Então pulou, agarrando-se a ele e enlaçando as pernas em volta de sua cintura, enquanto esmagava sua boca contra a dele.

Ele se desequilibrou e deu dois passos desajeitados para trás. Todos os pensamentos racionais pareceram se derreter e escorreram-lhe do cérebro, saindo pelas orelhas.

— Sexo agora... — disse ela, já com a respiração ofegante, enquanto corria os lábios por todo rosto de Mac e lhe mordia o pescoço. — Pizza depois. Assim está bom para você?

— Excelente! — Ele cambaleou em direção ao quarto, conseguindo chegar só até a entrada, antes de precisar se apoiar no batente da porta. — Espere só... até que eu... — Ele mudou o ângulo do beijo, penetrando mais fundo dentro de sua boca, quando ouviu o gemido de Ripley responder ao dele próprio, como um eco.

— Sinto o seu gosto o tempo todo. — Ele arranhou a ponta dos dentes pela garganta dela. — Isso me deixa louco.

— A mim também. Quero que você tire a roupa. — Começou então a puxar a camiseta dele.

— Espere. Menos pressa!

— Por quê? — Rindo, ela fazia coisas que o atormentavam, com a língua em sua orelha.

— Porque sim... Meu Deus, Ripley. Porque já tenho fantasiado este momento há tanto tempo. — Os dedos dele apertaram as costelas dela enquanto ambos se aproximavam da cama. — Parece que já se passaram séculos. Não quero fazer tudo correndo. — Ele conseguiu agarrar um punhado de cabelos dela, puxando-lhe a cabeça um pouco para trás até os seus olhos se encontrarem. — Quero saborear você. Quero... — Ele se inclinou para baixo, mordiscando a sua boca. — Quero que se passem anos até acabar de fazer amor com você. Até acabar de tocar em você, em toda parte. — E continuou, enquanto a depositava sobre a cama: — Até acabar de sentir o seu sabor. — Com delicadeza, ele colocou os braços dela para cima da cabeça.

— Estou gostando do jogo que você está propondo... — Ela tremeu o corpo embaixo do dele, conseguindo completar. — Mesmo você sendo um intelectual viciado em computadores.

— Vamos ver como é que a partida se desenrola. — Seguiu com a ponta dos dedos a linha exposta da barriga dela no momento em que lhe puxou o suéter para cima. — Com um pouco de espírito de equipe.

E baixou a cabeça de repente, para no último instante mudar o ângulo, de forma a que seus lábios ficassem roçando sobre o maxilar inferior dela.

O corpo de Ripley estava rígido embaixo do dele, bombeando energia pulsante em ondas quase visíveis. Ele queria aquilo, tudo aquilo. Mas, antes disso, a queria mole, fraca e estupefata de tanto prazer.

As mãos de Ripley se flexionaram sob as dele, mas ela não ofereceu resistência. O coração dela martelava de encontro ao dele, e seus lábios se levantaram quando Mac pediu por eles. Só aquilo já era excitante saber que ela iria permitir que ele determinasse o ritmo e o tom daquele momento.

Ripley era bastante forte, e o que ela sentia era bastante vigoroso para dar-lhe aquele presente, de modo tão completo. Agora, ele queria mostrar a ela o quanto valorizava a oferenda.

Ela jamais conhecera qualquer outro homem que acendesse tantas fogueiras interiores apenas com os movimentos da boca. Mesmo nos momentos em que ansiava por suas mãos, ela sentia que seus próprios ossos e músculos se derretiam sob o calor dele. Ela suspirava, então, e se rendia àquilo.

Sentiu que seu pulso estava acelerando cada vez mais e que sua mente se transformava em um borrão indistinto.

Quando liberou as mãos dele, sentiu seus braços ficarem largados e pesados. Conseguindo levantá-los, ela arrancou-lhe os óculos, de modo a conseguir emoldurar o seu rosto como que para uma lembrança futura, e trouxe novamente a sua boca até a dela.

Ele a tocava, agora, em um deslizar de dedos, enquanto retirava o suéter dela, por cima da cabeça, subindo um centímetro de cada vez. Uma jornada preguiçosa por cima dos seus seios, pela beirada do sutiã, e depois a dança excitante dos dedos trabalhando no fecho.

Enquanto isso, ela lhe tirava a camiseta, deixando as mãos passearem sobre seu corpo, em retribuição.

Então, sua boca desceu sobre a dela novamente, arrancando um suave murmúrio de prazer. Sentindo-se sem peso, ela se deixou flutuar no beijo. Deixou o nariz roçar e ser suavemente esmagado, satisfeita como uma gata quando a boca lhe começou a trabalhar sobre a curva do seu ombro. Trepidou levemente em uma antecipação de prazer ao sentir a língua dele escorregar levemente pela lateral do seu pescoço. E gemeu quando a mesma língua mergulhou sob a camada de algodão para brincar com o seu mamilo.

Então, gritou, arqueando o corpo, indefesa, enquanto a boca dele lhe cobria, quente e faminta, toda a superfície do seio.

Lutando por um pouco de ar, ela tentou buscar um equilíbrio que não veio. Seus dedos se enterraram nos lençóis, tentando agarrá-los, enquanto todos os sistemas de seu corpo foram se precipitando como em um mergulho no abismo que separava o contentamento supremo do desespero.

Era como abrir a porta de uma fornalha, Mac pensou. Um homem era capaz de ser consumido por todo aquele calor. Mesmo assim, ele suplicou por mais. Acabou de abrir o sutiã e encontrou carne quente e carente. Sentiu que ela mexia com as mãos embaixo dele, e nuvens de tempestade começaram a se unir para formar uma massa elétrica potente, que tremeu diante do seu grito estrangulado de libertação.

Quando a sentiu ficar mole novamente sob seus braços, ele voltou a mergulhar sobre ela, sobre as linhas esbeltas e firmes de um corpo de mulher disciplinado e forte. Ângulos e curvas, reentrâncias e linhas lindas, adoráveis. Ele queria engoli-las, explorá-las, absorvê-las. Os pulos de seu pulso, aqui e em seguida ali, acompanhavam o ritmo dos dele. E o sabor dela foi ficando mais forte, mais quente e penetrante. Até que ele se viu perguntando mentalmente como conseguira sobreviver tanto tempo sem sentir aquilo.

Ela estava quase desfalecida. Jamais se sentira tão indefesa. Jamais tinha sido estimulada com uma paciência tão constante e implacável. Ele a possuía por completo, e havia uma enorme excitação nisso; em saber que ela o deixaria fazer qualquer coisa que quisesse; e em saber que ela iria adorar qualquer coisa que ele fizesse.

A pele dela estava úmida, quente. Parecia que ele conhecia cada nervo de seu corpo e enviava a cada um deles um estímulo individual, um após o outro. Extasiada, tentou buscá-lo e se abriu para ele, ofereceu-se com uma liberdade e uma urgência de se doar que jamais sentira por nenhum outro homem.

Todos os movimentos agora lhe pareciam impossivelmente lentos, como se os dois estivessem flutuando sobre água tépida. O corpo dele tremeu e pulsou por ela, e também o coração dele acelerou ainda mais. Ela sentiu tudo isso e também a tensão crescente do feixe de músculos que tinha em suas mãos. Quando seus sentidos estavam plenos dela, do seu cheiro, do seu sabor e da sua textura, ele subiu sobre ela e esperou. Esperou até que aqueles olhos, agora nublados e fixos de tanto prazer, se abrissem.

E mergulhou dentro dela. Fundo, e mais fundo.

E a tomou em longas e compassadas estocadas, até que a respiração dela começou a falhar, enquanto o sangue dele continuava a produzir uma pressão interna tão grande que bombeava e pulsava sem parar. Ele ainda conseguiu observar a pulsação latejante na maravilhosa linha de sua garganta no momento em que a viu sentir uma nova e arrebatadora onda de prazer.

Os braços dela pareciam não ter ossos; estavam simplesmente jogados em volta dele.

— Não posso...

— Deixe comigo — replicou ele, enquanto lhe pressionava a boca novamente de encontro à sua. — Simplesmente, deixe tudo comigo.

Como que enfeitiçada, ela levantou a parte de trás do corpo junto com ele e voltou a se recostar, também junto com ele; sentiu, incrédula, uma impossível necessidade se acumular dentro dela novamente.

— Venha agora, comigo... — Ela conseguiu apertar-lhe os quadris, gemendo ao se sentir ser arrastada para o êxtase total uma vez mais.

Ele já estava com ela. O mundo dele pareceu trepidar. Enterrando o rosto na profusão emaranhada dos cabelos escuros dela, ele se deixou perder.

Ela se sentiu polvilhada com ouro. Cada partícula de tensão havia sido drenada. Na verdade, ela não via como seria possível voltar a se preocupar com coisa alguma no mundo, novamente.

Sexo, decidiu ela, era a mais potente de todas as drogas.

Ripley não era muito de ficar aconchegada depois do ato e nunca tinha sido muito boa nas conversas de cama que inevitavelmente surgiam depois. No entanto, ali estava ela, toda encolhida de modo gostoso junto de Mac, aninhada nele, simplesmente porque naquele momento lhe parecia a coisa certa. Suas pernas estavam entrelaçadas nas dele, e a sua cabeça estava pousada em seu ombro musculoso, como em um berço, com o braço encaixado em volta de seu pescoço.

O que tornava tudo ainda melhor era a maneira como ele a segurava, como se estivesse simplesmente satisfeito de estar ali, mesmo que fosse pelos próximos dois ou três anos.

— Você aprendeu alguns daqueles movimentos especiais estudando os hábitos sexuais de sociedades primitivas?

— Prefiro pensar que coloquei um pouco do meu toque especial nas coisas que aprendi. — Ele esfregou a bochecha de encontro ao cabelo dela.

— Você *é* muito bom.

— O mesmo digo de você.

— Joguei os seus óculos no chão. É melhor ter cuidado para não pisar neles.

— Certo. Só que eu queria lhe contar uma coisa antes.

— O quê?

— Você é linda.

— Ah, deixe disso... Você ainda está sob o efeito de algum nevoeiro sexual.

— Você tem esse cabelo denso e escuro. E eu fico querendo mordiscar esse seu lábio carnudo. Acrescente esse seu corpo maneiro, perfeito e esculpido, e você forma um grande conjunto.

Quando ela levantou a cabeça e começou a olhar fixamente para ele, Mac começou a piscar até conseguir novamente colocá-la devidamente em foco.

— O que foi?

— Estava apenas tentando me lembrar de quando foi a última vez em que ouvi alguém usar a palavra "maneiro" desse jeito, em uma frase. Você é mesmo esquisito, Mac. Uma gracinha, mas esquisito. — Girou ligeiramente a cabeça apenas o suficiente para dar uma pequena mordida nele. — Preciso encher o tanque — disse Ripley por fim. — Você quer pizza?

— Quero. Deixe que eu pego.

— Não, eu pego. Deixe que eu vou lá apanhar. Você fique exatamente onde está — acrescentou, enquanto rolava por cima dele para fora da cama. — A propósito, você tem um corpo muito maneiro, também.

E foi correndo até a sala, esticando o corpo que exalava luxúria. Ágil e ainda nua, seguiu até a cozinha a fim de pegar duas cervejas para acompanhar a pizza. Agarrou uma pilha de guardanapos e depois fez um giro rápido com o corpo.

Será que era possível ela se sentir melhor, perguntou-se por um segundo, decidindo afinal que não.

A questão ali não era apenas o sexo, pensou com um suspiro sonhador, que a teria deixado embaraçada se ela não estivesse se sentindo tão solta. Era Mac. Ele era tão esperto e doce, tão sólido e coerente, sem ser chato ou metido por causa disso.

Ela adorava ouvir tudo o que ele dizia, observar o jeito com que a boca dele se entortava mais para o lado esquerdo do que para o direito quando sorria. E o jeito que os olhos dele ficavam todos enevoados e fora de foco quando estava pensativo. O jeito com que seu cabelo, cheio, em um tom de louro bem escuro, jamais se mantinha penteado.

E, por último, toda aquela intensidade fascinante que era contrabalançada por um senso de humor fino, fácil e inteligente.

Aquele era o primeiro homem com quem ela jamais estivera envolvida, admitia agora para si mesma, que possuía tantas camadas distintas. Não era simples e não esperava que ela fosse.

E isso não era adorável?

Com as garrafinhas de cerveja tilintando alegremente uma contra a outra, ela voltou até a sala de estar para pegar a pizza. Uma intensa sensação de felicidade a estava deixando nas nuvens, e, antes que ela conseguisse se dar conta do que estava acontecendo, seu coração deu uma pequena reviravolta de alegria, como se estivesse dançando um tipo de valsa, e logo depois parou.

Os olhos dela se arregalaram de espanto.

— Ai, meu Deus!

Antes mesmo que ela pudesse reagir à súbita e ligeiramente aterrorizante descoberta de que tinha se apaixonado, todas as máquinas do chalé entraram simultaneamente em ação.

Sua cabeça foi subitamente invadida por todos aqueles sons misturados. Eram "bips", guinchos, apitos e zumbidos. As agulhas dos aparelhos enlouqueceram, e todas as luzes dos equipamentos começaram a piscar. Ripley ficou paralisada de choque, pelo susto inesperado.

Mac soltou um grito e pulou da cama. Foi voando até a sala de estar, tropeçou em um par de tênis esquecido no caminho, perdeu o equilíbrio e caiu no chão. Xingando, conseguiu se levantar novamente e correu, nu, até a sala.

— O que foi que você fez? Onde foi que você mexeu?

— Nada, não fiz nada, não toquei em nada. — Ripley continuava segurando as garrafas como se fossem tábuas de salvação. Mais tarde, bem mais tarde, ela diria para si mesma, revendo a cena, mentalmente, que tudo tinha sido tão ridículo que dava para quebrar uma costela de tanto rir.

Naquele momento, porém, tudo o que ela podia fazer era ficar olhando para Mac, que corria freneticamente de uma máquina para outra, registrando leituras, apalpando o próprio corpo sem nenhuma roupa à procura de um bolso na pele, onde pudesse haver algum lápis enfiado.

— Minha nossa! Dê uma olhada só nisso, Rip! — E puxava tiras e tiras de papel, levando-as até quase a altura do olho, a poucos centímetros dele, tentando enxergar os gráficos que emitiam. — Grandes ocorrências!... Leituras jamais registradas! A primeira aconteceu há quase uma hora atrás. Eu acho. Não consigo enxergar a hora direito, sem óculos; os números são muito pequenos. Não consigo ver porcaria nenhuma nos gráficos, também. Onde diabos enfiei os óculos? Caramba! Outro sensor derretido! Isso é *fantástico*!

— Mac.

— Hein?... Anh, ahn... — Acenou com a mão em sua direção como se ela fosse uma mosca que o estivesse incomodando. — Quero só rebobinar um pedaço da fita de vídeo, para ver se aconteceu alguma manifestação visível.

— É melhor você colocar alguma roupa, porque você está um pouco, digamos... vulnerável e com perigo de se machucar em alguma parte importante do corpo, neste momento.

— Hein?... O que foi isto aqui? — perguntou ele, com um jeito distraído.

— Por que nós dois não nos vestimos, e eu deixo você voltar ao seu trabalho?

Só mesmo um completo idiota, pensou ele de repente, dispensaria uma mulher nua à sua frente para ficar brincando com aparelhinhos. Especialmente quando essa mulher era a delegada Ripley Todd.

O Doutor MacAllister Booke não era um idiota, afinal.

— Não. Vamos comer a pizza. — Pegou a embalagem, sentiu o aroma da comida, o cheiro de Ripley, e isso aguçou seu apetite novamente. — Vou deixar para analisar os gráficos mais tarde, porque eles não vão a lugar algum, mesmo. — E foi até ela, esfregando suavemente os nós dos dedos, com a mão aberta, sobre o rosto dela. — Não quero que você também vá a parte alguma.

Parecia justo, avaliou Ripley. Seus dados e leituras internas poderiam ser estudados amanhã, também.

— Tenha cuidado para ver onde pisa desta vez. Não quero que você caia por cima da caixa e esmague o jantar.

Dando a si mesma uma ordem silenciosa para se acalmar, ela o seguiu de volta até o quarto.

— Como foi que você conseguiu essa cicatriz na bunda? — perguntou, andando atrás dele.

— Ahn? Eu, tipo... despenquei de um penhasco.

— Jesus Cristo, Mac!... — Eles se acomodaram na cama, com a pizza entre eles, e ela lhe entregou uma das cervejas. — Só você, mesmo!

Ela não tinha planejado ficar. Dormir junto era completamente diferente, para Ripley, do que simplesmente ir para a cama com alguém. Era algo que adicionava uma nova camada de intimidade que, frequentemente, acabava ficando pegajosa e desconfortável.

De algum modo, porém, sem estar completamente certa de como conseguiu administrar esse sentimento, ela acabou toda apertada, juntinho dele, sob o minúsculo espaço embaixo do chuveiro, na manhã seguinte.

E ele se mostrou muito hábil em locais apertados.

Como resultado de tudo isso, ela estava se sentindo leve, com a cabeça meio quente e úmida, e ligeiramente embaraçada quando entrou em casa de volta, já pela manhã. Vinha com a esperança de subir as escadas sorrateiramente, trocar de roupa, colocar seu *training* para uma corrida na praia e agir como se nada demais tivesse acontecido. Essa esperança se desmanchou quando ouviu Nell, da cozinha, chamar pelo seu nome.

— É você que está chegando, Ripley? O café está fresquinho.

— Droga! — murmurou ela entre os dentes e, com relutância, mudou de direção. Estava morrendo de medo que estivesse para acontecer uma daquelas conversas íntimas entre mulheres, e ela não tinha a mínima ideia de como poderia lidar com isso.

Lá estava Nell, trabalhando como sempre na cozinha, que a esta altura já estava com aquele ar vivo, com os maravilhosos aromas e parecendo fresca como um vaso de narcisos recém-colhidos, enquanto mais um tabuleiro de bolinhos aromáticos entrava no forno.

Nell deu uma única olhada na direção de Ripley, que começou a se sentir um pouco suja, esquisita e voraz.

— Quer tomar o seu café da manhã? — perguntou Nell, com a voz cheia de alegria.

— Bem... talvez. Não! — Ela resolveu, sugando o ar. — O que eu quero mesmo é dar uma corrida primeiro. Ahn... Acho que eu deveria ter telefonado na noite passada para avisar que não voltaria para dormir em casa.

— Ah, está tudo bem. Mac ligou, avisando.

— É que eu não achei que fosse... — E, no mesmo instante em que ela abria a porta da geladeira para pegar uma garrafa de água, se sentiu paralisada. — *Mac* ligou aqui para casa?

— Ligou. Achou que nós podíamos ficar preocupados.

— Ele achou... — Ripley repetiu, enquanto pensava que isso a transformava em quê? Uma idiota sem consideração. — E o que foi que ele disse?

— Que vocês dois estavam tendo uma noitada de sexo quente e selvagem e que nós não devíamos nos preocupar, porque estava tudo bem. — Levantou os olhos da bandeja de bolinhos, com as covinhas brilhando enquanto caía na gargalhada de maneira incontrolável, ao ver a horrorizada cara de choque no rosto de Ripley. — Brincadeira, sua boba. Ele disse apenas que você estava com ele. Eu é que deduzi a parte do sexo quente e selvagem.

— Você parece uma fábrica de risadas de manhã, sabia? — reagiu Ripley, enquanto abria a tampa da garrafa de água. — Não sabia que ele tinha telefonado para vocês. Eu é que devia ter feito isso.

— Não importa. E vocês, afinal... se divertiram?

— Bem, eu estou entrando em casa às, deixe ver, sete e 45 da manhã. Só esse fato já devia dar para você imaginar alguma coisa.

— E eu imagino, só que você está me parecendo meio mal-humorada.

— Eu não estou mal-humorada! — E, fazendo cara amarrada, Ripley tomou a garrafa inteira de água. — Tudo bem, só que eu acho que *ele* deveria ter me contado que ia telefonar para vocês ou sugerido que *eu* ligasse. Por outro lado, de qualquer modo, isso iria significar que eu estava assumindo que ia acabar passando a noite lá na casa dele, algo que não pretendia fazer, afinal, mas que ele, obviamente, decidiu que iria acabar acontecendo, o que me parece um pouco de pressão, se você quer saber, porque, na verdade, não foi ele que me pediu para ficar, para começo de conversa.

— Como é? Não entendi nada! — comentou Nell, confusa, aproveitando a pausa.

— Não sei. Também não sei o que acabei de dizer. Ai, meu Deus! — Irritada consigo mesma, Ripley passou a garrafa gelada pela testa para se refrescar. — Estou só me sentindo estranha por tudo isso.

— Com relação a ele?

— Sim. Não sei. Talvez. Estou com todos esses sentimentos se empilhando dentro de mim e não estou pronta para eles. Preciso correr.

— É, eu sei como é. Eu mesma precisei correr bastante disso — comentou Nell, com delicadeza.

— Eu quis dizer correr na praia! — Diante do olhar compreensivo de Nell, Ripley suspirou. — Eu sei, entendi o que você quis dizer, mas eu acabei de acordar e ainda está muito cedo para metáforas.

— Então deixe-me fazer uma pergunta bem direta. Você está feliz com ele?

— Sim. — E Ripley sentiu o estômago dar pequenas reviravoltas ao admitir isso. — Estou, sim.

— Então não vai fazer mal algum continuar assim por mais algum tempo para ver o que acontece depois.

— Talvez eu devesse fazer isso. Talvez eu devesse, mesmo. Mas cheguei à conclusão de que ele está sempre um passo à minha frente. É um safado sorrateiro. — E desistiu, sentando-se. — Acho que estou apaixonada por ele.

— Ah, Ripley! — Nell se inclinou e tomou o rosto de Ripley entre as mãos. — Eu também acho.

— Mas eu não quero estar.

— Eu sei.

— Como é possível que você sempre saiba tudo? — perguntou Ripley, entre os dentes.

— É que fiquei assim como você está, e não faz muito tempo. É assustador, emocionante e modifica tudo na vida da gente.

— Eu gostava das coisas como eram. Não conte nada a Zack — disse Ripley, se arrependendo de ter falado isso logo em seguida. — Mas o que é que eu estou falando? É claro que você vai contar a Zack. Parece que é uma regra entre casados. Deixe pelo menos passar alguns dias, pode ser? Talvez eu consiga superar isso.

— Tudo bem. — E Nell se afastou para trocar algumas bandejas no forno.

— Pode ser que seja apenas um caso de tesão temporário que está mexendo comigo.

— Pode ser.

— E se o que aconteceu na noite passada servir de indicativo, provavelmente vamos acabar consumindo um ao outro completamente em menos de duas semanas, no máximo.

— Às vezes, acontece.

— Se você vai ficar aí curtindo com a minha cara — disse Ripley, tamborilando com os dedos na mesa —, é melhor eu trocar de roupa e ir para a minha corrida.

Nell colocou a bandeja com os bolinhos sobre a pia, para esfriar, totalmente satisfeita consigo mesma, enquanto Ripley saía da cozinha aos pulos.

— Vá em frente e corra bastante — disse, baixinho, para si mesma. — Aposto que ele alcança você.

Capítulo Doze

Mesmo considerado insano, para fins criminais, Evan Remington tinha os seus dias agradáveis. Dependendo de como as imagens estivessem perturbando sua mente, podia ser lúcido e até, por alguns instantes, charmoso.

Havia momentos, segundo uma das enfermeiras que Harding entrevistara, em que dava para sentir o intelecto astuto que o transformara em um dos homens com mais poder em Hollywood.

Em outros momentos, porém, apenas ficava ali sentado, babando.

Sobre Harding, aquele homem exercia um fascínio que rapidamente atingia as raias da obsessão. Remington era poderoso, no auge da vida, sob todos os aspectos um brilhante agente da máquina de entretenimento, uma pessoa que tinha um passado de riquezas e privilégios. E, no entanto, tinha se deixado transformar em um "nada". Por causa de uma mulher.

Uma mulher que, da mesma forma, era igualmente fascinante. Uma pequena ratinha quieta e obediente, a julgar pelas opiniões de muitos que tinham convivido com os dois durante o casamento. Uma sobrevivente corajosa que conseguira escapar de um pesadelo, se você resolvesse seguir a popular ótica feminista.

Harding, no entanto, não estava completamente convencido de que ela fosse uma das duas. Estava consideravelmente disposto a pensar nela como algo mais do que isso, algo bem maior.

Havia tantos ângulos naquela história. A bela e a fera, um homem destruído pelo amor, o monstro por trás da máscara.

Harding já tinha resmas de papel, montanhas de fitas, fotos, cópias de relatórios médicos e policiais. Tinha também o primeiro esboço do livro que certamente o tornaria muito rico e famoso.

O que ele ainda não tinha eram entrevistas pessoais bem estruturadas com os personagens-chave da história.

Estava, no entanto, disposto a investir muito tempo e dinheiro para consegui-las. Ao mesmo tempo seguia os passos de Nell por todo o país, formando imagens, impressões e coletando dados, e voava de volta à Califórnia para visitar Remington, com regularidade.

E a cada vez que o fazia, era alimentado com mais determinação, mais ambição e uma raiva interior que o confundia. A raiva acabava passando, mas voltava ainda mais forte a cada nova visita.

A maior parte das viagens era financiada pelo seu próprio bolso, e, embora Harding escrevesse vários artigos para uma série de revistas, tinha consciência de que um dia teria que ajustar as próprias finanças. Já estava mergulhando fundo em sua poupança pessoal, sentindo que era incapaz de parar.

Embora tivesse orgulho de seus trabalhos para as revistas, gostasse do que fazia, do ritmo de sua vida, das exigências daquilo, e até tivesse conseguido bastante sucesso e dinheiro com tudo isso, via-se agora arrependido de cada hora que dedicava ao cumprimento de suas obrigações profissionais regulares.

O caso "Remington e Todd" era como uma febre que o consumia por dentro.

No Dia dos Namorados (e Harding iria sempre achar isso maravilhosamente irônico), ele conseguiu fazer o seu primeiro contato pessoal verdadeiro com Evan Remington.

— Eles pensam que eu sou louco — disse-lhe Evan.

Era a primeira vez que falava com Harding sem ser incentivado ou quase obrigado a isso. A vontade que Harding teve foi de pular da cadeira, de alegria, ao ouvir o tom calmo e a entonação de *razoável* normalidade em sua voz. Olhou correndo para o gravador, para se certificar de que estava gravando.

— Quem pensa isso?

— As pessoas daqui. Minha irmã traiçoeira. Minha mulher adúltera. Já esteve com minha mulher, Sr. Harding?

Uma sensação gelada surgiu na barriga de Harding, ao ser chamado pelo nome. Ele havia se apresentado em todas as visitas que fizera a Evan, mas jamais imaginara, nem mesmo considerara a hipótese de que o seu interlocutor ouvisse ou compreendesse o que se passava à sua volta.

— Não, ainda não estive com ela. Tinha a esperança de que o senhor me falasse a respeito de como era a sua mulher.

— O que posso lhe dizer sobre Helen? — Deu um suspiro longo, com um tom quase divertido. — Ela me enganou. É uma prostituta, uma traidora, uma mentirosa. Mas é a *minha* prostituta. Dei tudo a ela. Tudo. Eu a fiz maravilhosa. Ela pertence a mim. Por acaso ela já tentou seduzir você?

A saliva de Harding secou em sua boca. Por ridículo que fosse, sentiu como se Remington pudesse ler seus pensamentos.

— Como lhe disse, Sr. Remington, eu ainda não estive com... sua mulher. Espero ter a oportunidade de encontrá-la, em breve. Quando conseguir isso, vou ficar feliz de levar uma mensagem sua para ela.

— Sim, e eu tenho realmente muitas coisas para dizer a Helen. Só que são assuntos, digamos, *particulares* — replicou ele, quase sussurrando a última palavra, enquanto os lábios se curvavam para cima em um sorriso lento. — Muitas das coisas que acontecem entre marido e mulher deveriam permanecer secretas, o senhor não acha? O que acontece entre eles dentro da santidade de seu lar não interessa a mais ninguém.

— Mas *é* muito difícil — lembrou Harding, oferecendo-lhe um aceno de concordância com a cabeça — equilibrar e manter essa privacidade, tendo os holofotes e a atenção do público sobre si.

Os olhos de Remington ficaram subitamente embaçados, como que cobertos por uma nuvem que passasse sobre o gelo, e ele começou a olhar em volta de toda a saia, de repente. A inteligência e o humor ferino que haviam surgido em seus olhos desapareceram subitamente.

— Preciso de um telefone! — disse ele. — Acho que não sei onde coloquei o meu. Onde está o maldito atendente deste hotel?

— Tenho certeza de que ele já está chegando. Eu poderia perguntar ao senhor qual foi a primeira coisa que o atraiu na Sra. Remington, quando a conheceu?

— Ela era pura, simples, como se fosse uma massa de argila à espera de um artista para lhe dar forma. Soube imediatamente que ela havia sido criada para ser minha. Fui eu que a esculpi. — E seus dedos se flexionaram nas pontas, com moderação. — Não imaginava, na ocasião, quantas imperfeições graves ela tinha nem o trabalho que aquilo ia me dar. Mas eu me dediquei totalmente a ela.

Ele se inclinou para a frente, com o corpo vibrando, de tanta tensão.

— O senhor sabe por que foi que ela fugiu?

— Não. Por quê?

— Porque é fraca... e burra. Fraca e burra. Fraca e burra. — Ficou repetindo isso inúmeras vezes, enquanto cerrava os punhos com força. — E eu descobri onde ela estava porque não sou nem uma coisa nem outra. — Virou-se para olhar para o pulso, como se estivesse vendo as horas no Rolex que já não estava ali. — Já está na hora de eu sair, não está? Já está na hora de eu ir buscar Helen e levá-la de volta para casa. Ela tem muitas explicações a me dar. Chame a recepção, para que venham buscar minhas malas.

— O atendente já está vindo! Conte-me o que aconteceu naquela noite, na Ilha das Três Irmãs.

— Não me lembro bem. De qualquer forma, não é importante. Agora, com licença, porque eu preciso tomar o avião.

— Há tempo de sobra! — Harding manteve a voz suave e casual, enquanto Remington começou a se remexer na cadeira. — Então, o senhor foi até lá para encontrá-la. Ela estava vivendo na ilha. O senhor deve ter se sentido muito feliz por saber que ela ainda estava viva, afinal.

— Morando em um barraco, pouco mais do que um depósito de ferramentas. A piranhazinha! Com lanterninhas de abóbora enfeitando a varanda para o Dia das Bruxas e um gato dentro de casa. E havia algo de muito errado com a casa. — Passou a língua sobre os lábios. — A casa não queria me deixar entrar.

— A casa... não o queria deixar entrar?

— Ela cortou o cabelo bem curto. Eu não tinha dado permissão para que ela fizesse isso. Ficou parecendo uma mulher da vida. Agora, precisa ser punida, tenho que ensinar a ela. Tenho que lembrar a ela quem é que manda. Ela me obrigou a machucá-la. — Remington balançou a cabeça. — Implorou por isso.

— Ela lhe pediu para que batesse nela? — perguntou Harding, com cautela. Algo dentro dele se arrepiou, algo feio e irreconhecível. Algo que foi *estimulado* pela ideia.

Essa reação interna o deixou chocado e assustado e quase o fez se afastar mais uma vez. Mas, então, Remington já estava novamente falando.

— Ela não aprende!... Será que é assim tão tapada? É claro que não. Ela adora a punição. Fugiu quando matei seu amante. Só que ele acabou voltando dos mortos — continuou ele. — E claro que eu tinha todo o direito de matá-lo por tentar roubar o que me pertencia. Tinha todo o direito de matar os dois. Mas... quem eram todas aquelas pessoas?

— Que pessoas?

— No bosque — explicou Remington, com impaciência. — As mulheres que surgiram de dentro do bosque. De onde vieram? O que é que elas tinham a ver com o nosso assunto? E ele, o amante dela! Por que simplesmente não morreu quando eu o matei? Que tipo de mundo é este em que estamos?

— O que aconteceu no bosque?

— O bosque... — Ele esfregou os lábios, um sobre o outro, enquanto soltava o ar através deles, ruidosamente. — Há monstros no bosque, em toda parte. Feras escondidas por trás do meu rosto. Circulando por baixo da minha pele. Depois, uma luz forte, dentro de um círculo. E então, fogo... E o clamor de muitas vozes. E gritos. Quem estava gritando? *Enforquem a bruxa! Não a deixem escapar com vida. Temos que matá-las todas, antes que seja tarde demais!*

Agora ele gritava, rugindo como um louco varrido. Quando os atendentes do sanatório entraram e ordenaram a Harding que saísse, ele pegou o gravador com as mãos trêmulas e nem olhou para trás.

Não viu, porém, o brilho ardiloso nos olhos de Remington.

Ripley tentava, com muita dificuldade, lidar com a papelada na delegacia. Perdera a disputa de cara ou coroa com Zack, o que a deixara irritada por toda a manhã, já que uma falsa primavera se instalara sobre a ilha, e ela estava presa ali dentro. A temperatura chegou a quase dezesseis graus à tarde, e ela continuava trancada, fazendo aquele trabalho burocrático.

A única coisa boa é que Zack não estava por perto; então Ripley estava livre para fazer todas as caretas a que tinha direito e xingá-lo de todos os nomes que lhe passavam pela cabeça, sempre entre os dentes. Quando a porta da delegacia se abriu, ela se preparou para xingá-lo pessoalmente, cara a cara. Mas foi Mac quem entrou, trazendo o que lhe pareceu ser todo o estoque de tulipas da Holanda.

— O que está fazendo? Vai abrir uma floricultura?

— Não. — E, atravessando a sala, ele entregou-lhe o pesado arco-íris de flores primaveris: — Feliz Dia dos Namorados!

— Ah, bem... Puxa! — Embora seu coração se derretesse como manteiga, seu estômago deu um pulo, e ela ficou sem saber o que dizer. — Ahn...

— É nessa parte do filme que você me agradece e me dá um beijo — sussurrou Mac, tentando ajudá-la.

— Obrigada.

Havia tantas flores que ela teve que colocá-las ao lado do corpo para conseguir alcançá-lo e lhe dar um beijo. E, embora preferisse manter essa parte do ritual em um nível bem leve, ele simplesmente a enlaçou, puxando-a mais para perto, e colou a boca na dela, sugando-a para um mundo suave, liso e agradável.

— São tantas flores — disse ele, tornando a esfregar o lábio sobre o dela, excitando a ambos. — Diga "obrigada", mais uma vez.

— Obri... — Mas ele tomou-lhe a boca com mais força dessa vez, até que Ripley sentiu a pele de todo o corpo formigar e levantou mais o corpo, ficando na ponta dos pés.

— Agora já deu para agradecer — disse ele, correndo as mãos para cima e para baixo nas laterais do corpo dela.

— Acho — Ripley teve que limpar a garganta — que as flores são realmente lindas. — Sentiu-se tola enquanto as segurava e mais tola ainda porque sentiu vontade de enterrar o rosto nelas e cheirar para sentir o perfume, como se fosse um cãozinho. — Mas, Mac... você não precisava me trazer flores. Eu não ligo muito para essa história de Dia dos Namorados.

— Sei, sei... É uma data inventada pelo comércio, como pretexto para aumentar as vendas, blá-blá-blá... E daí?...

Ele a fez rir, e ela de repente deixou de se sentir tola.

— Tem um bocado de tulipas aqui. O florista deve ter se colocado de joelhos e chorado de alegria quando você saiu da loja. Deixe ver se eu tenho alguma jarra por aqui, onde possa colocá-las.

Mas Ripley acabou tendo que se arranjar com um balde velho de plástico. Mesmo assim se deixou envolver pelo clima e ficou cheirando as flores e suspirando enquanto enchia o recipiente com água da torneira no banheiro.

— Vou arrumá-las melhor quando chegar em casa — disse, em tom de promessa, quando saiu do banheiro com o presente dentro do velho balde. — Eu nem sabia que existiam tulipas em tantas cores diferentes. Acho que nunca prestei atenção nisso.

— Minha mãe adora tulipas. Ela... como é que se diz?... aperta os bulbos em pequenos recipientes de vidro para forçar o crescimento deles, mesmo em pleno inverno. Faz isso todos os anos.

— Aposto que você mandou entregar flores para a sua mãe, hoje — disse Ripley, enquanto colocava o vaso improvisado sobre a mesa.

— Claro que mandei!

— Você é um tremendo namorado, Dr. Booke. — Ela olhou para ele, balançando a cabeça.

— Você acha? — Enfiou a mão no bolso do casaco, franziu a testa e passou a remexer no bolso do outro lado. Acabou tirando lá de dentro um doce em forma de coração e o colocou na palma da mão de Ripley.

Seja só minha, ela leu, sentindo de novo aquela fisgada na barriga.

— E então, o que você acha? — Esticou o braço, dando um puxão carinhoso no rabo de cavalo dela. — Vai querer ser a minha namorada ou não?

— Caramba, você realmente está levando a data a sério, não? Acho que fiquei sem saída. Agora vou ter que ir para a rua, a fim de comprar um cartão bem meloso para você.

— É o mínimo que pode fazer. — Ele continuou a brincar com a sua massa lisa de cabelos, passando-os entre os dedos. — Escute, a respeito de hoje à noite. Eu não me lembrei que era Dia dos Namorados quando combinei tudo com Mia. Se você quiser, posso marcar o trabalho com ela para outro dia, e nós podemos sair para jantar, dar uma volta de carro, o que você quiser.

— Ah... — Dia dos Namorados, 14 de fevereiro, já era sábado, lembrou então. Tinha feito o possível para bloquear aquele desagradável fato da sua cabeça. Agora ele estava lhe oferecendo o pretexto perfeito para adiar o encontro com Mia. Adiar uma coisa que era importante para a pesquisa que estava fazendo.

É, pensou ela, com um suspiro romântico interior, *ele era realmente uma pessoa especial.*

— Não, Mac, não se preocupe com isso. Já está tudo combinado entre vocês, há dias.

— Você podia ir até lá comigo.

Quando ela fez menção de se virar para o outro lado, ele a manteve no lugar com a mão no cabelo dela, transformando um gesto de ternura em um ato que a fez voltar à realidade com apenas um leve flexionar dos dedos.

— Não sei o que vou fazer, Mac. Não conte comigo.

— Tudo bem, você é quem sabe. — Ele odiava vê-la dividida, mas não conhecia nenhuma forma de amenizar as coisas. — Há alguns assuntos sobre os quais eu gostaria de conversar com você. Se resolver não dar uma passada na sessão de Mia, dá para você ir lá em casa depois?

— Sobre que assuntos você está querendo conversar?

— Vamos falar disso mais tarde. — Ele deu um último puxão no cabelo dela antes de se encaminhar para a porta. — Ripley... — disse ele, parando para se virar, já com a mão na maçaneta, e olhando para ela. Com uma arma no coldre e um balde velho com tulipas do outro lado, ela estava uma figura ímpar. — Sei muito bem que nós estamos nos lados opostos da mesma linha, em uma área. Se nós dois conseguirmos compreender o porquê disso, aceitar os fatos e aceitar um ao outro, estaremos bem.

— Você é tão irritantemente centrado... — replicou ela, com um sorriso.

— Eu sei. Meus pais gastaram uma nota para conseguir isso.

— Com psicólogos? — perguntou, provocando-o com uma careta zombeteira.

— Acertou na mosca! Vejo você mais tarde.

— Certo — murmurou Ripley, quando a porta se fechou atrás de Mac. O problema todo é que *ela* não conseguia ser tão centrada e estável. Porque sabia, no fundo, que já estava completamente louca por ele.

Ficava difícil para uma mulher manter a dignidade e a fama de durona quando se deixava ser vista pela rua circulando com um balde cheio de tulipas multicoloridas. Passava a ser uma tarefa impossível quando esta mesma mulher era pega em flagrante, logo depois, procurando com todo o cuidado um cartão para o Dia dos Namorados em um mostruário, no qual haviam sobrado poucos.

— Eu gostei muito deste aqui! — Era Gladys Macey que chegara junto de Ripley e expressara sua não solicitada opinião, batendo com a ponta do dedo em um cartão gigantesco, onde estava impresso em relevo um igualmente imenso coração cor-de-rosa. Ripley fez de tudo para não se mostrar embaraçada diante disso.

— Gostou?

— Comprei um desses para o Carl há uma semana, e ele adorou quando eu o entreguei para ele, hoje de manhã. Os homens gostam de cartões tamanho gigante. Isso deve fazer com que se sintam mais másculos.

Sem ter nenhuma dúvida de que Gladys sabia muito mais a respeito desses assuntos do que ela, Ripley arrancou o cartão do mostruário.

— Veja só, não sobrou nenhum destes. Foi o último — comentou. — Que sorte a minha!

— Sorte mesmo. — E Gladys se inclinou para o lado para apreciar as flores. — Deve haver quatro dúzias de tulipas aí com você.

— São cinco dúzias — corrigiu Ripley. Droga, ela havia contado as tulipas, uma por uma. Não conseguira evitar.

— Cinco dúzias! Humm... E elas custam uma fortuna, nesta época do ano. Estão lindas; mais parecem uma pintura. Você ganhou algum bombom também?

— Mais ou menos — disfarçou Ripley, lembrando-se do docinho em forma de coração que enfiara no bolso.

— Ah... Ganhou doce também!... — E Gladys assentiu com a cabeça, com um jeito de quem sabe das coisas: — Nesse caso, o seu namorado está completamente gamado.

— O que foi que a senhora disse? — perguntou Ripley, quase deixando a água das flores entornar.

— Eu disse que esse homem está gamado por você.

— “Gamado”. — Alguma coisa fez cócegas na garganta de Ripley, mas ela não estava certa se era uma fisgada de pânico ou uma simples vontade de rir. — Essa é uma palavra que anda muito na moda por aqui, não é? Por que será?

— Ora, minha filha, pelo amor de Deus!... Um homem jamais compra um carregamento de flores para uma mulher e ainda lhe oferece doces e tudo o mais no Dia dos Namorados só para ver se consegue uma parceira para jogar canastra. Não sei o que é que faz os jovens serem tão cabeças--duras quando se trata dessas coisas.

— Bem, Sra. Macey, eu simplesmente achei que ele era mais uma dessas pessoas que gostam de fazer a fábrica de cartões pular de alegria em datas festivas.

— Não, não! — explicou Gladys. — Os homens não são dados a gestos de grandeza como esse, a não ser que alguém lembre a data para eles, ou então estejam enrascados, se sintam culpados ou completamente gamados. — Enquanto enumerava essas possibilidades, ia contando-as nos dedos, exibindo as unhas recém-pintadas na cor vermelho-paixão. — Sei disso por experiência. Você por acaso lembrou a ele que dia era hoje?

— Não. Eu mesma tinha esquecido.

— Vocês brigaram?

— Não — afirmou Ripley.

— Há algo que você saiba ou de que se lembre que possa estar fazendo com que ele se sinta culpado?

— Não, não há nenhum motivo em particular para fazê-lo se sentir culpado.

— Então, pronto. O que foi que sobrou?

— Pela sua linha de raciocínio, o "está gamado". — Ela ia precisar fazer uma análise a respeito disso. Ficou pensativa, estudando o cartão que estava em sua mão. — Quer dizer que eles gostam mesmo de cartões grandes?

— Tenho toda a certeza. E você, por favor, me coloque essas flores lindas em uma jarra bem bonita. São maravilhosas demais para ficarem nesse balde velho e horroroso. — Deu uma palmadinha no ombro de Ripley, antes de se virar e ir embora.

Assim que tivesse chance, Gladys iria começar a espalhar para todo mundo que a delegada da ilha estava interessada no novo visitante, o pesquisador que viera do continente. E vice-versa.

O pesquisador do continente, por sua vez, já estava de volta ao trabalho. Já tinha estudado, organizado e registrado os inúmeros e variados dados que apareceram nos aparelhos na noite em que passara com Ripley. Estava formulando teorias, hipóteses, e tentando chegar a conclusões lógicas.

Não havia anotado a hora em que ele e Ripley tinham feito amor. Sua cabeça estivera ligada em coisas mais importantes, naquele momento. Também não tinha cronometrado a duração do evento. As fitas com os gráficos, no entanto, partindo do princípio de que suas teorias sobre dispersão de energia estavam corretas, apontavam com precisão para os minutos certos.

As máquinas tinham registrado todos os picos de energia, um após outro, os movimentos da agulha para cima e para baixo, as longas e estáveis subidas, todas as flutuações. Não era interessante ele não ter percebido o barulho das máquinas trabalhando, enquanto as medições estavam sendo feitas? Isso era a prova de que ele estivera completamente absorvido por ela.

Agora tinha nas mãos um registro tangível de tudo o que eles haviam proporcionado um ao outro naquela noite. Era, de um modo singular, algo muito excitante.

Começou a medir o tempo pelas distâncias entre os picos e os vales do traçado, calculando as variações de energia entre eles e a intensidade de saída de cada um.

Nesse momento, teve que se levantar e circular um pouco pela sala, até conseguir parar de imaginá-la nua, para poder voltar a se concentrar nos fatos científicos.

— Neste ponto há um padrão de longa duração e bem estável, com baixos níveis de energia. — Deu uma mordida em uma maçã, enquanto levantava os óculos e os colocava sobre a testa. — Período estacionário depois do ato. Devíamos estar simplesmente deitados lá, um ao lado do outro. Lassidão, conversa de travesseiro. Fazia sentido. Mas então... por que os registros começavam a se alterar novamente, logo adiante na fita de registro?

Pareciam passos, formando uma escada, ele notou. Uma subida brusca e logo depois uma superfície elevada e plana. A seguir, mais uma subida e outro platô.

Tentou raciocinar. Ela se levantara para pegar a pizza e foi até a cozinha para trazer também duas garrafinhas de cerveja. Talvez naquele momento ela estivesse pensando em fazer amor novamente. Ele não se importava de achar que fosse isso. Era um belo alimento para o ego.

Mas isso não explicava a abrupta e violenta emissão de energia que aconteceu em seguida. Não havia um padrão de subida gradual. Mais parecia um foguete decolando. E Mac não conseguiu encontrar nenhuma explicação para uma possível fonte externa que pudesse ter provocado aquilo, nem um acúmulo residual de energia.

Pelo que conseguia se lembrar, nesse exato momento ele estava em uma espécie de cochilo gostoso, sentindo-se como se estivesse flutuando ao final de um longo dia, enquanto aguardava a volta dela. Lembrou-se de que havia pensado na pizza, de comê-la na cama com ela, os dois nus. Aquela tinha sido uma imagem muito agradável, mas com certeza não tinha sido ele, Mac, o causador de um registro forte como o que tinha nas mãos.

Por conseguinte, a responsável era Ripley. Como e por quê? Essas eram as dúvidas.

Será que acontecera algum tipo de efeito pós-excitação? Poderia ser isso. O problema é que tais efeitos pós-evento nunca eram tão poderosos quanto a trepidação energética inicial, e aquele registro em suas mãos parecia subir repentinamente até o céu.

Se ao menos conseguisse recriar tudo o que acontecera, passo a passo... Essa era uma boa ideia. É claro que teria que encontrar um meio delicado de propor isso a ela.

Eles realmente precisavam conversar muito.

Dando outra mordida na maçã, Mac se sentiu feliz, simplesmente por se lembrar do olhar espantado dela quando entrara na delegacia carregando todas aquelas flores naquela manhã. Ele gostava de surpreender Ripley daquele jeito e depois ficar apreciando a maneira como ela tentava lidar com os próprios sentimentos.

Simplesmente adorava ficar observando tudo o que ela fazia.

Ficou imaginando quanto trabalho teria para convencê-la a fazer uma viagem com ele, talvez na primavera. Tinha que ser antes de ele se enterrar por completo nos seus dados para transformá-los em teorias e conclusões e escrever um livro. Poderiam dar uma parada rápida em Nova York. Mac queria que ela conhecesse sua família.

Depois, poderiam ir para algum lugar especial por alguns dias, qualquer local que ela quisesse. Ele não era exigente em relação a isso.

Queria apenas algum tempo a sós com ela, longe dali, longe do trabalho. Isso poderia ajudá-lo a avaliar, com mais cuidado, outra das hipóteses na qual andava trabalhando, naquele momento — a de que estava se apaixonando por ela.

Ripley decidira manter-se a distância do que quer que fosse acontecer na casa de Mia, naquela noite. Já que Zack resolvera acompanhar Nell, ela teria a casa todinha só para si, para variar. Pretendia aproveitar a oportunidade para ligar o som no volume máximo, comer bastante porcaria e assistir a um filme de ação daqueles bem ruins na TV a cabo.

Ela já vinha gastando quase todo o tempo livre com Mac, e talvez isso fosse parte do problema. Um pouco de tempo sozinha, curtindo o próprio espaço, era justamente do que estava precisando.

Poderia liberar um pouco de energia acumulada, levantando alguns halteres, e depois disso tomaria um banho bem quente, gostoso e demorado. Por fim, ela se sentaria no sofá, devidamente abastecida com uma tigela imensa de pipocas com muito sal e manteiga, na companhia de seus dois amigos do reino animal, Lucy e Diego.

Imbuída desses planos, ligou o som em um volume de arrebentar os tímpanos de qualquer incauto no quarto extra que usava para fazer seus exercícios de musculação e foi, com a cadela e o gato seguindo-a pela casa como duas sombras, até o quarto, já se preparando para vestir a roupa de ginástica.

E lá estavam as tulipas, dominando o espaço sobre a cômoda com sua explosão de cores. O ar estava doce com o perfume delas.

— Dia dos Namorados é apenas uma armação do comércio para aumentar as vendas, uma enrolação! — disse em voz alta, mas logo a seguir desistiu, derrotada. — Mas que funciona, não havia dúvidas.

Pegou o cartão que comprara para entregar a Mac. Não demoraria muito dar uma corrida até o chalé e enfiá-lo por baixo da porta. Pensando bem, seria até melhor se ela não tivesse que entregá-lo a ele, cara a cara, algo assim tão... açucarado.

Colocaria no cartão uma observação, dizendo-lhe que eles poderiam se encontrar no dia seguinte. Quanto mais pensava sobre isso, menos queria conversar sobre sabe-se lá que assunto ele estava querendo abordar depois de voltar de sua sessão de bruxaria.

Já não se importava se isso não era justo, fora da realidade ou até mesmo tolo. Por enquanto, e pelo máximo que conseguisse evitar, queria manter o que quer que eles estivessem sentindo um pelo outro separado do trabalho dele e do seu... dom.

Ripley jamais se apaixonara na vida. O que havia de errado em ficar agarrada a esse sentimento, curtindo-o por mais algum tempo, e adiar todo o resto?

— Tudo bem, pessoal, volto em dez minutos — avisou a Lucy e a Diego. — Não bebam, não fumem nem façam ligações interurbanas enquanto eu estiver fora, ouviram bem?

E, agarrando o cartão, dirigiu-se para a porta que dava para a varanda externa.

No momento em que pisou na areia, em segundos o céu se transformou, e uma tempestade ameaçadora se formou. O vento lhe açoitava o rosto como se fosse um chicote com pontas de gelo. O ar estava azul-claro e brilhante de tantos relâmpagos. Ela se sentiu girando e girando através dele, voando em uma corrente arrebatadora de um poder que lhe pulsava sobre a pele como mil corações.

Na areia havia um círculo de fogo com chamas brancas, e ela estava dentro dele e também acima e em torno.

Três figuras formaram também um círculo dentro dele. Ela viu a si mesma, na verdade não era ela, unir as mãos com as irmãs. E os cânticos que subiam para o ar cantarolavam também dentro dela.

Então se viu, ainda que não fosse ela mesma, de pé, além do círculo brilhante. Braços estendidos e mãos vazias. E um profundo sentimento de pesar foi lançado daquele coração solitário para dentro do seu próprio.

De repente, ela se viu de novo, exatamente como era na realidade e como deveria ser. Viu a sua imagem viva e alerta no meio da tempestade. Estava além do círculo em que as três irmãs aguardavam. O ódio e o poder se entrelaçavam dentro dela.

Um homem se lançou, encolhido, a seus pés, enquanto outro corria ao encontro dela no meio da escuridão violenta. Mas ela não podia ser alcançada. Jamais seria alcançada. Em suas mãos estava a brilhante espada de prata da justiça. Com um grito, ela a brandiu para baixo.

E destruiu a todos, então.

Acordou em seguida esparramada sobre o piso da varanda, tremendo incessantemente, indefesa, na noite agradável. Sua pele estava encharcada de suor, e havia no ar um cheiro penetrante de ozônio. Sentiu o estômago se contrair enquanto se arrastava de joelhos.

Sentindo-se fraca demais para se colocar de pé, ficou ali por mais algum tempo, balançando-se suavemente para a frente e para trás, tomando grandes golfadas de ar para alimentar seus pulmões famintos. O terrível rugido em sua cabeça foi cedendo lentamente até se transformar no ruído suave das ondas do mar que quebravam na praia.

Aquilo nunca lhe tinha vindo daquela forma, jamais de modo tão abrupto nunca de forma tão física. Nem mesmo quando ainda praticara regularmente as artes da Magia, quando de bom grado ainda ansiava por tais experiências.

Tentou rastejar de volta até o quarto, para se recurvar no tapete em meio à escuridão e choramingar como um bebê. E foram os pequenos e lamentáveis ruídos que vinham do fundo de sua garganta que a fizeram se esforçar para ficar de pé, até que finalmente conseguiu forças para ficar de joelhos e sentir que já estava novamente respirando de modo profundo e estável.

Com as visões ainda latejando em seu cérebro, conseguiu se levantar e com supremo esforço começou a correr sem parar.

Capítulo Treze

— Você tem certeza de que quer participar disso? — Nell segurou a mão de Zack e deliberadamente diminuiu o passo.

Nuvens finas flutuavam acima deles, filtrando a visão das estrelas. As formas arredondadas da lua em quarto minguante tinham um tom de branco suave, à espera. Nell conhecia bem, até mesmo no escuro, o caminho que levava pelos jardins de Mia, ao lado dos penhascos salientes, até as profundezas da floresta imersa no ar de inverno. Com a mão quente e entrelaçada na de Zack, deixou Mia e Mac se afastarem, e viu quando eles desapareceram, um pouco mais à frente.

Nell conseguia ouvir o som da voz de Mia como se fosse uma trilha de música na noite que ecoava por entre as árvores e sombras.

— Você preferia que eu ficasse aqui, ou voltasse? — perguntou Zack.

— Não. É só que você... nunca tinha vindo comigo antes.

— Você nunca tinha me convidado antes.

— Não é que você não seja bem-vindo — explicou Nell, enquanto seus dedos se entrelaçavam mais ainda nos dele, e parara completamente de andar. Agora conseguia ver as feições de Zack claramente. Sob a tênue luz das estrelas, enxergava o arco de suas sobrancelhas, e ele sorriu. — Isto é... não exatamente.

— A minha presença aqui faz com que você se sinta desconfortável? — Em um lento e suave movimento, Zack levantou as duas mãos entrelaçadas e as levou até os lábios.

— Não exatamente desconfortável. Um pouco nervosa, talvez. — Porque estava nervosa, tocou-o com ternura, fazendo com que a ponta dos seus dedos deslizasse sobre os braços dele. — Não estou certa sobre como você poderia reagir, como você vai se sentir a respeito desta parte de mim mesma.

— Nell... — Zack colocou as mãos sobre os ombros dela e os afagou, delicadamente. — Eu não sou como o James Stephens.

— Quem?

— Você sabe, James, marido da Samantha, do antigo seriado de TV A Feiticeira. Você pode torcer o nariz que eu não vou ficar emburrado por causa disso.

Levou algum tempo para entender o que Zack dissera, mas então enlaçou a cintura dele com os braços. Todo o medo, o nervosismo, as dúvidas e as preocupações foram totalmente sobrepujados pela alegria, e Nell disse:

— Eu amo você, sabia?

— Sabia. Mas há mais uma coisa. Vim até aqui disposto a manter a mente aberta e não trazer esse assunto à baila, mas... — Ele olhou na direção em que Mac havia desaparecido, nas profundezas da escuridão à frente deles, ao lado de Mia. — É que já andei lendo muita coisa a respeito desses rituais de Magia e sei que às vezes envolvem ficar sem roupa. Não me importa o quanto estúpido isso possa parecer, mas quero que você mantenha a sua roupa sobre o corpo quando Mac estiver por perto.

— Mas ele é um cientista. É como se fosse um médico — explicou Nell, tentando esconder o divertimento que sentiu ao ouvi-lo falar assim.

— Estou me lixando para isso. Nessa área em particular, eu *sou* o James Stephens.

— Bem, James, o tempo não está assim tão quente para trabalharmos despidas. E, para ser completamente sincera com você, eu sempre me mantenho vestida, mesmo quando estamos apenas eu e Mia. Pelo jeito, sou uma bruxa muito recatada.

— Acho ótimo!

Eles recomeçaram a caminhar, Zack deixando com que Nell o conduzisse pelos meandros do caminho.

— Mas, quer dizer então que... Mia vai ficar pelada?

— Não dizemos "pelada". "Despida" é uma palavra menos vulgar — corrigiu Nell. — E não sei por que você está tão interessado em saber disso.

— Ora, puramente pelo ponto de vista acadêmico.

— Sei!... Estou sabendo. — E riu, dando um pequeno empurrão nele.

Estavam ainda brincando sobre isso quando chegaram à clareira.

Sombras em um tom de cinza-escuro que parecia fumaça formavam um anel em volta do espaço vazio no solo. Meadas entrelaçadas de ervas ressecadas e correntes feitas com cristais estavam penduradas nos galhos secos das árvores sem folhas. Três pedras iguais com a superfície superior plana estavam colocadas no centro da clareira, formando um triângulo, como se fosse uma espécie de altar. Mac estava agachado diante delas, ocupado, fazendo registros com um aparelho e algumas anotações em seu bloco.

Mia não dera permissão para que Mac levasse a câmera de vídeo nem o gravador. Não houve jeito nem argumento que a demovessem da condição que impusera a esse respeito. No entanto, autorizara a presença dos sensores e o bloco de anotações de Mac.

E a sua mente.

Mia já tinha colocado no chão a mochila que carregava e agora caminhava em direção a Zack para pegar a mochila de Nell, que ele trouxera.

— Vamos dar ao nosso cientista a oportunidade de brincar um pouco com os instrumentos dele, que tal? — sugeriu Mia, fazendo um gesto na direção de Mac. — Ele está tão feliz!

Ela então passou levemente as mãos sobre os ombros de Nell:

— Não há motivo para ficar nervosa, irmãzinha.

— É que estou me sentindo um pouco estranha. E ainda sou muito nova em tudo isso, você sabe.

— O seu marido está aqui, ao seu lado, apoiando você. Só por esse motivo, você já está chegando aqui muito mais poderosa do que quando participou do ritual pela primeira vez, além de muito mais consciente e confiante em si mesma. — Desviou o olhar, fazendo-o pousar em Zack e estudando o seu rosto. — Será que você não consegue sentir o orgulho que ele tem de você? Pelo que você é? Algumas de nós jamais conseguem alcançar essa mágica vital. Sem ela, a luz jamais consegue ser brilhante o bastante.

E, como que para incentivar tanto Nell quanto a si mesma, Mia deu um novo e carinhoso aperto nos ombros da amiga, antes de se virar e seguir até o centro da clareira, para se unir a Mac.

— Mia é muito solitária... — confidenciou Nell a Zack. — Ela não pensa no assunto, é tão confiante e tão completa que ninguém percebe. Há momentos, porém, em que sinto tanta solidão nela que chega a doer.

— Você é uma boa amiga, Nell.

Mia riu bem alto de alguma coisa que Mac dissera e a seguir girou o corpo, tornando a se afastar dele, movimentando a silhueta com graça e suavidade. Não era bem uma dança, Mac concluiria mais tarde. Ainda assim, havia alguma coisa de bailado naqueles movimentos ritmados. Seu longo vestido cinza rodou em torno de seu corpo em ondas suaves, até se acalmar e descer lentamente quando ela levantou os braços. E o tom de sua voz, rico, grave e cheio, era pura música.

Este é o nosso lugar, o lugar das Três. Foi invocado e criado pela necessidade e através do conhecimento; pela esperança e pelo desespero; através do Poder, ele se afastou da morte, do medo e da ignorância. Este é o nosso lugar — repetiu ela. — *Legado a nós, das Três para as Três.*

Embora esta noite sejamos apenas duas.

Mac se levantou lentamente, e se pôs de pé. Mia estava se transformando diante de seus olhos. Seus cabelos estavam com uma cor mais vívida, e sua pele rebrilhava como mármore polido. Sua beleza, já estonteante, aumentou de intensidade, como se um véu tivesse sido levantado da frente do seu rosto.

Mac ficou imaginando se Mia estava usando magia para aumentar a sua beleza naquele momento, ou se ela utilizava seus dons para enevoar a sua verdadeira imagem maravilhosa durante o resto do tempo. E xingou baixinho, lamentando a falta que o equipamento de vídeo fazia.

— Estamos aqui para dar graças e para honrar as que vieram antes de nós. Para oferecer respeito e relembrar que este solo é sagrado. Você será bem-vindo aqui, MacAllister Booke, sempre que for convidado. Não vou insultá-lo pedindo que prometa jamais vir aqui de outra forma.

— Você tem minha promessa, mesmo assim.

Mia inclinou a cabeça em direção a ele, em um reconhecimento magnânimo.

— Zack, você pertence a Nell, e este lugar é dela, tanto quanto meu. Portanto, é seu também. Pode fazer perguntas, se desejar. — E acrescentou, enquanto se abaixava para abrir a mochila: — Embora eu imagine que o Dr. Booke vai saber a maior parte das respostas.

Por sentir que aquele tinha sido um pedido implícito de assistência a Zack, Mac atravessou a clareira e se colocou ao lado do outro homem.

— As velas que elas estão retirando da mochila são velas rituais — começou a explicar, olhando para Zack. — Creio que Mia e Nell já devem tê-las consagrado e inscrito nelas as palavras sagradas. Esta noite, estou notando que elas estão utilizando prata, representando a deusa, a forma gêmea do masculino. O Poder feminino. Os símbolos inscritos me parecem...

Ele esticou o pescoço, apertando os olhos para ver melhor, a distância.

— Ah, sim! Representam os quatro elementos. Terra, Ar, Fogo e Água. Mia não quis me dizer que ritual estava preparando para esta noite, mas, pelos preparativos, está me parecendo que vai ser um chamado para os quatro elementos. Uma oferenda que simboliza o respeito — continuou ele. — Talvez também um pedido para interpretação de sonhos ou clarividência. Eles são representados pelas velas com base de prata, também. E um ritual muito atraente e cativante.

— Mac, você já viu tudo isso antes... — falou Zack em tom de afirmação, mais do que de pergunta, enquanto observava a própria mulher, que naquele momento removia da mochila uma pequena faca.

— Sim, já vi. Se o ritual conseguir gerar uma quantidade grande de energia, você poderá sentir uma vibração, tipo um formigamento, no ar que respirar. Mesmo que isso não aconteça com tanta intensidade, meus sensores irão captar o aumento de energia. Elas vão formar um círculo e devem acender as velas com fósforos longos, que têm que ser de madeira.

— Fósforos longos? — repetiu Zack, sentindo um sorriso de empolgação surgir-lhe no rosto. — Puxa, isso tudo é empolgante! — E, achando tudo aquilo realmente interessante e fascinado pela mulher, Zack enfiou as mãos nos bolsos e balançou o corpo para frente e para trás, sobre os calcanhares.

Mac começou a fazer anotações rápidas no seu caderno, enquanto elas formavam o círculo, entoando cânticos. Aquela era uma formação dentro dos padrões que ele já conhecia, apresentando poucas variações em relação a outros rituais, cânticos e cerimônias que ele observara no passado.

— É uma pena que o tempo esteja nublado — comentou ele, enquanto verificava as novas leituras no sensor. — Bem que eu gostaria de um pouco mais de luz...

— Uau! — exclamou de repente, com partes iguais de choque e fascinação, dando um passo para frente e esquecendo o caderno de anotações.

Do centro do círculo, Mia e Nell acenderam todas as velas de uma vez sem usar fósforo algum, com um simples movimento de braço.

— Ué... Eu pensei que você já tivesse visto esta cena antes — disse Zack.

— Não assim. Jamais desse jeito. — E, sentindo-se mesmerizado, Mac deu um passo para trás e se pôs a trabalhar. Mia disse, então, levantando a voz:

Aqui estamos nós duas, e trazemos outros dois.
Um veio por amor, e o outro, por conhecimento.
Um para ser acalentado, e o outro para ser instruído.

E pegou a sua varinha.

— Todos estes instrumentos são recursos — disse ela, em tom calmo, de conversa usual. — Recursos devem ser respeitados. — E abriu um pequeno pote, de onde tirou um punhado de pétalas. — Isto é íris, para trazer sabedoria.

Ao lado, no fundo de outro pote, Nell pegou um ramo de alecrim, dizendo:

— E isto é para trazer a energia do amor. — Pegando sua faca ritual, desenhou com a ponta dela alguns símbolos na terra. — E aqui nós os entrelaçamos, aqui os unimos, o amor e a sabedoria, ambos abençoados pela esperança, tanto dentro do círculo como fora dele, e, assim instruídos e acalentados, eles vencerão o medo e banirão a dúvida.

— Deixemos nossos corações e mentes abertos e livres — continuou Mia, espargindo ervas e flores em uma bacia ritual larga. — Só então poderemos consumar nossos destinos. E estas duas dádivas que ambas valorizamos, permitimos agora que os dois que aqui estão testemunhem e aprendam com o que fazemos aqui. Neste lugar e nesta noite, abrimos o nosso ritual para os olhos deles. E isto eu faço de bom grado e boa vontade.

— Assim como eu — respondeu Nell.

— Tudo pronto, então. Alguma pergunta, professor?

— Eu nunca tinha assistido a este ritual em particular.

— O que fizemos aqui foi tomar uma pequena precaução. Não queríamos que vocês dois fossem tomados por simples *voyeurs*. Considere isto como um simples ato de aquecimento para a apresentação principal. De qualquer modo, devo avisá-los de que vocês não devem, sob nenhuma hipótese, se aproximar nem tentar entrar no círculo, depois que nós começarmos. Entendido?

— Entendido!

— Então...

— Só mais uma pergunta. — Mac levantou o indicador.

— Faça — assentiu Mia, com um movimento da cabeça.

— O que é este lugar?

Mia levantou a mão, com a palma para cima e os dedos delicadamente flexionados, como se segurasse nas mãos algo muito precioso. O ar em torno — Mac seria capaz de jurar — começou a pulsar.

— Este lugar... — disse ela, solenemente — ... é o coração.

E então abaixou com suavidade a mão, acenando com a cabeça para Nell. — Que seja abençoado, irmãzinha.

Nell respirou fundo e prendeu o ar nos pulmões enquanto levantava os braços, chamando.

— Invoco Ar, que é doce mas também inquieta. Em seu peito o meu coração vai bater. Ela vai se levantar, girar e emitir seu quente sopro, virá agitar o vento, mas sem trazer o Mal. Eu sou Ar! — gritou ela, ao mesmo tempo em que os cristais pendurados em volta começaram a balançar, emitindo sons musicais. — E ela sou eu. Sempre serei, e que assim se faça.

O vento girou em redemoinhos leves, dançando no ar da noite que até há poucos minutos estivera completamente sereno. Mac conseguiu perceber o cheiro do mar e o sentiu sussurrar, depois atingir com frescor seu rosto e seus cabelos.

— Fantástico! Realmente fantástico! — foi tudo o que conseguiu dizer, enquanto observava Mia espelhar os gestos de Nell, pouco antes de esta começar a entoar um cântico.

— Invoco Fogo, e que ela traga seu calor e sua luz. Em seu coração, a vida queima, forte e brilhante. É uma chama forte como o sol, que chega sem trazer o Mal. Eu sou Fogo, e ela sou eu. Sempre serei, e que assim se faça.

As velas prateadas se iluminaram e se acenderam com a força de tochas, e todo o círculo, com um brilho tremulante, se ergueu em torno delas, formando uma parede flamejante.

Os sensores de Mac apitavam nos mais variados tons, como despertadores enlouquecidos. Pela primeira vez em sua longa carreira, ele não lhes dedicou a mínima atenção. O lápis que segurava nas mãos lhe escorregou através dos dedos, sem que ele percebesse. Era possível sentir o calor intenso da parede cilíndrica de fogo, e ainda assim ver através dela. As duas mulheres atrás da cortina de fogo emitiam uma luz ofuscante que saía em raios de seus corpos.

E o vento começou a gemer como se fosse uma mulher apaixonada.

Dentro do círculo, Nell e Mia se viraram uma de frente para a outra e deram-se as mãos.

Subitamente, Ripley surgiu como um foguete ejetado inesperadamente da escuridão da floresta. Mac conseguiu ver apenas de relance seu rosto pálido, muito pálido, seus olhos escuros, e então a viu mergulhar na muralha de chamas e ser envolvida pelo fogo.

— Não! — gritou ele.

Com as imagens do corpo de Ripley envolto em chamas, Mac deu um pulo para a frente em direção ao círculo.

— Para trás! — gritou Mia a ordem, no mesmo instante em que ele se ajoelhava ao lado de Ripley.

— Droga, ela deve estar muito queimada, Mia! — Mac levantou uma das mãos trêmulas, pressionando-a de encontro a uma barreira invisível. A parede intransponível soltava fagulhas, calores e chiados, mas não cedia e nem permitia que a mão de Mac a atravessasse. Nada do que ele vira ou fizera em toda a vida o tinha preparado para ficar assistindo, impotente, atrás de uma barreira mágica, ao sofrimento da mulher que amava, sem conseguir alcançá-la.

— Quebre o círculo, Mia! — pediu ele. — Deixe-me entrar.

— Não é possível. Isto não diz respeito a você.

— *Ela* diz respeito a mim! — E bateu com os punhos de encontro ao escudo de fogo, ignorando o calor que sentia ser irradiado dali.

— Nell! — Zack circulava desesperado em toda a volta da muralha de fogo. Sentiu a pele ser queimada por aquele Poder, e pela primeira vez experimentou uma pequena trepidação de medo.

— Está tudo bem. Ela está a salvo aqui dentro. Eu garanto, Zack. — E olhando para o marido, do lado de fora do círculo, colocou a cabeça de sua irmã no ombro. — Afastem-se do círculo, por favor.

— Você devia saber — disse Mia para Ripley, com a voz firme, mas arrumando os cabelos de Ripley e colocando-os para trás dos ombros. E enquanto ia vendo os olhos de Ripley clareando, seu coração disparava. — Eu não estava preparada para você, nem você estava preparada para isto.

— Não a repreenda; ela está tremendo. O que foi, Ripley? — perguntou Nell. — O que aconteceu?

Balançando a cabeça, Ripley lutou para se colocar de joelhos.

— Não consigo controlar o que eu vi — explicou. — Depois, não consegui parar de correr até chegar aqui. Agora, não sei o que fazer.

— Conte-me tudo o que aconteceu — insistiu Mia, enquanto lançava um olhar preocupado para os homens. Sua força de vontade e a parede de fogo não iriam conseguir segurá-los por muito mais tempo. Nenhuma defesa era mais forte do que o amor. — Conte-me, depressa.

— Uma visão. Fui atingida por ela como por um raio. Vi o que foi, e o que poderia ser. É horrível... É comigo. — E gemeu, contorcendo o corpo até formar uma bola. — Está me machucando.

— Você sabe o que é preciso ser feito.

— Não.

— Você sabe — repetiu Mia. De modo implacável, a forçou a se colocar de pé novamente. — Você veio até aqui, chegou e sabe muito bem o que tem que fazer. O resto acontece quando tiver que acontecer.

— Mas eu não quero fazer isso! — O estômago de Ripley se remexia, provocando-lhe cólicas.

— E mesmo assim veio até aqui. Para nos salvar? Bem, salve a você mesma primeiro. Faça isso. Agora!

A respiração de Ripley vinha em ondas ofegantes, e o olhar que lançou para Mia era tudo, menos amigável. Mesmo assim, estendeu a mão e começou a dizer:

— Tudo bem, droga, mas me ajudem a ficar de pé. Não vou fazer isso de joelhos.

Nell pegou em uma das mãos, Mia na outra. E, quando Ripley conseguiu se colocar de pé, largaram-na.

— Não me lembro direito das palavras — resmungou.

— Lembra, sim. Pare de enrolar.

Ripley soprou o ar com raiva. Sua garganta estava tão apertada que chegava a doer, e sua barriga estava cheia de cólicas e fisgadas.

— Invoco Terra, generosa e profunda. Nela semeamos o que vamos colher...

Sentindo o Poder surgindo aos poucos, ela balançou o corpo para a frente e para trás, meio tonta.

— Mia!...

— Termine de falar.

— Dê-nos o seu encanto e não nos traga o Mal. Eu sou Terra, e ela sou eu. Sempre serei, e que assim se faça.

O Poder penetrou em seu corpo, levando embora toda a dor. O chão debaixo de seus pés se encheu subitamente de flores.

— Agora, para terminar... — Mia segurou na mão de Ripley com firmeza e depois tomou a de Nell. Estavam ligadas, as três, um círculo dentro de um círculo. — Nós somos as Três. E invocamos agora a Água, o rio e o mar.

— E dentro do seu imenso e generoso coração — continuou Nell — que a vida se faça.

— Que com sua chuva fina e suave não traga o Mal, nem a dor — terminou Ripley, levantando o rosto e unindo-se às suas irmãs na última parte do cântico.

Então as três, em uníssono, encerraram:

— Somos Água, e ela é uma só em nós três. Sempre seremos, e que assim se faça.

E a chuva começou a cair sobre elas, suave como seda e brilhante como prata.

— Nós somos as Três! — repetiu Mia, baixinho, de modo que apenas Nell e Ripley conseguiram escutar.

Por não ter outra escolha, Mac esperou até que o ritual fosse completado e o círculo fosse selado. No momento em que conseguiu alcançar Ripley, ele a puxou pelo braço. Um violento choque elétrico circulou pelas suas mãos, mas ele aguentou firme.

— Você está bem?

— Estou. Preciso apenas...

— Não se afaste de mim! — disse Mac. Sua voz estava carregada por um tom forte como aço.

— Eu não ia tentar me afastar, se você não ficasse me agarrando o braço.

— Desculpe — disse ele, e a soltou.

— Olhe, droga. — Ela cutucou seu braço quando ele se virou para ir embora. — Neste momento, eu me sinto um pouco agitada. Preciso de alguns minutos para me acomodar e ficar mais calma.

— Pode ter todo o tempo que quiser. Tenho muita coisa para fazer. — Ele se afastou para pegar o seu caderno de anotações e verificar o equipamento.

— Você não foi muito gentil com ele — ralhou Mia.

— Não venha me encher agora não, você também.

— Faça como quiser. Agora, vamos voltar lá para a minha casa. Você será bem-vinda, evidentemente. Ou, se preferir, pode ir também para o inferno, que combina muito bem com você.

Ela levantou o nariz para cima, afastando-se para ir juntar-se a Mac.

— Ei! — Zack se aproximou da irmã, passou a mão sobre seus cabelos, para a seguir segurar-lhe o queixo. — Você me deu um susto!

— Eu levei um susto, também.

— Então pense nisso e dê um tempo para o pobre sujeito. Eu já vi um pouco do que vocês três podem fazer quando estão juntas, mas ele não, Rip. — Zack a puxou para perto dele, virando-a de frente: — Você chega correndo e pula dentro do fogo! Isso abala qualquer um.

— Tá, tá certo. — Nada no mundo, pensou Ripley naquele momento, lhe pareceu tão sólido e estável quanto seu irmão. — Vou conversar com ele, Zack. Por que você não pega a Nell e a Mia e vão indo para casa, na frente? Nós vamos logo atrás, daqui a pouco.

— Tudo bem.

Ripley se recompôs, pegou um dos lápis de Mac, espalhados pelo chão, e foi levá-lo até ele.

— Desculpe-me por ter sido grosseira com você.

— Não tem problema.

— Olhe, você agora não vai ficar aborrecido comigo, vai? Você não tem ideia de como é...

— Não, não tenho mesmo — retrucou de volta, com rapidez. — E você não sabe o que é estar lá, simplesmente ter que *ficar* lá, do lado de fora, sem nem saber direito se você estava ferida.

— Tudo bem, você está certo. Eu não consegui... — Para seu próprio horror, sua voz falhou e sua visão ficou toda desfocada por causa de lágrimas que surgiram inesperadamente. — Mas que droga! Eu lhe disse que estava me sentindo agitada.

— Tudo bem. Ei, ei!... — Ele a pegou em seus braços e lhe acariciou os cabelos. — Por que você não fica aqui comigo por mais um minuto?

— Chorar me deixa muito irritada.

— Aposto que sim. Aguente firme.

Ela desistiu de lutar e o envolveu com seus braços, dizendo:

— Vou me recompor num minuto.

— Então está certo, porque eu preciso me recompor, também. Pensei que você fosse... — Então ele reviu a cena repentina, o momento fugaz em que como um relâmpago viu o rosto dela branco como cera, enquanto pulava dentro de uma muralha de fogo dourado. — Nem sei o que pensei. Olhe que eu estou preparado para muitas coisas desse tipo. Já presenciei muitas manifestações de Magia e acredito nelas. Mas nada do que eu já vi ou imaginei sequer chega perto do que vocês três fizeram esta noite.

— Eu nem queria vir até aqui.

— Então por que veio? O que a assustou tão terrivelmente que a fez vir até aqui?

— Quero contar apenas uma vez — disse ela, balançando a cabeça. — Vamos até a casa de Mia.

Mac pegou todo o equipamento e o colocou sobre os ombros.

— Você estava sofrendo, Ripley; percebi isso.

— O círculo não estava preparado para mim, e eu não estava preparada para entrar nele.

— Não, eu estou falando de antes disso. Antes de você dar aquele salto desafiador da morte.

— Você até que percebe muitos detalhes, e bem depressa, para um sujeito que vive perdendo os óculos.

— É que eu só preciso de óculos para leitura ou para enxergar de perto. — Naquele momento ele queria acalentá-la, cuidar dela, niná-la. Estranhamente sentia medo, porém, de que, se fizesse isso, os dois pudessem se afastar. — Está sentindo alguma dor agora?

— Não. — Ela deu um suspiro. — Não mesmo. Recebi o Poder, invoquei meu elemento, completei o círculo de Três. Agora, não há dor alguma.

— Mas você não me parece feliz com isso.

Como Nell, ela conhecia perfeitamente o caminho através da floresta, mesmo na total escuridão. Já era possível ver o brilho da luz das janelas acesas da casa de Mia.

— É que tudo isso traz alegria para Nell, e para Mia uma sensação de, não sei explicar, solo firme. Para Nell é a exploração de algo novo, e para Mia é algo tão comum como respirar.

— E para você?

— Para mim é como a droga de um estouro de boiada, por dentro.

— Então você escolheu deixar a sua boiada completamente cercada.

— Foi... Só que acho que não usei pregos suficientes nas cercas — encerrou ela, com um leve traço de amargura na voz, balançando a cabeça para evitar outras perguntas.

Mac estava achando que a comida e o vinho eram um outro tipo de ritual, usado como ponte entre o fantástico e o comum. Apesar de duvidar que algum dia fosse capaz de esquecer o menor dos detalhes do que testemunhara naquela noite, escrevia sem parar no seu caderno de anotações, enquanto Mia circulava no papel de anfitriã.

— Tudo bem para você se eu fizer algumas perguntas?

— É claro! — replicou Mia, sorrindo para ele, enquanto puxava as pernas para cima e as colocava de lado sobre uma poltrona, naquela sua pose aconchegante e sexy. — Só que as suas perguntas poderão ou não ser respondidas.

— O que vocês fizeram esta noite... Os preparativos, as ferramentas e recursos cerimoniais e ritualísticos, bem, os ornamentos de um modo geral, foram todos muito simples, muito básicos, para a obtenção de resultados tão extraordinários.

— Enfeites, bugigangas e complementos demais, bem como excesso de gestos cerimoniais, são normalmente uma capa para disfarçar uma carência de poder ou, às vezes, são utilizados apenas para alimentar o ego das celebrantes ou até mesmo para impressionar uma plateia.

— E vocês precisam de algum instrumento?

— Essa é uma pergunta muito interessante, Mac. O que você acha?

— Acho que não. — Nem mesmo ele, até aquela noite, teria sido capaz de acreditar no que vira. — Imagino que o dom em cada uma de vocês é tão forte que está além de tudo isso. Acho que você seria capaz até mesmo de acender o fogo de sua lareira sem nem precisar se levantar da poltrona, sem formar um círculo ritual e sem invocar nada.

Mia se recostou, observando o rosto de Mac. O que havia a respeito dele, ficou imaginando, que mexia tanto com ela? O que será que Mac tinha que fazia com que ela desejasse dividir com ele o que jamais compartilhara com nenhuma outra pessoa de fora?

— Há sempre um motivo forte para manter o ritual, os gestos e a tradição, Mac, até mesmo no caso das superstições. Tudo ocorre em função da cerimônia propriamente dita. Os gestos ajudam a focar e concentrar a mente no Poder e representam um sinal de respeito pela fonte primária de tudo. Agora, com relação a eles serem imprescindíveis, é claro que... — Atrás dela, uma labareda imensa ganhou vida na lareira, acendendo-se repentinamente. — Você está absolutamente certo.

— Exibida! — resmungou Ripley.

Mia deu uma gargalhada leve, e o fogo foi diminuindo até se manter em um nível agradável e suave.

— Você também está certa, Ripley — respondeu Mia, provocando um pouco do vinho que servira, enquanto seus olhos se encontravam com os de Ripley por cima da borda do cálice. — Você costumava ter sempre mais senso de humor a respeito dessas coisas.

— E você costumava sempre me dar lições de moral a respeito de como eu deveria ter mais responsabilidade e respeito por essas coisas.

— É verdade, eu era assim. Devia ser um porre, de tão chata.

— Ei, ei, as duas aí... Não comecem a implicar uma com a outra — ordenou Nell. — Vocês cansam minha beleza!

— Nós poderíamos estar usando a Nell como mediadora há muitos anos. — Mia tomou mais um pequeno gole de vinho. — Nós somos as Três. Isso não pode ser mudado, evitado ou ignorado. Você já conhece a lenda, é claro — afirmou, dirigindo-se novamente a Mac.

— Vamos ver se conheço todos os detalhes — disse ele. — A irmã que se chamava Ar deixou o santuário da ilha. Casou-se com um homem que não conseguia aceitá-la, não a apoiava nem a protegia, e que no final a destruiu.

— Foi ela quem destruiu a si mesma — disse Nell, discordando de Mac. — Por não acreditar em quem ela era e por não ter a coragem de enfrentar isso.

— Pode ser — concordou Mac. — A segunda irmã por sua vez, a que se chamava Terra, se recusava a aceitar o que aconteceu. Isso a foi corroendo por dentro, até que resolveu usar o próprio Poder para vingar a morte da irmã.

— Ela apenas queria justiça! — Ripley se levantou e começou a andar pela sala, inquieta. — Tinha necessidade de justiça!

— Mas a necessidade dela fez com que quebrasse os seus votos. — A mão de Mia tinha se levantado uma polegada do braço da poltrona, mas

logo tornou a abaixar. Não era a hora certa de estender a mão para Ripley.
— Foi essa necessidade que a fez virar as costas para todas as dádivas que tinha recebido e a fez utilizar o Poder para causar o Mal.

— Ela não conseguiu controlar isso — argumentou Ripley, com a voz trêmula. — Não pôde evitar.

— Sim, ela não conseguiu se controlar nem evitar o que fez, e isso acabou condenando-a à ruína, não só a ela mesma, mas também a tudo e a todos a quem amava.

— E a terceira irmã — Ripley se virou para trás e olhou para todos —, a que se chamava Fogo, encontrou um *selkie** sob a forma humana, dormindo em uma caverna junto de uma enseada. Pegou a sua pele, escondeu-a e o atraiu para que ele se apaixonasse por ela.

— Não é contra as leis da Magia fazer isso. — Com um gesto que lhe custou muito fazer parecer casual, Mia se curvou e escolheu um cubo de queijo na bandeja de aperitivos. — Ela realmente o tomou como amante, como marido, teve filhos com ele e os criou, bem como todos os filhos das irmãs que perdera.

Mia sentiu a comida com gosto de giz em sua garganta seca, mas continuou mastigando normalmente.

— Ela entregou a ele o seu coração e todo o seu amor — continuou ela. — Mas chegou um dia em que ela abriu a guarda de sua eterna vigilância, e ele encontrou a sua pele de foca, na caverna. E, como se sabe, quando um *selkie* reencontra a sua pele, sente o mar chamá-lo de forma irresistível. Naquele momento, ele se esqueceu dela, da vida que tinham construído em comum, do amor que sentiam um pelo outro e dos filhos que tiveram. Para ele, foi como se tudo aquilo jamais tivesse existido, e ele a abandonou para sempre, voltando para o mar.

Mia levantou os ombros tristemente em sinal de impotência, antes de continuar.

— Sem as irmãs, sem o amante, sem o marido, ela começou a se consumir aos poucos e, ao se deixar corroer, entrou em desespero. Amaldiçoou seus dons de Magia, por lhe terem trazido o amor e depois o levarem embora. E renunciando a tudo, até mesmo à própria vida, se atirou dos penhascos, pulando para o mar, para onde o seu grande amor tinha voltado.

---

* Criatura mitológica celta, metade homem e metade foca. (N. T.)

— Só que morrer se atirando de um penhasco não é a resposta — Nell acrescentou. — Sei disso melhor do que ninguém.

— Naquele momento, era a resposta para ela — afirmou Mia. — E assim, trezentos anos depois, as descendentes do trio inicial de irmãs, as chamadas Três, têm que fazer uma restituição ao destino e devolver cada uma dessas chaves perdidas. Uma pelas três. Se não fizerem isso, a ilha afundará para sempre no oceano.

— Se você realmente acredita nisso, Mia, por que ainda vive aqui? — quis saber Ripley. — Por que ainda está nesta casa? Por que tem a sua livraria, qual a motivação para manter qualquer outra coisa?

— Este é o meu lugar, e este é o meu tempo. Da mesma forma, este também é o seu tempo e o seu lugar, e também da Nell. E se *você* não acredita em nada disso, por que está aqui conosco esta noite?

Mia podia sentir fisicamente a sua raiva começar a aumentar e lutava para mantê-la encapsulada dentro de si. Mas ao mesmo tempo sentia também a dor e o desespero no rosto de Ripley. Era muito difícil, depois de tantos anos, tentar oferecer auxílio. Mesmo assim, ela se levantou, foi até Ripley lentamente e estendeu-lhe a mão.

— Conte-me tudo — pediu Mia. — Deixe-me ajudá-la.

— Tive uma visão e presenciei tudo de perto. Foi doloroso demais, foi como ter a alma rasgada por dentro, do alto da cabeça ao fundo das entranhas. E tudo aconteceu tão depressa que eu nem tive tempo de reagir.

— Você sabe que as coisas não precisam acontecer do jeito que você as viu. Sabe perfeitamente que o Poder não exige dor nem quer magoar ninguém.

— Triplicado! — Uma lágrima solitária escorreu-lhe lentamente pela face, antes que ela conseguisse impedir. — O que você provoca, volta para você com força triplicada. Ela destruiu a todos.

— Mas não fez isso sozinha. Cada uma das três teve a sua parcela de responsabilidade. Agora, me conte. — E enxugou ela mesma, com carinho, a lágrima do rosto de Ripley. — O que foi que você viu?

— Eu vi... — Ela começou a relatar a visão, sua voz se acalmando pouco a pouco enquanto falava. — Não sei exatamente quem ele era, ou o que representava, mas senti que está se aproximando e vai chegar. Nenhum de vocês conseguiu me impedir, e nem eu mesma consegui evitar o que aconteceu. Usei a minha espada, Mia, a minha espada ritual. Foi com ela que eu o matei... E com isso, matei a todos nós.

— Você não vai fazer isso, não vai! — repetiu Mia, antes que Ripley conseguisse protestar. — Você é muito mais forte do que isso.

— Mas eu queria feri-lo. Podia sentir o ódio aqui dentro. Jamais consegui manter o controle sobre o meu Poder quando as emoções tomam conta de mim. Por que diabos você acha que eu parei com tudo?

— Porque, no fundo, tinha medo. — Mia sentiu a raiva borbulhar de volta... Era toda uma década de fúria acumulada que voltava de repente. — Quer dizer então que, por causa desse medo, você deu as costas para mim, Ripley, e para o que você é, simplesmente porque tinha receio do que pudesse fazer um dia? Isso é mais do que pura *estupidez*, é burrice!

E Mia, enfurecida, deu as costas para Ripley, mas soltou um grito agudo quando esta a agarrou pelos cabelos e a sacudiu.

— Quem você pensa que pode chamar de estúpida e burra, sua magricela metida, megera autoindulgente? — Os olhos de Ripley se apertaram quando Mia levantou um dos punhos cerrados e, ainda segurando os cabelos da outra, soltou uma gargalhada. — Ai, meu Deus, até parece que essa ameaça de soco me assusta. Acerte a minha cara com o seu pequenino polegar entre os dedos desse jeito e vai machucar mais a você mesma do que a mim. Você não passa de uma mulherzinha frágil, Mia.

— Ah, essa é uma observação muito interessante, boneca, visto que é você quem está agarrando e sacudindo os meus cabelos.

Como quem larga uma batata quente, Ripley soltou Mia.

— Está bem, você ganhou essa, agora. Estamos empatadas. — Expirou profundamente, piscando com surpresa quando notou que todas as pessoas da sala haviam se levantado ao mesmo tempo. Ripley até se esquecera de que eles estavam todos ali. — Desculpe, pessoal.

— Você ficou muito revoltada quando eu chamei você de burra, não foi? — perguntou Mia, alisando os cabelos com elegância e se sentando novamente, como uma gata, na poltrona.

— Acertou na mosca. Portanto, cuidado comigo.

— Mas você não usou seus poderes para me atacar quando eu me virei e fiquei de costas para você... — Mia levantou o cálice, balançando-o suavemente. — Nem mesmo considerou essa possibilidade.

Bruxinha manhosa, pensou Ripley, ainda que com uma relutante admiração. Mia sempre tinha sido esperta.

— E porque eu não estava assim tão enfurecida — respondeu.

— Estava sim, sei que estava — comentou Zack, entrando na conversa e voltando a se sentar. — Você detesta quando alguém chama você de covarde ou burra, Ripley. Mia fez as duas coisas ao mesmo tempo, e tudo o que você fez foi puxar os cabelos dela.

— Não é a mesma coisa. Isso foi diferente.

— Mas foi quase igual. — Zack pegou na mão da mulher e a acariciou, enquanto avaliava a irmã, quase sorrindo. — Há duas coisas que você não é, Ripley. Você não é uma pessoa covarde e é claro que não é burra. Todos aqui nesta sala podem atestar isso. Não sei muita coisa a respeito de todo esse assunto, pelo menos não sei tanto quanto o resto de vocês, mas conheço bem a minha irmã. E já está na hora de você parar de achar, Ripley, que tudo está profundamente vinculado a você. Estamos todos interligados uns aos outros nesta história.

— Eu não conseguiria suportar a ideia de magoar ou ferir você, Mia, ou de ser a responsável por isso. Não ia aguentar viver com isso na consciência. O que iria dizer à minha mãe e ao meu pai... ou a Nell? Agora, me responda o seguinte... — indagou ela, olhando diretamente para Mia. — E quero uma resposta objetiva, sem conversa-fiada. O que aconteceria se eu deixasse a ilha para sempre? Se fizesse as malas, pegasse a barca e simplesmente nunca mais voltasse? Isso poderia quebrar a corrente?

— Você já sabe a resposta — replicou Mia. — Mas por que não deixamos que Mac responda isso e explique melhor para você? Esta é a área dele, como investigador acadêmico, como observador e como alguém que já fez extensas e consideráveis pesquisas sobre esses assuntos. Qual é a sua opinião objetiva, Dr. Booke?

— A ilha, propriamente dita, possui poder. É uma espécie de poder latente, que permanece assim até que seja provocado ou utilizado.

— Então, se eu for embora da ilha, levo comigo o meu, como posso chamar... canal de condução para esse poder? Posso fazer isso, afinal? — quis saber Ripley.

— Em certo nível, sim. Só que isso apenas serviria para diminuir, e potencialmente continuar diminuindo, o seu foco pessoal de energia. Apenas isso. No final, não mudaria nada em relação ao resto. Sinto muito, mas *para onde* você vai não é o foco principal do problema. O que você *faz* é que é.

Notando que ela não havia ficado satisfeita com a explicação, Mac abriu os braços e tentou explicar melhor a sua teoria, continuando a falar.

— Veja bem. Se, por hipótese, nós assumirmos aqui e agora a lenda como um fato real e uma possibilidade verdadeira, você terá uma escolha a fazer. É alguma coisa que você *vai* ou *não vai* fazer. Olhe só, você está aqui. — Ele usou um guardanapo para representar a ilha, colocando três azeitonas sobre ele. — Você vai embora de repente. — Retirou uma das azeitonas de cima do guardanapo, recolocando-a sobre a bandeja de aperitivos. — Tudo o que você faz *é* mudar o lugar onde será feita a escolha, o ato ou a repressão dele. Para onde quer que você vá, os quatro elementos sempre existirão. Você não consegue desafiar as leis básicas da natureza. O que você é não vai mudar nunca, e o que você carregar para longe vai acabar voltando, através da terra, do ar, do fogo e da água.

E golpeou a superfície do guardanapo repetidamente, com a ponta do indicador.

— Vai acabar voltando para a fonte de tudo. Inevitavelmente. Ficar aqui, portanto, é a sua escolha mais lógica. Aqui você é mais forte, e vocês três juntas fazem a diferença.

— Mac está certo — interrompeu Nell, atraindo a atenção de Ripley e de todos em volta. — Nós já conseguimos quebrar o padrão uma vez. Hoje somos três, mas antes da minha chegada, havia apenas duas. E sem você, Ripley, sem a ajuda de Mia e sem a sua participação, Zack — continuou, lembrando implicitamente a noite do Halloween —, haveria novamente apenas duas, agora. O círculo das irmãs originais foi quebrado naquele ponto. O nosso, não.

— Mas o nosso círculo está meio enferrujado — completou Mia, e pegou mais um cubinho de queijo. — Você vai precisar voltar a ficar em forma, delegada.

— Então, pode esperar sentada. — Ripley pegou uma das azeitonas e a atirou na boca.

Capítulo Quatorze

— Que tal, pelo menos por esta noite, você desligar essas coisas, hein? Ripley estava no portal do chalé amarelo, ainda do lado de fora. Não estava disposta a entrar sabendo que lá dentro havia um monte de máquinas malucas que iam começar a sondá-la e avaliá-la, pelo menos não depois de uma noite como a que tivera.

— Certo. — Mac entrou na frente dela, colocou no chão sua sacola com os equipamentos e começou a desligar tudo.

Não esperava que Ripley voltasse com ele para casa. Embora não aparentasse, Mac imaginava que ela estivesse exausta. Ou pelo menos farta de contatos para uma noite só. Talvez em particular com ele.

Ela voltara ao normal, isso era certo. Voltara a trocar pequenas farpas com Mia, como se tudo aquilo que acontecera na clareira não tivesse nada de especial.

Era um escudo inacreditável que ela carregava, pensou Mac. Quase tão impressionante quanto o outro, que o tinha mantido do lado de fora do círculo, na clareira. Ficou imaginando quão vulnerável ela se sentiria, caso o escudo que segurava com tanta garra fraquejasse.

— Quer se sentar? — perguntou ele, assim que ela entrou e fechou a porta. — Ou prefere se deitar um pouco?

— Ora, isso é que eu chamo de ir direto ao ponto.

— Eu não quis insinuar nada sobre sexo — respondeu ele corado —, pensei apenas que você estivesse querendo dormir um pouco.

Ripley olhou para ele e notou que aquilo era exatamente o que ele queria dizer. Realmente, Mac era uma pessoa muito doce e especial, decidiu, e circulou por toda a sala pelos espaços exíguos que havia entre as máquinas.

— É um pouco cedo para cair no berço. Parece que você tinha alguma coisa para conversar comigo.

— E tenho. Mas não imaginei que você estivesse com disposição para conversas, pelo menos não nesta noite.

— Não estou cansada.

— Mas como é que... Aqui, deixe-me pegar o seu casaco.

Ripley deu um passo para trás antes que ele conseguisse alcançá-la, e o despiu ela mesma.

— Já que eu sei que você está doido para fazer a pergunta, era melhor que perguntasse logo. Como é que funciona? Para você ter uma ideia, eu me sinto como se estivesse com uma tonelada de cafeína no meu sistema. Estou energizada — continuou ela, atravessando a sala até onde Mac estava, dando um empurrão nele, curto mas firme. — Estou tensa e sensível. — Deu outro empurrão. — E quer saber? Quero mesmo ir para a cama. — O último empurrão o fez dar um passo para trás e atravessar a porta do quarto. — Só que ninguém por aqui vai dormir.

— Tudo bem, então. Que tal então se nós apenas...

— Não quero saber de conversa e não quero saber de escuro. — Ela o empurrou mais uma vez, acendendo as luzes com um tapa no interruptor.

— Certo. — Por alguma razão, ele sentiu como se tivesse aberto a jaula de uma loba extremamente faminta. Seus olhos estavam diferentes. Mais verdes, mais penetrantes. Predatórios. Seu sangue começou a ser bombeado com mais força, incontrolavelmente. — Deixe pelo menos eu... fechar as cortinas.

— Deixe-as abertas.

— Ripley. — Seu riso estava um pouco sufocado. — Nós estamos bastante isolados, mas mesmo assim, com as lâmpadas acesas...

— Deixe-as acesas. — Ela arrancou o próprio suéter com um movimento brusco e violento. — E se você gosta dessa camisa, é melhor tirá-la, e agora mesmo, senão vai perdê-la.

— Sabe de uma coisa, Ripley? —Ele expirou com força, tentando forçar um sorriso. — Você está me assustando.

— Que bom. Tenha medo!

Ela pulou sobre ele, derrubando-o de costas sobre a cama, arqueando-se sobre seu peito como uma gata insinuante. Soltou alguns sons primitivos pela garganta, enquanto mostrava os dentes. A seguir, enterrou-os no pescoço dele.

— Puxa! — Ele ficou duro como uma rocha.

— Quero que seja rápido — sussurrou ela, ofegante e rasgando a camisa dele para abri-la. — E que seja selvagem... E que seja agora!

Ele tentou alcançá-la com as mãos, mas Ripley agarrou-lhe os cabelos com força e puxou-lhe a cabeça para trás; a seguir, pegou em seus punhos, levantou-os até a cabeça e beijou-o vorazmente. O puro calor dela o queimava por dentro, chamuscando-lhe cada nervo, roubando-lhe o ar e fazendo o sangue dele ferver.

Mac sentiu como se estivesse sendo lançado para baixo, em uma espiral escura onde a dor e o prazer eram gêmeos, igualmente vitais, igualmente irresistíveis. Em resposta, o animal dentro dele arfou, agarrando-se aos seus últimos limites, parecendo estalar internamente.

Seu corpo se forçou para cima com um impulso, embaixo dela, e suas mãos estavam igualmente duras e contundentes enquanto exploravam e agarravam. Segurou nos cabelos dela e também puxou sua cabeça para trás, para expor-lhe a garganta aos seus dentes, como ela fizera com ele.

Não era desespero o que o preenchia, mas um apetite feroz.

Rolaram por sobre toda a cama, lutando por mais carne, por mais calor.

Ela estava viva, cheia de necessidades imensas, todas bravias. Sentia a energia sendo bombeada em seus tecidos, através de todo o corpo, e era uma energia bárbara e primitiva. Suas unhas cravavam-se nele, e seus dentes mordiam seus ombros. E, quando os dedos dele a invadiram, o grito dela foi de um triunfo feroz e ávido.

Mais alto, era tudo o que ela conseguia pensar. Mais depressa. Ela queria um forte ápice de prazer após o outro. Luzes dançavam na sua mente, formando repuxos ofuscantes de prata. E a tempestade que servia de combustível aos dois a abastecia por completo.

Ela deslizou sobre ele mais uma vez, agora parecendo uma cobra, e a seguir o envolveu, sentando-se sobre ele com as pernas abertas. E se preencheu por completo.

Era como ser consumido, devorado por inteiro. Ela apertou-se em volta dele como um punho fechado, aprisionando-o com um calor molhado, segurando-o com firmeza pelo poder do seu próprio clímax. Sentindo-se tonto, ele se viu rasgando-a por dentro e abriu os olhos para observar o seu corpo, coberto por pérolas de suor, arquear para trás e trepidar, trepidar e trepidar.

E então ela voltou a se mover, rápida como um relâmpago. Seus cabelos caíram para a frente, um apanhado de fios castanhos e densos, enquanto ela se inclinava para frente e mastigava implacavelmente o lábio inferior dele.

Ele se lançou com força novamente, como um êmbolo que se empurrava para dentro dela em golpes duros e rápidos, enquanto suas mãos agarravam-lhe os quadris com a força de um torno.

Então, ela se lançou para trás uma vez mais e o cavalgou implacavelmente até a espinhosa ponta do abismo.

— Ainda não... Ainda não! — arfou ela.

E mesmo enquanto sua visão se embaçava e todo o seu sistema se esvaziava em direção àquela liberação abençoada, ela levantou os braços acima da cabeça, como fizera havia poucas horas, quando invocara o seu Poder. E ele sentiu o choque daquilo, como uma flecha de ponta vermelha que atravessava a névoa de um prazer enlouquecido. Aguda e atordoante, perfurava o corpo dela e seguia em frente, atravessando o seu peito também.

Ele se deixou ficar deitado, como um homem morto, mas isso não parecia ter importância. Morrer por causa de uma experiência como aquela não parecia um preço tão alto assim, naquele momento.

Sentia-se como se tivesse sido completamente descascado. Todos os cuidados, todas as preocupações, todos os pensamentos errantes foram levados para longe, e restou somente a sensação pura de saciedade.

Ele poderia não ser capaz de andar ou falar novamente, até mesmo de pensar, mas aquelas eram apenas inconveniências de menor importância. Ele podia até estar abandonando este mundo, não importava, pois se sentia o homem mais feliz da Terra.

Ripley fez um ronronar suave. Ah..., pensou ele, vagamente. Ainda era capaz de ouvir. Isso já era uma bonificação. Então sentiu uma boca que se fechava sobre a sua. Seu corpo ainda conseguia registrar algumas outras sensações. Estava ficando cada vez melhor.

— Mac?

Ele abriu a boca, e alguns sons saíram. Não eram exatamente palavras, mas havia ali certamente uma grande quantidade de formas alternativas de comunicação verbal. Aquilo teria que servir, no momento.

— Mac? — disse ela de novo e, descendo a mão pelo seu corpo, fechou os dedos em torno dele.

Ah, sim... ele definitivamente ainda era capaz de perceber várias sensações.

— Ahn, ahn... — Ele limpou a garganta, conseguindo abrir um dos olhos. Não estava cego também, afinal. Mais um bônus. — Sim?... Eu não estava dormindo, não. — Sua voz estava pastosa e parecia enferrujada, mas ainda estava lá. E ele compreendeu então que a sua garganta estava sentindo uma sede desesperada. — Estava apenas passando por uma experiência de quase morte. Não foi tão mal, afinal.

— Agora que você já voltou do além... — Ela deslizou sobre o seu corpo novamente, deixando-o completamente sem fala, quando ele notou que ela ainda estava com aquele brilho estranho no olhar. — Vamos mais uma vez.

— Ei, está certo. — Ele sentia ainda um pouco de dificuldade para respirar, quando começou a perceber que os lábios dela estavam escorrendo suavemente pelo seu peito. — Só que você vai ter que me dar um tempinho para me recobrar, sabe como é. Talvez um mês.

Ela riu, e o som agudo de sua gargalhada reverberou sobre a pele dele.

— Nesse caso, você vai ter que permanecer quietinho aí deitado, e ficar só aguentando.

E sua boca continuava a descer. Ele sentiu que se derretia sobre a cama.

— Bem... — conseguiu falar —, se vou ter mesmo que aguentar, então que seja...

Ripley sabia que estava em uma enrascada. Nunca, até então, conseguira dividir o seu Poder com um homem. Jamais sentira a necessidade ou o desejo de fazer isso. Com Mac, no entanto, havia sido como uma espécie de compulsão, uma profunda e sufocante necessidade quase fisiológica de estender aquela intimidade e ligar aquela parte especial dela com ele.

Já não havia nenhuma dúvida de que ela estava apaixonada, e já se evaporara toda a esperança de que ela pudesse conseguir ser racional a esse respeito.

Tradicionalmente, os membros da família Todd levavam muito tempo para se apaixonar, e quando isso acontecia vinha com intensidade, chegava muito depressa e durava para sempre. Parece que ela estava fazendo jus ao nome e à tradição da família.

Não tinha, porém, a mínima pista sobre o que poderia fazer a respeito daquele sentimento.

Por outro lado, naquele exato momento, ela parecia não se importar com nada disso.

Quanto a Mac, a impressão que tinha é a de que estava ligeiramente embriagado, mas não via nenhum motivo para lutar contra essa sensação. O vento começara a soprar com mais intensidade. O barulho que produzia de encontro à vidraça só fazia com que o chalé parecesse ainda mais aconchegante. Era como se eles fossem as duas únicas pessoas na ilha. No que lhe dizia respeito, tudo poderia permanecer por tempo indefinido daquele mesmo jeito.

— Qual era aquela conversa que você queria ter comigo?

— Ahn?... — Mac continuava a mexer no cabelo dela, acariciando-o, e por um momento ficou pensando que, se dependesse dele, os dois ficariam debaixo daqueles lençóis emaranhados pelo resto da vida. — Isso pode esperar.

— Por quê? Eu estou aqui, você está aqui. — Ela se sentou na cama, inquieta e ajeitando os cabelos para trás: — E estou morrendo de sede! Você não disse que tinha vinho?

— Provavelmente. Tem certeza de que está a fim de tomar vinho e conversar?

— Ou isso... — disse ela, virando a cabeça um pouco para o lado —, ou então você vai ter que acabar se levantando para outra coisa.

Tão humilhante como pudesse parecer, Mac teve que admitir para si mesmo que, se ela pulasse novamente em cima dele com aquele fogo todo, ele dificilmente sobreviveria.

— Vou pegar o vinho! — decidiu ele, com firmeza.

Ela riu quando o viu rolar da cama e quase cair no chão.

— Pegue isto aqui! — disse ele, abrindo uma gaveta e jogando na direção dela um par de calças de moletom. — Você vai ficar mais confortável.

— Obrigada. Tem algo para mastigar aqui? Que tal uma comidinha?

— Depende da sua definição de "comidinha".

— Ah... uns petiscos, qualquer coisa. Estou subindo pelas paredes, de tanta fome.

— Agora que você falou, eu também. Tem uns pacotes de batata frita.

— Serve! — Ripley se enfiou dentro das calças de moletom, apertando bem o cordão da cintura para ter certeza de que elas não iriam cair.

— Então vou pegar.

Quando ele saiu do quarto, Ripley apanhou a parte de cima do conjunto de moletom e ficou algum tempo se deliciando com o cheiro das roupas de Mac, explorando sensações misteriosas de prazer, por usar sobre o corpo algo que era dele. Era uma coisa tola e feminina, admitiu, mas ninguém, a não ser ela, precisava saber disso.

Ao entrar na cozinha, ele já estava com o vinho aberto, dois cálices para fora do armário, e colocara um imenso pacote de batatas fritas sobre a bancada. Ela agarrou as batatas, se aboletou em uma cadeira e se preparou para se empanturrar.

— É melhor nós... anh... irmos comer em outro lugar — sugeriu ele. Mac estava sentindo os nervos se eriçarem, formando uma bolha de contentamento. Não tinha a menor ideia de qual seria a reação dela diante do que ele tinha para contar. Aquele era um dos fascínios que Ripley exercia sobre ele: a sua total imprevisibilidade.

— Você quer sair daqui da cozinha por quê?

Por quê?, pensou ele. Aquele era outro dos fascínios dela. Questionava tudo, quase tanto quanto ele.

— Quero sair daqui porque vamos ficar muito mais confortáveis na sala.

— Naquela sala de estar? E onde vamos sentar? Sobre os equipamentos?

— Rá-rá..., muito engraçado. Claro que não. Há um sofá naquela sala, e ele ainda está lá. Podemos acender a lareira. Você não está com os pés frios? Quer umas meias?

— Não, estou legal. — Ele é que não estava, ela reparou. Algo o estava fazendo ficar apreensivo ou sensível. Ripley ficou analisando isso enquanto o seguia de volta até a sala de estar. Reparando no labirinto de obstáculos que eles tiveram que transpor para chegar até o sofá, ela teve sérias dúvidas sobre se alguma vez ele tinha usado o móvel para o seu fim específico, desde o dia em que se mudara para o chalé.

Colocando o vinho no chão, Mac começou a remover pilhas e mais pilhas de livros de cima do assento do sofá e as colocar de lado. Ripley chegou a abrir a boca para protestar pelo trabalho, mas logo em seguida a fechou de novo, com um estalar quase audível que fez com a boca.

Vinho, conversa, uma lareira acalentadora. Um ambiente amoroso. Exatamente o tipo de clima romântico que um homem cria, quando vai dizer a uma mulher que a ama, ela imaginou.

Seu coração começou a bater mais depressa.

— Essa vai ser uma conversa assim, como direi... muito importante, Mac? — perguntou, sentindo as palavras saírem de sua boca através de lábios trêmulos e amolecidos.

— Acho que sim — disse ele, solene. A seguir, agachou-se diante da lareira. — Estou um pouco nervoso a respeito do que tenho para lhe dizer. Não imaginava que fosse ficar. Não sei nem por onde começar.

— Tenho certeza de que vai descobrir. — Como suas pernas estavam ligeiramente bambas, ela resolveu se sentar.

Mac colocou algumas achas de lenha na lareira, de modo cuidadoso, preparando-se para acendê-las. Depois, virou-se e olhou para ela. Levou algum tempo para que ela percebesse o seu olhar de especulação. O olhar que aprendera a reconhecer como o "olhar de cientista" dele.

— Sim, Mac, eu também conseguiria acender a lareira aqui de longe, só que não faria isso.

— Estava só pensando... — desculpou-se. — Reza a tradição que fazer fogo é o tipo mais básico de Magia, normalmente a primeira coisa a ser aprendida e a última a ser perdida. Isso está correto?

— Acho que você está falando sobre uma forma tangível de Magia, no sentido de exigir direcionamento, foco e controle. — Por se sentir com um pouco de calor e com o corpo formigando, Ripley se remexeu no sofá. — Mia é muito melhor do que eu para explicar esse tipo de coisa. Na verdade, não tenho pensado muito a respeito desse assunto, e já faz alguns anos. Ela, por sua vez, não para de pensar nem por um momento.

— Talvez seja por isso que o controle e a parte filosófica que cercam esse tema venham mais naturalmente para ela — avaliou Mac, pegando um fósforo longo e riscando-o para acender o fogo. — O seu Poder, Ripley, é mais... não sei explicar bem... mais explosivo, enquanto o dela é mais centrado.

Ele se levantou quando as chamas começaram a lamber gentilmente as laterais dos pequenos pedaços de madeira e esfregou as duas mãos espalmadas nas laterais da calça jeans para limpá-las.

— Estou tentando pensar em como abordar o que quero contar para você.

— Simplesmente conte. — Sentiu como se tivesse uma revoada de pequenos pássaros se espalhando dentro do estômago.

— Funciono melhor se contar a história desde o início. — Inclinou-se para colocar um pouco de vinho em um dos cálices. — Eu estava com tudo preparado na cabeça, pronto para contar, até esta noite. Hoje, porém, ao ver você e compreendendo, na extensão do possível, tudo pelo que você passou e o que sente, e depois estando com você... Ripley...

Ele se sentou ao lado dela, entregando-lhe o cálice de vinho e depois tocando a parte de cima de sua mão.

— Quero que você saiba que nunca senti o que sinto quando estou com você, que jamais foi como é com você. Com ninguém mais.

Ela sentiu que havia lágrimas apertando-lhe a garganta, e pela primeira vez na vida achou que o gosto delas tinha uma sensação maravilhosa.

— Também é diferente para mim — confessou para ele.

Mas concordou com a cabeça e sentiu um pequeno nó no coração, porque lhe compreendeu as palavras como uma indicação de que ela vivenciava a intimidade de forma diferente apenas por ser o que era.

— Tudo bem — concedeu ele —, mas o que eu estava tentando dizer é que por causa do que você... — ele passou os dedos por entre os cabelos —, pelo fato de você ser importante, pelo fato de o que está acontecendo entre nós ser muito importante para mim, o resto da minha vida fica um pouco mais complicado. Sinto-me incomodado às vezes por achar que, especialmente depois de eu chegar ao resto da história, você possa pensar que eu só me importo com você por causa do meu trabalho. Saiba sempre que isso não é verdade, Ripley. Você é muito importante por você mesma, como pessoa.

— Mas eu não acho nada disso! — Algo se apaziguou dentro dela, como se uma parte interna feita de seda estivesse sendo acariciada por uma mão amorosa. — Saiba, Mac, que eu jamais estaria aqui, se pensasse o contrário. Não iria nem querer estar aqui, e na verdade eu quero.

Ele tomou-lhe a mão e, ao beijar suavemente a parte interna, a palma e entre os dedos, enviou uma onda elétrica que desceu para a ponta dos dedos dos pés e voltou até a garganta. — Mac... — sussurrou ela.

— No princípio, tinha decidido contar antes para Mia, mas agora eu faço questão que você saiba primeiro.

— Eu... Você... Mia?...

— Teoricamente, ela é a principal conexão. Mas hoje descobri que de qualquer forma tudo está interligado. Além do mais, compreendi que precisava contar a você primeiro. — Beijou-a novamente, de uma forma ligeiramente ausente dessa vez, e a seguir provou o vinho como um homem que estivesse molhando a garganta antes de se preparar para uma palestra.

— Estou achando que é melhor você desembuchar tudo de uma vez, Mac! — disse ela, sentindo o tecido do seu clima amoroso começar a se desfiar nas pontas.

— Certo. Cada uma das três irmãs da lenda teve filhos. Alguns deles permaneceram na ilha, e outros foram embora, para jamais retornar. E outros descendentes, por sua vez, viajaram, se casaram e mais tarde voltaram para a ilha para criar os filhos e formar suas famílias. Imagino que você já sabe de tudo isso, além de também que os filhos dos filhos deles, igualmente, fizeram o mesmo, e assim por diante, durante gerações. Como resultado dessa salada, alguns descendentes sempre permaneceram na Ilha das Três Irmãs. Outros, porém, se espalharam por todo o mundo.

— Não sei aonde você está querendo chegar.

— Talvez seja melhor eu mostrar a você. Espere aqui só um instante.

Ripley o viu se levantar, empolgado, e a seguir ficar rodeando e procurando algo no meio de seu equipamento. Ao ouvi-lo soltar um palavrão por ter dado uma topada com o dedão do pé em algum lugar, sentiu um pequeno e cruel sentimento de satisfação.

O filho da mãe...!, pensou ela, agarrando a ponta do sofá com os dedos crispados de raiva. *Ele não estava a ponto de jurar o seu amor eterno, nem de implorar para que ela se casasse com ele. Ficou o tempo todo rodeando o assunto simplesmente para chegar de volta à sua pesquisa estúpida, enquanto ela estava sentada ali feito uma idiota, balançando as pestanas, embevecida e com estrelas no olhar.*

E de quem era a culpa?, tentou se fazer lembrar. Dela! Fora ela que já estava de repente com tudo esquematizado na cabeça. Fora ela quem se permitira abrir, deixando que o monstro fechasse as mandíbulas sobre suas fantasias. *Ela* era realmente a burra da história, que ficara toda melosa por causa do amor que sentia e parara de pensar com clareza. Era preciso consertar aquilo.

Não consertar o sentimento, em si. Ela era uma Todd e aceitava o fato de que o amava e sempre o amaria. Mas com certeza era necessário colocar a cabeça no lugar e começar a pensar direito.

Ele era o homem destinado para ela, e portanto era ele que ia ter que aprender a lidar com esse fato. O Dr. MacAllister Booke não ia apenas estudar bruxas, ele acabaria se casando com uma, ah, isso com certeza!, assim que ela descobrisse um meio de fazê-lo dar esse passo.

— Desculpe. — Ele já estava voltando, desviando-se dos equipamentos com mais cuidado, dessa vez. — Os papéis não estavam onde eu achei que tinha colocado. Aliás, nada está onde eu acho que está. — Mas a expressão do rosto dele se modificou ao notar o olhar brilhante que ela lhe lançava. —Ahn... Há algo errado?

— Não, nadinha. — De modo brincalhão, ela bateu no assento do sofá ao lado dela. — É que eu estava só pensando que é uma perda de tempo ficar aqui sentada sozinha diante da lareira. — Quando ele se sentou ao lado, ela esticou as pernas, com intimidade, sobre as dele. — Agora está muito melhor.

— Bem... — Ele sentiu que a pressão sanguínea começou a subir novamente quando ela se inclinou e esfregou os lábios sobre sua mandíbula. — É que eu achei que talvez você estivesse interessada em ler isto aqui.

— Mmm... Por que você não lê tudo para mim? — Ela brincou com ele, mordiscando-lhe a ponta da orelha. — Você tem uma voz tão sexy! — E, pegando os óculos no bolso dele, acrescentou: — E sabe muito bem como eu fico excitada quando você usa esses óculos na ponta do nariz.

Ele emitiu alguns sons não identificáveis, e depois ajeitou os óculos sobre o nariz.

— Estas aqui são algumas... ahn... páginas xerocadas. Mantenho os originais dentro de um cofre, porque são papéis muito antigos e estão se desfazendo. Isto foi escrito pela minha ta-ta-ra... ta-ta-ra, sei lá quantos ta-ta--ra... avós. Por parte de mãe. É uma espécie de diário. O primeiro registro foi feito no dia 12 de setembro de 1758 e foi escrito aqui, na Ilha das Três Irmãs.

— O que foi que você disse? — Ripley repuxou o corpo para trás.

— Acho que você devia escutar.

"Hoje, a minha filha mais nova teve um neném. Eles lhe deram o nome de Sebastian, e a criança é robusta e muito saudável. Sinto-me muito agradecida

pelo fato de Hester e seu jovem e simpático marido estarem dispostos a permanecer na ilha, para montar a casa deles, formar uma família e criar raízes aqui. Meus outros filhos foram para tão longe e, embora de tempos em tempos eu olhe na bola de cristal para descobrir se eles estão bem, meu coração dói por saber que não posso tocar em seus rostos, ou nos rostos de meus queridos netinhos.

Sei que jamais vou sair da ilha novamente. Isso, também, já me foi mostrado na bola de cristal. Ainda tenho algum tempo de vida nesta terra, e sei que a morte não é o fim. Quando vejo, porém, a beleza da vida que se reproduz no bebê do meu bebê, fico entristecida por saber que não vou estar aqui para vê-lo crescer de perto."

Nesse ponto, Mac arriscou um olhar rápido para Ripley e notou que ela estava olhando fixamente para ele como se jamais o tivesse visto antes. É melhor acabar logo com a história, disse a si mesmo, despejar tudo de uma vez. E continuou a ler:

"Sinto-me profundamente triste por saber que minha própria mãe não escolheu a vida, preferindo negar a si mesma a alegria suprema que eu senti ao ver uma criança sair de dentro de uma das minhas próprias filhas. O tempo, no entanto, se move depressa demais. O que surgirá a partir deste menino, um dia, tornará a equilibrar a balança do destino, se nossas crianças lembrarem e fizerem as escolhas sábias."

Embora tivesse esquecido por completo que estava segurando um cálice nas mãos, as juntas dos dedos de Ripley próximas da base do cálice estavam completamente brancas.

— Onde conseguiu isso?

— No verão passado, quando estava mexendo em algumas caixas no sótão da casa dos meus pais, acabei encontrando este diário. O interessante é que eu já havia andado ali, futucando aquelas caixas antes. Costumava deixar minha mãe louca porque eu estava sempre mexendo nas velharias. Não sei como foi que eu nunca vi e deixei passar algo assim tão importante antes, a não ser que você aceite a teoria de que ele não era para ser encontrado até junho do ano passado.

— Junho. — Ao sentir um calafrio lhe percorrer a espinha, Ripley se colocou de pé. Nell havia chegado à ilha em junho, e as três haviam instantaneamente se ligado. Ela sentiu que Mac ia começar a falar, mas levantou a mão. Precisava se concentrar no assunto.

— Você está presumindo que isso foi escrito por uma antepassada sua?

— Não estou apenas presumindo. Fiz um levantamento da minha árvore genealógica, Ripley. O nome dela era Constance, e sua filha mais nova, Hester, se casou com James MacAllister em 15 de maio de 1757. O primeiro filho deles, um menino, Sebastian Edward MacAllister, nasceu na Ilha das Três Irmãs. Ele lutou na Guerra da Independência, contra os ingleses. Depois se casou, teve filhos, e se estabeleceu em Nova York. O ramo genealógico vem descendo até chegar à minha mãe e até mim.

— Você está me dizendo que é um descendente direto de uma das...

— Tenho toda a documentação para provar. Registros de casamento, certidões de nascimento. Pode-se dizer que nós somos primos distantes.

— Mas por que você não nos contou isso assim que chegou na ilha? — perguntou, olhando para ele e depois desviando o olhar para a lareira.

— Tudo bem, é um pouco cretino. — Ele preferia que ela tivesse se virado para trás e voltasse a se sentar no sofá, recostada e aconchegada a ele. Mas a verdade é que Mac não sabia que poderia acontecer um envolvimento entre eles até passar por tudo aquilo. — Eu achei que poderia ter que precisar usar isto como uma espécie de incentivo para conseguir cooperação, uma espécie de instrumento de barganha.

— Sei, o "ás escondido na manga" — observou ela.

— Sim, de certa forma. Caso Mia levantasse muitos obstáculos, achei que esta informação poderia ser uma boa maneira de derrubar alguns deles. Só que ela não me criou problemas; me auxiliou desde o início. Comecei a me sentir um pouco desconfortável por continuar mantendo essa informação guardada comigo. Estava disposto a contar tudo para ela, hoje à noite. De repente, porém, senti que precisava contar a você primeiro.

— Por quê?

— Porque você é importante para mim. Imagino que você esteja chateada por eu não ter contado antes, mas...

— Não, não fiquei chateada — interrompeu ela, balançando a cabeça e sentindo-se desconfortável, talvez, mas não zangada. — Eu teria feito a mesma coisa para conseguir algo que quisesse.

— Não sabia que você estaria aqui. Sabe o que quero dizer. Você... Jamais imaginei que pudéssemos ficar envolvidos um com o outro, dessa forma.

Trabalho no que a maioria das pessoas considera um campo ilógico. Isso torna ainda mais essencial fazer uma abordagem lógica desses assuntos. Por baixo de tudo, no entanto, em um nível puramente pessoal, sempre me senti atraído para este lugar, durante toda a minha vida, sem saber ao certo o que é que estava me puxando. No verão passado, finalmente, descobri.

— Mas não veio, na época.

— Tive que recolher dados, fazer pesquisas, analisar tudo, verificar várias vezes todos os fatos.

— Sempre organizado e obsessivo com tudo que tenha relação com o trabalho.

Ela sentou-se sobre o braço do sofá. Já era, ele pensou, um avanço.

— Acho que sim, eu sou um cientista. Mas sonhava com a ilha. Antes mesmo de saber exatamente onde ela ficava, e se ficava realmente por aqui, já sonhava com ela. Sonhava com você. Tudo aquilo era tão forte, era uma parte tão fundamental da minha vida, que era necessário abordar o tema conforme fui treinado. Como um observador, um pesquisador, alguém que basicamente registra os fatos.

— E o que foi que as suas observações lhe contaram, Dr. Booke?

— Tenho toneladas de dados, mas não acredito que você esteja interessada em lê-los. — Viu-a balançar a cabeça para os lados diante do seu olhar de questionamento. — Certo. Mas eu também tenho um sentimento muito simples e direto a respeito disso. Sinto que estou onde deveria estar, que aqui é o meu lugar, e tenho uma participação ativa em tudo isso. Só não sei ainda, exatamente, qual é.

— Uma participação em quê? — Ela quis saber, levantando-se novamente.

— No equilíbrio da balança.

— Você realmente acredita, aí dentro desse seu cérebro cheio de detalhes e dados científicos, que esta ilha está fadada a desaparecer no fundo do oceano? Como é que você pode engolir essa história de maldição antiga, de séculos atrás? Ilhas não afundam no mar simplesmente de uma hora para a outra, como se fossem barcos inundados.

— Existe um grande número de pesquisadores de renome e historiadores que poderiam refutar esse argumento, usando a Atlântida como exemplo.

— E entre esses pesquisadores, você se inclui? — perguntou ela, com uma cara azeda.

— Sim, e antes que você me venha com o papo de que isso não faz sentido, deixe que eu lhe diga que, em casos como esse, sempre há espaço para interpretações não tão literais. Um furacão de nível cinco, um terremoto...

— Terremoto? — Ela sentira a terra tremer debaixo dos seus pés. Ela *fizera* a terra tremer, poucas horas antes. E mesmo assim se recusava a pensar nisso. — Pelo amor de Deus, Mac!

— Você não vai querer que eu comece a falar sobre placas tectônicas, pressões subterrâneas e deslocamentos da superfície, vai?

Ela abriu a boca e a fechou de novo logo em seguida, preferindo simplesmente balançar a cabeça de um lado para o outro.

— Eu achei mesmo que não. Olhe, Ripley, tenho mestrados em Geologia, em Meteorologia, e posso me tornar realmente chato. De qualquer forma, para encurtar o assunto e falar com simplicidade, a Natureza pode ser uma megera, e às vezes mal nos tolera.

Ripley permaneceu de pé, olhando para Mac por um bom tempo, considerando com detalhes o homem à sua frente. Honesto, sexy, calmo. De algum modo, solidamente confiante em si mesmo. Não era de se espantar que ela tivesse ficado caidinha por ele.

— Quer saber de uma coisa? Aposto que você não é assim tão chato quando começa a falar sobre esses assuntos, como imagina.

— Vai perder a aposta! — E, por achar que ela aceitaria o fato naquele momento, esticou o braço e tomou a mão dela. — Estamos entre o Céu e a Terra, Ripley, que fazem muito mais do que simplesmente nos abrigar entre eles. Eles esperam que nós possamos merecer isso.

— E temos que decidir até que ponto nós estamos dispostos a ir.

— Acho que isso resume tudo.

— Está ficando cada vez mais difícil convencer a mim mesma que tudo isso não passa de uma grande baboseira. — Ripley soltou o ar com força, estufando a bochecha. — Primeiro, foi a chegada da Nell. Depois, você apareceu, e agora, isso. — Lançou um olhar pensativo para as cópias das páginas do diário. — Começo a sentir que é como se alguém tivesse colocado barras de ferro em uma jaula à minha volta e ficasse cada vez mais difícil escapar pelos espaços entre as grades.

Ela franziu os olhos ao olhar novamente para as fotocópias, e outro pensamento surgiu em sua cabeça.

— Mac... Se você tem um laço de sangue com as Três Irmãs — seu olhar se arregalou ao falar isso —, você possui algum tipo de dom?

— Não. Sinto-me roubado de algo, e isso às vezes me parece injusto. Por outro lado, devo ter herdado o interesse e o fascínio pelo assunto, mas não ganhei nada da parte prática.

— Bem, isso já é alguma coisa de bom. — Ela ficou mais relaxada, escorregando para o sofá e se recostando em seu ombro.

Capítulo Quinze

Mia leu a primeira anotação do diário, sentada à escrivaninha do seu escritório. Uma chuva congelante chegara, trazida pelo vento, e batia com força em sua janela.

Ela se vestira em um tom forte de azul, para dissolver um pouco a melancolia do tempo lá fora, e usava o lindo conjunto de brincos de pequenas estrelas e luas que Nell lhe dera no aniversário do ano anterior. À medida que lia, brincava com os brincos e fazia com que as estrelas colidissem com as luas.

Quando acabou de ler a anotação, recostou-se na cadeira e ficou olhando para Mac com inegável simpatia.

— Bem, como vai, primo? — disse, por fim.

— Não tinha muita certeza de como você iria encarar isso.

— Tento aceitar as coisas do jeito que elas são. Posso ficar com isto por algum tempo? Gostaria de ler o resto do diário.

— Claro.

— As coisas começam a fazer sentido, e tudo fica tão agradável e adequado... — comentou, colocando as páginas de lado e bebericando da sua xícara de café expresso com leite batido.

— Vejo isso como uma tremenda coincidência — começou Mac a falar, mas ela o interrompeu.

— A coincidência, frequentemente, é aquilo que coloca as coisas no devido lugar. Consigo traçar minha árvore genealógica até o seu início, com as Três Irmãs. Sei que muitos dos descendentes ficaram aqui, e outros se espalharam. E me lembro bem, lendo este diário agora, que realmente havia um ramo MacAllister. James era o único homem, mas havia outras três irmãs. É verdade que ele deixou a ilha, conseguiu sobreviver a uma guerra e, a seguir, começou a fazer fortuna. O fato de que eu não tenha me lembrado disso até agora e nem tenha feito a conexão do nome dele com você é que me parece muito estranho, você não acha? Imagino que não era para eu me lembrar. Mesmo assim, senti algo por você desde o início, Mac. Uma espécie de afinidade sanguínea, se você quiser, uma proximidade que eu não conseguia explicar. Isso agora me parece correto. E reconfortante.

— Bem, *eu* não me senti reconfortado. Não foi essa a minha primeira reação quando comecei a juntar as peças desse quebra-cabeça.

— E qual foi a sua reação?

— Empolgação. Saber que eu era descendente de uma bruxa e de um *selkie*. Legal isso, não? — Partiu um pedaço do bolinho com recheio de maçã que Mia lhe oferecera, logo que chegara. — A reação seguinte foi a de me sentir muito aborrecido por descobrir que não herdei nenhum tipo de Poder ou dom, nessa história.

— Você está errado em pensar isso, Mac. — A afeição e a admiração na voz de Mia quase o fizeram corar. — Sua mente é o seu grande Poder. A força e a abertura da sua mente produzem Magia também, e das mais poderosas. No seu caso, mais forte ainda, porque não bloqueia o coração. Cada um de nós precisa das duas coisas. — Ela fez uma pausa antes de acrescentar: — Ela vai necessitar muito de você.

Ouvir isso lhe provocou um sobressalto interno, embora Mia tivesse falado de modo calmo e simples, quase casual.

— Faça-me um grande favor, Mia: jamais diga isso para Ripley. Ela ficaria furiosa.

— Estou vendo que você a compreende, reconhece todas as suas imperfeições, deficiências e hábitos irritantes. Mesmo assim a ama.

— Sim, eu... — Parou de falar de repente, colocando o bolinho de lado. — Você é mesmo esperta e pega a gente de surpresa.

— Desculpe, a intenção não foi me intrometer, nem deixá-lo sem graça. — E a gargalhada que deu era muito quente e envolvente para ser ofensiva. — Pressenti que você estava apaixonado por ela, mas queria ouvir isso da sua boca. Você conseguiria ser feliz, morando aqui na ilha para sempre?

— Você realmente a conhece como ninguém, não é? — Então não falou mais nada por um momento, adquirindo um ar pensativo. — Você está certa. Ripley jamais conseguiria ser feliz em algum outro lugar que não fosse aqui na ilha. Mas, respondendo à sua pergunta, sim, eu conseguiria ser feliz aqui. Estive me encaminhando para cá por toda a minha vida, sem saber, de qualquer modo.

— Gosto de você, Mac, muito. O bastante para chegar a desejar, mesmo que apenas um pouquinho, que fosse eu a mulher que estivesse destinada para você, e que você — acrescentou, ao ver o seu discreto olhar de pânico — fosse o homem destinado para mim. Já que não aconteceu nenhuma dessas duas coisas, estou contente de que possamos ser grandes amigos. Acho que a consciência dessa realidade irá fazer com que consigamos ajudar um ao outro, da melhor maneira que nos for possível.

— Você realmente gosta muito dela, não é, Mia?

Por um rápido instante, a calma de Mia se transformou em agitação, e um rubor forte apareceu em seu rosto, uma ocorrência rara. Então, sentindo-se sem forças para negar, levantou os ombros.

— Sim, gosto muito de Ripley, quase tanto quanto me sinto irritada com ela. Ao dizer isso, estou confiando totalmente em você, Mac. Guarde o que acabei de dizer para si mesmo, e eu prometo guardar os sentimentos que você revelou para mim.

— Combinado.

— E para selar esse compromisso... — Mia se levantou e se virou para as prateleiras que estavam atrás dela. Pegou uma caixa de madeira entalhada e, abrindo-a com cuidado, apanhou com carinho um pingente de prata com o formato de estrela e uma pedra-do-sol encravada no centro.

— Este pingente está em minha família... em nossa família — corrigiu, sorrindo. — Desde que nossas antepassadas vieram para a ilha. Dizem que a minha antepassada forjou esta peça a partir de uma estrela cadente e pegou a pedra em um raio de sol. Eu a guardei para você.

— Mia...

Mas ela simplesmente o beijou de leve no rosto e colocou o cordão com o pingente por cima da cabeça dele.

— Abençoado seja, querido primo.

Harding fez mais uma visita a Evan Remington. Seus planos já estavam definidos, e sua programação, delineada. Sentiu, porém, que era imperativo visitar Remington mais uma vez antes de viajar para a costa leste.

Sentia uma estranha afinidade com o sujeito. A descoberta disso era espantosa e ao mesmo tempo atraente. Remington era uma espécie de monstro. No entanto...

Não era verdade, afinal, que todos os homens possuíam uma fera oculta dentro de si? A diferença é que os homens mentalmente saudáveis, os civilizados (e Harding se considerava ambos), reprimiam a fera interior. Conseguiam controlá-la.

Talvez por isso aqueles que se deixavam influenciar por ela, que mantinham-na sempre bem-alimentada e pronta, pareciam pessoas mais fascinantes.

Harding convencera a si mesmo que as visitas regulares que fazia a Remington eram apenas para "pesquisa". Negócios. Na verdade, porém, estava começando a achar aqueles encontros frequentes com o reino do Mal extremamente estimulantes.

Todos nós estamos a apenas um passo do fosso, pensava Harding, anotando mentalmente frases como essa enquanto esperava para ser autorizado a entrar no sanatório. Apenas através da observação e do aprendizado com aqueles que tinham caído no fosso poderia ser possível compreender o que aguardava por nós no outro lado da sanidade.

Assim que Harding pisou na sala para visitação, ouviu o eco da imensa fechadura atrás de si. *Será que aquele era o último ruído que se ouvia antes de cair no fosso?*, escreveu em sua mente, para usar mais tarde no livro. *O indefectível som do trinco?*

Remington não estava preso por correntes, dessa vez. Já haviam contado a Harding que, como parte do seu tratamento de reabilitação, Remington conseguira se livrar completamente de suas algemas, embora ainda exibisse uma espécie de pulseira de metal com uma argola externa. Não mostrara sinais de violência contra outros, nem contra si mesmo, ultimamente, e se mostrara acessível e cooperativo nas sessões mais recentes com o analista.

A sala era pequena e estava quase vazia. Não havia mais grades entre eles, apenas uma mesa e duas cadeiras. Embora estivesse sem as correntes, Harding ouviu o tilintar dos aros das pulseiras de Remington. Havia ainda, em um dos cantos da sala, uma terceira cadeira, ocupada por um guarda de ombros largos e rosto redondo.

Câmeras de segurança continuavam a gravar todos os sons e movimentos da sala.

O fosso da insanidade, pensou Harding, qualquer que fosse o nome que se desse àquilo, oferecia pouco conforto e nenhuma privacidade.

— Senhor Remington.

— Evan... Pode me chamar de Evan. — Naquele dia, a loucura era praticamente imperceptível. — Depois de tantos encontros, não há razão para formalidades, não acha? Eu vou chamá-lo de Jonathan. Sabia, Jonathan, que você é a única pessoa que vem até aqui para conversar comigo? Disseram-me que a minha irmã já esteve aqui, mas eu não me lembro da presença dela. A única pessoa de quem sempre me lembro de ter vindo me ver é você.

A voz estava em um tom baixo, mas era perfeitamente audível. Harding sentiu um pequeno calafrio interno ao se lembrar de como Remington estava e como lhe pareceu, na primeira visita que lhe fizera.

Ele ainda estava magro e muito pálido, com os cabelos sem vida. Mas Harding pensou que, se alguém o colocasse dentro de um terno bem-cortado e de boa grife e o enviasse de volta a Los Angeles, seus sócios iriam olhar para ele e achar apenas que ele andava trabalhando demais.

— Você está com uma boa aparência, Evan.

— É... Não estou na minha melhor forma, mas temos que considerar as condições primitivas das instalações em que estou internado. — Um músculo se retraiu em seu rosto. — Aqui não é o meu lugar. Meus advogados estragaram tudo ao lidar com o meu caso. Mas já estou cuidando disso. Já resolvi como cuidar dos canalhas burros e incompetentes. Despedi todos eles. Estou na expectativa de conseguir uma representação mais adequada em menos de uma semana. E, evidentemente, minha liberdade virá logo a seguir.

— Entendo.

— Acho que entende mesmo. — Remington se inclinou para frente e então olhou diretamente para as câmeras de segurança instaladas nas paredes. — Tenho certeza de que compreende. Na verdade, estava defendendo a mim mesmo e ao que era meu. — Seu olhar pousou sobre Harding então, e algo escuro e tenebroso parecia estar nadando na superfície dos seus olhos. Algo sem cor, mas bastante vivo. — Fui traído, e abusaram de mim. Aqueles que ficaram contra mim é que deveriam estar aqui, não eu.

Harding não podia desviar o olhar, não podia deixar que essa conexão se quebrasse, e perguntou:

— Você está se referindo à sua ex-mulher?

— Ela ainda é minha mulher — corrigiu Remington, completando em um sussurro quase inaudível. — Até que a morte nos separe. Diga-lhe, por favor, quando a encontrar, que estou e continuo sempre pensando nela. Você fará isso por mim?

— Como disse?

— Você não vai conseguir terminar o que começou, nem conseguir o que deseja, até se encontrar com ela e com todos os outros. Já andei pensando nisso. — Remington balançou a cabeça para frente lentamente, mantendo os olhos, pálidos como água, grudados nos de Harding. — Aqui eu tenho todo o tempo do mundo para pensar, como você sabe. Preciso de alguém que diga a Helen que eu ainda não a esqueci. Preciso de alguém que mostre a todos eles que eu não posso ser simplesmente ignorado. Um agente, se você quiser chamar assim.

— Mas, senhor Remington. Evan. Eu sou apenas um repórter. Um escritor.

— Sei perfeitamente o que você é. Sei também o que deseja. Fama, fortuna, reconhecimento. Respeito. E sei como conseguir tudo isso para você. Esse é o meu trabalho, afinal: conseguir essas coisas para os outros. Quero transformá-lo em uma estrela, Jonathan. Eu *crio* estrelas.

Alguma coisa pareceu passar por trás de seus olhos, mais uma vez. Como se fossem tubarões nadando em uma piscina profunda. Harding se sentiu estremecer por dentro, mas não conseguiu desviar o olhar dele. Por baixo da pele, que ficou subitamente gelada, conseguia sentir a si próprio sendo puxado. Sua respiração ficou curta, e sentiu uma forte pressão no peito.

— Eu vo-vou... escrever um livro, Evan.

— Sim, sim, um livro importante. Vai contar a história como ela deve ser contada. E vai encerrá-la como ela deve ser encerrada. Quero punir a todos. — Ele esticou o braço, agarrando os dedos de Harding, que a essa altura estavam flácidos e sem força. — Eu os quero mortos, todos mortos.

Algo ricocheteou no ar, crepitou, e então surgiu o guarda.

— Sem contato.

— Não devemos deixar a bruxa viver — disse Harding, quase como um autômato, enquanto um cruel sorriso se esboçou no rosto de Remington.

— Sem contato físico! — ordenou o guarda, levantando-se e indo até a mesa. Mas Remington já estava diminuindo a força sobre os dedos de Harding.

— Desculpe... — Remington ficou olhando de lado, com a cabeça abaixada. — Eu me esqueci. Queria apenas apertar a mão dele. Ele é o único que vem me visitar. E o único que vem conversar comigo.

— Estávamos apenas nos despedindo — completou Harding, com uma voz que a ele mesmo pareceu distante e tímida. — Tenho que fazer uma longa viagem e não vou poder visitá-lo por algum tempo. Preciso ir agora. — Então Harding se colocou de pé, sentindo-se um pouco sem equilíbrio. Uma terrível dor de cabeça atormentava as suas têmporas.

Remington levantou o seu olhar uma última vez, dizendo:

— Nós nos encontraremos de novo.

— Sim, é claro.

Remington se deixou ser levado embora. Mantinha a cabeça baixa e se arrastava de modo gentil e obediente de volta à cela. Dentro de seu coração, uma sensação de regozijo florescia, como uma flor fétida. Pois ele descobrira que também havia Poder na loucura.

Dentro da barca, já a caminho da Ilha das Três Irmãs, Harding mal conseguia se lembrar da última visita a Remington. Isso o estava deixando irritado, e ele tinha uma preocupante e inexplicável sensação de que estava para ficar doente. Afinal, a sua memória para detalhes sempre tinha sido um dos seus pontos fortes, uma das suas habilidades mais desenvolvidas. Agora, um evento que acontecera pouco mais de oito horas antes lhe parecia uma cena maldefinida, por trás de um vidro embaçado.

Harding não se lembrava sequer do que tinham conversado, apenas sabia que, subitamente, sentira uma dor de cabeça insuportável. Um mal-estar tão grande que tinha sido até obrigado a se esticar para descansar um pouco no banco da frente do carro, onde ficou esperando que os tremores, a dor e as náuseas passassem de todo, antes de ousar enfrentar a estrada de volta, dirigindo.

Mesmo agora, só de pensar naquilo, sentia calafrios. Para piorar, o mar estava agitado, e uma chuva fina, fria e penetrante estava caindo. Foi necessário que ele buscasse abrigo dentro do carro e engolisse a seco mais duas pílulas contra enjoo.

Sentia-se aterrorizado diante da possibilidade de ter que sair correndo do carro, de repente, e enfrentar a chuva para vomitar na amurada da barca, sobre o mar picado.

Como forma de defesa, mais uma vez se deixou ficar deitado no banco do carro, tentando respirar profunda e pausadamente. E começou a contar os minutos que faltavam até o momento de tocar em terra firme de novo.

E foi assim que acabou pegando no sono.

Sonhou com cobras que deslizavam sob sua pele, deixando um rastro frio como gelo.

Sonhou com uma mulher de olhos azuis e longos cabelos louros, que gritava de dor e de pânico enquanto ele batia nela várias vezes, impiedosamente, com um bastão.

Ela está quieta, agora. Quieta, agora. Cria de Satanás.

Sonhou com um golpe desferido por um raio azul ofuscante, que desceu do céu entre relâmpagos e trespassou-lhe o coração.

Sentiu terror, ódio e desejos de vingança.

Viu uma mulher linda com um vestido branco, que chorava enquanto se arrastava para o canto de uma sala com piso em mármore também branco.

Visualizou uma floresta escura sob uma lua nova, onde ele estava de pé, segurando uma faca e apontando-a para uma garganta lisa e branca. E, quando ele conseguiu cortá-la com a lâmina afiada e sentiu o sangue jorrar por entre os dedos, o mundo todo entrou em erupção. O céu se dividiu em dois, e o mar abriu uma boca horrenda, pronta para engolir todos os que tinham se colocado contra ele.

Acordou com gritos estrangulados na garganta e bateu no próprio rosto, como se para matar o que quer que estivesse rastejando por dentro dele. Por um instante, olhou aterrorizado para o espelho retrovisor.

Olhos que não eram os seus, de uma cor pálida como água, o encararam de volta.

Nesse instante, a barca soltou um apito ensurdecedor, avisando que estava aportando na Ilha das Três Irmãs. Os olhos que viu quando pegou no lenço para enxugar seu rosto encharcado de suor estavam injetados de vermelho e apavorados, mas eram os seus.

Acho que peguei alguma virose, disse para si mesmo, tentando se acalmar. Andava trabalhando demais, viajando demais. Atravessando fusos horários diferentes com muita frequência. Resolveu tirar um ou dois dias para descansar, a fim de deixar o corpo relaxar e se recuperar.

Sentindo-se renovado com essa ideia e empolgado por ter chegado, apertou o cinto de segurança e deu partida no carro. Dirigiu com cuidado pela rampa da barca e atingiu o solo da Ilha das Três Irmãs.

A chuva foi piorando até se transformar em uma tormenta. No segundo dia daquele tempo inclemente, Mac colocou a cara na janela do chalé, com as mãos em concha. Estivera enterrado no trabalho e deu uma boa olhada no mundo em volta lá fora. Um novo carregamento de livros estava chegando, bem como peças de reposição para o seu equipamento. Naquele exato momento, havia pedaços de um dos sensores espalhados em cima da mesa da cozinha. Um monitor que estava se comportando mal e apresentando falhas constantes também aguardava pacientemente sobre a bancada, suas entranhas igualmente espalhadas.

A cozinha ainda estava impregnada do cheiro dos ovos que deixara queimar naquela manhã, os quais, era forçado a admitir, tinha sido uma má ideia tentar prepará-los, especialmente quando sua cabeça estava muito longe dali.

Mac também quebrara um copo. E conseguira um corte profundo no calcanhar quando, distraído, havia circulado descalço por cima dos cacos, antes de varrê-los para fora.

Todo o chalé havia se transformado em um laboratório, mas isso não era tão ruim. Só que, sem ter um assistente de laboratório para limpar as coisas que deixava espalhadas e soltas atrás de si, tudo se transformara em uma catástrofe.

Ele na verdade não se importava muito de trabalhar em uma área que parecia ter sido atingida por um furacão; já estava acostumado com aquilo. Só que um lugar assim certamente não poderia funcionar como residência permanente de um casal.

Se o chalé já havia se tornado minúsculo para acomodar seus inúmeros instrumentos, em curto prazo, seria certamente pequeno demais para acomodar duas pessoas que tivessem acabado de se...

Ripley, pensou depressa. Ele ainda não estava pronto para usar o termo "casar" com relação a ela, nem mesmo em pensamentos.

Não que ele não estivesse disposto a se casar com ela; é claro que estava. Também não tinha dúvida de que ela iria querer se casar com ele. Simplesmente iria esperar por Ripley ali mesmo naquele lugar, até que ela resolvesse sair da toca em que se enfiara. Ele apostava na sua paciência contra a teimosia dela.

Mas o mais importante tinha que vir primeiro.

Quando um homem resolvia se estabelecer permanentemente, tinha que encontrar um lugar para isso. Por mais afeição que tivesse por aquele lindo chalé amarelo à beira de um bosque, ele não iria servir, porque era muito pequeno. Além de estar muito claro em sua cabeça que Mia jamais concordaria em vendê-lo.

Mac se levantou e conseguiu não apenas pisar em um parafuso como também o fez exatamente em cima do local do seu corte recente. A seguir, gastou algum tempo soltando inúmeros e criativos palavrões, pulando em um pé só por toda a casa, até encontrar, jogados no chão, os sapatos que ele achava que já tinha colocado nos pés.

Lá estavam eles, de tocaia na porta do quarto, bem no meio do caminho, onde certamente foram colocados com o objetivo óbvio de provocar-lhe outro tombo.

Segurando-os, ainda ofegante da dança, deu uma olhada no quarto e franziu as sobrancelhas.

Ele normalmente não vivia em um lugar tão bagunçado, como se fosse uma pessoa relaxada. Tudo bem, admitiu olhando a desordem; normalmente ele não tinha a *intenção* de viver em um lugar tão bagunçado. Aquilo simplesmente acontecera.

Esquecendo os sapatos, arregaçou as mangas. Iria dar uma boa faxina no quarto e utilizar o trabalho pesado para clarear os pensamentos. Precisava pensar em comprar uma casa.

Ela tinha que ser de bom tamanho, para que a sua montanha de equipamentos não ficasse no caminho de ninguém. E iria precisar de um escritório, também.

Sem ter certeza de quando tinha sido a última vez em que trocara os lençóis da cama, resolveu pecar por excesso de zelo e os retirou para lavar.

Seria muito bom se na casa pudesse haver também um espaço específico para instalar alguns equipamentos para malhação e levantamento de peso. Ripley iria precisar também de algum espaço para instalar os aparelhos de ginástica dela, pensou, enquanto recolhia meias, camisas e cuecas. Tinha que haver ainda um lugar onde ela pudesse se refugiar, quando ele a estivesse levando à loucura.

Sua mãe costumava chamar um quarto que tinha só para ela de "escotilha de escape", Mac se lembrou de repente, sorrindo, e isso o fez pensar que já estava na hora de dar um telefonema para casa, para falar com ela e saber como estavam todos.

Levando o carregamento de roupas para lavar até o quarto minúsculo que havia na saída da cozinha, deixou de pisar novamente no parafuso fatídico, por um triz, e enfiou tudo o que conseguiu pela pequena abertura da máquina de lavar. A seguir, colocou bastante sabão em pó na gaveta apropriada, e resolveu que seria melhor anotar em um papel todos os requisitos básicos da nova casa. Disposto a fazer isso naquele exato momento, circulou mais uma vez pela sala à procura de um bloco de anotações, e se esqueceu de ligar a máquina de lavar roupa.

Precisamos de três quartos, no mínimo, pensou ele. Se fossem quatro, seria melhor ainda.

Teria que ficar em algum lugar próximo do mar. É claro que nenhum lugar da ilha ficava longe dele, mas Ripley estava acostumada a morar bem na praia; portanto...

Booke, seu idiota! Está bem na sua cara! Você sabia que era o lugar certo desde a primeira vez em que esteve lá, pensou.

E correu até o telefone, discando o número de informações.

— Cidade de Nova York, por favor — solicitou à operadora. — Preciso saber o número das Empresas Logan.

Uma hora mais tarde, para celebrar o que considerava o primeiro passo para se transformar no novo proprietário de uma casa na Ilha das Três Irmãs, ele saiu para enfrentar a fúria dos elementos. Thaddeus Logan não tinha exatamente pulado de alegria ao receber a inesperada oferta pela casa, mas também não dispensara Mac de imediato.

Além disso, não era uma desvantagem saber que Logan conhecia pessoalmente o pai de Mac. Conexões levavam a outras conexões, pensou Mac enquanto soltava o ar por entre os dentes, devido ao frio; decidiu ir andando até a loja "Livros e Quitutes", em vez de se arriscar a desbravar as ruas escorregadias e cobertas de gelo com o seu Land Rover.

Estava com um bom pressentimento a respeito da possibilidade de eles virem a fechar negócio; Logan iria acabar vendendo a casa para ele. Ao pensar nisso, Mac se lembrou de que seria aconselhável ligar para o seu pai em busca de consultas, naquela área. A única coisa da qual ele tinha certeza absoluta, em se tratando de negócios imobiliários, é que, se a outra parte sentisse que ele estava interessado demais no imóvel, certamente iria querer arrancar o seu couro e esvaziar a sua carteira.

Era preciso fazer um levantamento cuidadoso do valor de mercado dos imóveis naquela região, e Mac apalpou os bolsos, distraído, esperando encontrar um pedaço de papel onde pudesse escrever um lembrete para si mesmo sobre aquele assunto.

Não que a quantidade total de dinheiro, um pouco mais ou um pouco menos, fosse assim tão importante, mas era uma questão de princípios. E imaginava também que, se ele se deixasse ser explorado, Ripley ia lhe dar alguns apertos bem dados, com raiva. Isso faria com que todo o processo já começasse com o pé esquerdo.

Amanhã, Mac prometeu a si mesmo, iria dar uma volta de carro e passaria por lá para dar uma nova olhada, dessa vez com olhos de comprador, na casa que, tinha certeza, estava destinada para eles.

Deliciando-se com a ideia, caminhava despreocupadamente, com a cabeça abaixada, enquanto o vento fustigava suas orelhas, e a horrível mistura de gelo com neve que girava em torno dele, em redemoinhos, cortava-lhe a pele.

Olhe só para ele, pensou Ripley consigo mesma ao vê-lo, de longe. *Passeando e enfrentando esse tempo horroroso, quando não precisava estar fazendo nada disso; andando sem olhar direito para onde vai e saracoteando por aí como se estivéssemos em um ensolarado dia de verão.*

Aquele homem está precisando de um guardião.

E resolveu que ela mesma teria que assumir a incumbência.

Foi andando na direção dele; calculando o tempo e a distância, ficou plantada no meio do caminho, deixando-o se aproximar com a cabeça ainda abaixada, até dar um forte encontrão nela.

— Caramba! — gritou Mac. Como ela estava com os pés firmes no chão, e ele, não, começou a escorregar. Com um reflexo rápido, apoiou-se no braço dela, e os dois quase levaram um tombo. — Nossa, desculpe!

Mas ela estava morrendo de rir, e a cotovelada que deu nele foi amistosa.

— Quantas paredes você atropela em média, por dia?

— Nunca contei, é desmoralizante. Puxa, você está linda! — Ele se agarrou nela novamente, só que encontrou mais firmeza ainda, dessa vez. Levantando-a até deixá-la na ponta dos pés, plantou-lhe um longo e quente beijo na boca.

Todo o sistema dela se agitou, de modo doce e agradável.

— Linda, não, o que eu estou é gelada e toda molhada. Meu nariz está vermelho, e os dedos dos pés se transformaram em cubinhos de gelo. Zack e eu acabamos de passar uma hora miserável na estrada que margeia a costa. Estamos com queda de energia em vários locais da ilha, e muitos carros saíram da estrada. Para piorar, uma árvore caiu e destruiu todo o telhado da oficina de Ed Sutter.

— Um emprego invejável esse de vocês.

— Muito engraçado. Acho que o pior ainda está por vir amanhã — disse ela, olhando, como os habitantes da ilha vinham fazendo há séculos, para o mar e o céu. Ambos estavam escuros, cinzentos e pesados. — Nós vamos dar uma parada nos trabalhos, por hoje, daqui a pouco. Mas que diabos você está fazendo, andando pelas ruas em um tempo como esse? Faltou luz na sua casa?

— Não, havia eletricidade e estava tudo normal quando eu saí de casa, há pouco. Fiquei com vontade de tomar um café decente. — Indicou com a cabeça a direção de onde Ripley estava vindo, e a seguir olhou para onde ela estava se dirigindo. — E você, estava indo me fazer uma visita?

— É meu dever verificar e zelar pela segurança de todos os habitantes de nossa pequena e feliz comunidade.

— É realmente muita consideração de sua parte, delegada Todd. Que tal se eu lhe pagar uma xícara de café bem quente?

— É... Bem que eu poderia aceitar esse convite, e ainda ficar, de quebra, em um lugar quentinho e seco por dez minutos.

E os dois deram-se as mãos enquanto seguiam de encontro ao vento cortante, através da Rua Alta.

— Que tal comprarmos uma embalagem com sopa bem nutritiva, ou algo assim, e levarmos para a minha casa? Podíamos nos encontrar lá para jantarmos juntos, mais tarde.

— As chances de você ficar com eletricidade durante toda a madrugada naquele chalé são muito pequenas. Lá em casa nós temos um gerador próprio. Por que não empacota tudo o que pretende usar e passa a noite lá, conosco?

— A Nell vai cozinhar alguma coisa?

— Tão certo quanto a grama é verde.

— Então eu vou! — Ele abriu a porta da livraria para ela.

Como em um passe de mágica, a cabeça de Lulu surgiu atrás de uma das estantes.

— Logo vi que só podia ser um par de lunáticos. As pessoas de bom senso estão todas em casa, resmungando e reclamando do tempo.

— E por que *você* não está em casa, então? — perguntou Ripley.

— Porque há lunáticos em quantidade suficiente nesta ilha para manter a loja aberta. Agora mesmo estão alguns lá em cima, na cafeteria.

— É para lá que estamos indo. Nell já foi para casa?

— Ainda não. Mia já a dispensou, mas ela continua lá. Não sei nem por que a Peg veio trabalhar, porque a Nell resolveu ficar aqui na loja. De qualquer modo, vamos fechar mais cedo, no máximo em uma hora.

— Bom saber disso.

Ripley tirou o boné ensopado, enquanto começava a subir as escadas.

— Mac, você me faz um favor?

— Claro.

— Dá para você ficar por aqui mais um pouquinho até a loja fechar, para ter certeza de que a Nell foi para casa em segurança?

— Lógico, fico até feliz de fazer isso.

— Obrigada. É uma preocupação a menos. Assim, eu aviso a Zack que ela vai com você, e ele não vai se preocupar.

— Vou pedir para ela ir comigo até o chalé, para me ajudar a carregar algumas coisas.

— Espertinho você, hein? — Ela deu um sorriso forçado.

— As pessoas vivem me dizendo isso. — Eles continuaram de mãos dadas enquanto caminhavam até o balcão.

— Zack acabou de ligar — contou Nell. — Vocês estão tendo um dia de cão, hein?

— Ossos do ofício. Será que você pode pegar dois cafés grandes para viagem? Vou levar um para Zack quando voltar para a delegacia. Este cara aqui do meu lado também está louco por um café. — Ela entortou o polegar na direção de Mac.

— Vou querer um café grande, também, mas o meu é para tomar aqui mesmo. E... mas o que é aquilo ali na vitrine do balcão acenando para mim, Nell? É torta de maçã?

— Exato. Quer uma fatia bem quentinha?

— Com certeza!

Ripley se apoiou no balcão dando uma olhada em torno.

— Acho melhor avisar a você que convidei o esfomeado do Mac para jantar e acampar lá em casa.

— Que bom! Vamos ter empadão de frango no jantar.

— Empadão de frango caseiro? — O rosto de Mac se acendeu, os olhos arregalados.

— Você é muito divertido! — riu Nell, enquanto prendia as tampas nos copos de café para viagem.

Ripley se virou e ficou de costas para a área das mesas.

— Quem é aquele sujeito sentado lá atrás, sozinho? — perguntou a Nell. — Com suéter marrom e botas de gente de cidade grande?

— Não sei. E a primeira vez que vem aqui. Tenho a impressão de que ele está hospedado no hotel. Chegou mais ou menos há meia hora.

— Já foi até lá puxar assunto com ele?

— Falei com ele normalmente, de forma amigável. — Nell cortou um pedaço generoso da torta de maçã para Mac. — Eu soube que ele chegou na barca de anteontem. Veio visitar a região. As pessoas vêm até aqui, Ripley, sabia?

— É que é uma época muito esquisita para fazer turismo. O hotel está quase vazio, não há visitantes. Enfim... — Ela pegou os copos de café que Nell colocara sobre o balcão. — Obrigada, Nell. E quanto a nós, vamos nos ver mais tarde, então — completou, dirigindo-se a Mac, e teria evitado o beijo público dele, se suas mãos não estivessem ocupadas.

— Tenha cuidado lá fora. — Ele pegou o boné no bolso do casaco de Ripley e o ajeitou cuidadosamente sobre a cabeça dela.

Harding observava com atenção o movimento no balcão, por trás do jornal que trouxera consigo do hotel. Reconhecera Ripley Todd pelas fotos que tinha dela, em seus arquivos. Da mesma forma que reconhecera Nell de imediato. Isso, porém, não explicava a sua reação diante da presença de ambas.

Chegara com a expectativa de sentir uma agradável fisgada de energia, pela emoção de estar frente a frente, afinal, com os personagens mais importantes de sua história, enfileirados diante dele como em um palco. Em vez disso, em cada um dos dois casos, ele se sentira quase enjoado. Uma espécie de fúria silenciosa tinha sido bombeada em seu sangue no momento em que ele atingiu o último degrau da escada e deu de cara com Nell, que estava trabalhando atrás do balcão.

Ele se sentiu forçado a virar o rosto e olhar para o lado e foi se esconder atrás das estantes de livros até conseguir se manter novamente sob controle. Lá atrás, suara como um porco e ficara o tempo todo imaginando as suas mãos em volta do pescoço dela, apertando-o sem clemência.

A violência da sensação e o inesperado da experiência foram tão grandes que ele quase virou as costas e foi embora. Mas tudo passou de repente, quase tão de repente quanto surgira. E ele se lembrou então do propósito de sua presença ali.

A história, o livro. Fama e fortuna.

Tinha conseguido se aproximar do balcão e pedir um almoço, com a calma usual. Queria um dia ou dois para observá-la, e a todos os outros, antes de tentar entrevistá-los.

Já tinha perdido muito tempo. Nas suas primeiras 24 horas na ilha, por causa da tal virose que pegara, e que ainda o atormentava, Harding conseguiu pouco mais do que ficar deitado na cama, suando loucamente e tendo sonhos intensos e desagradáveis que lhe pareciam quase reais.

Mas naquele dia ele amanhecera melhor, sentindo-se quase ele mesmo, novamente.

Ainda estava tremendo muito, avaliou para si mesmo. Não havia dúvidas quanto a isso. Mas um pouco de comida e algum exercício iriam, certamente, lhe fazer bem.

A sopa, como esperava, tinha aliviado a sua tensão, pelo menos até o instante em que a morena entrou na cafeteria.

Naquele momento, seu mal-estar voltou. A dor de cabeça, o ódio inexplicável. Teve uma imagem muito estranha dela, apontando uma arma para ele, berrando com fúria em seus ouvidos, e sentiu vontade de se levantar de um salto e esmurrá-la sem parar com os próprios punhos.

A seguir, teve outra visão incompreensível, em que ela, rápida como um raio, se virava na direção dele em meio a uma tempestade, os cabelos soltos esvoaçando desordenadamente, com as pontas iluminadas, empunhando uma espada que brilhava como prata.

Harding agradeceu silenciosamente a Deus quando viu que ela já estava de saída e sentiu que o estranho sentimento estava indo embora com ela.

Mesmo assim, sua mão tremia quase incontrolavelmente quando pegou novamente na colher para continuar a tomar a sopa.

Ripley levou o café para Zack e ficou saboreando o dela enquanto ele atendia a um telefonema. Caminhando de um lado para o outro, pensativa, escutou a voz dele tentando acalmar alguém que parecia apavorado com a tempestade e queria saber tudo sobre procedimentos de emergência e primeiros socorros.

Só podia ser algum novo residente da ilha, pensou ela. Provavelmente alguém da família Carter, que havia se mudado em setembro do ano anterior. Não havia mais nenhum morador que fosse novato o suficiente para entrar em pânico diante de uma tempestade de meio de inverno.

— Era Justine Carter — confirmou Zack, ao desligar. — A tempestade a está deixando com os cabelos em pé.

— Ela vai acabar se acostumando ou então correndo de volta para o continente antes do próximo inverno. Escute, Zack, eu disse a Mac que fosse passar a noite lá em casa. É capaz de faltar luz.

— Boa ideia.

— E pedi também para ele esperar um pouco na livraria, até Nell sair, para ter certeza de que ela vai chegar em casa sem problemas.

— Essa foi melhor ainda. Obrigado, mana. Mas... o que há com você?

— Talvez a tempestade esteja me deixando encucada. Tive um pressentimento estranho a respeito de um sujeito que vi lá na cafeteria. Não consegui definir exatamente a minha dúvida. Ele é de fora. Botas novas, mãos e unhas bem-cuidadas, roupas de boa qualidade. Quarenta e tantos anos. Compleição forte, mas me pareceu meio doente. Estava pálido, parecia nervoso e suava muito.

— A gripe anda solta nesta época do ano.

— Sim, eu sei. Mas pensei em dar uma passada no hotel para ver se consigo alguma informação a respeito dele.

Por confiar cegamente nos instintos de Ripley, Zack apontou para o telefone na mesma hora.

— Ligue para o hotel e poupe-se de um passeio gelado nesse tempo horroroso.

— Não, eu consigo mais se for até lá pessoalmente. Ele me deu calafrios, Zack — admitiu. — O sujeito estava lá no canto dele, lendo seu jornal todo sossegado, saboreando seu almoço, e mesmo assim me deu calafrios. Quero fazer algumas pesquisas sobre ele.

— Certo. Conte-me o que descobrir.

Capítulo Dezesseis

Procedimentos técnicos efetuados em etapas planejadas, após cálculos e hipóteses. Essas eram as ferramentas do seu trabalho. Ciência, em uma palavra, ainda que um pouco fora das correntes acadêmicas convencionais. Tudo isso era muito familiar para Mac. Tais ferramentas eram, e sempre tinham sido, uma espécie de conforto, bem como um caminho para a descoberta.

Pela primeira vez desde que escolhera aquela trajetória, ele estava se sentindo desconfortável.

Jamais se preocupara demais com riscos, pois nada que realmente valesse a pena era conseguido sem isso. Mas cada passo que tomava agora o empurrava mais adiante para uma estrada fascinante, apesar de estranha. Um caminho que não estava mais percorrendo sozinho.

— Você tem certeza de que quer mesmo fazer isso?

— Tenho certeza absoluta. — Nell levantou a cabeça para olhar para Mac, que havia se inclinado em sua direção.

— Estou perguntando porque não quero que você se sinta obrigada a fazer nada — disse, prendendo então mais um eletrodo. — Não acho que você deva se sentir na obrigação de ser educada com um maluco. Se quiser, pode muito bem me mandar esquecer tudo isso.

— Mas, Mac... Eu não acho que você seja maluco, e não estou aceitando fazer isso por educação. Estou interessada no assunto.

— Isso é bom. — Deu a volta no sofá onde ela estava estendida e olhou para baixo. Como ele já lhe dissera uma vez, Nell brilhava. Ela era também,

Mac sentia, muito aberta a novas ideias. — Vou ter todo o cuidado. Vou bem devagar. Mas se a qualquer momento, durante a experiência, você tiver vontade de parar, é só me dizer. E... Acho que isso é tudo.

— Entendi bem, e eu aviso se for o caso. — Suas covinhas se agitaram no rosto. — Agora, pare de se preocupar comigo.

— É que não é apenas você. — E, diante do olhar questionador dela, Mac passou a mão sobre o próprio cabelo. — Tudo o que eu faço agora e até mesmo, de certa forma, o que eu não faço, afeta Ripley. Não sei direito como é que eu sei disso. Na verdade, não tem lógica. O fato, no entanto, é que eu sei.

— É porque vocês estão conectados — explicou Nell, suavemente. — Como eu estou, também. Mas nenhum de nós fará nada que possa magoá-la. — Ela colocou a mão nas costas da mão dele. — Apesar disso, sei que nós dois vamos, mais do que provavelmente, fazer coisas que vão deixá-la irritada. Acho que simplesmente vamos ter que aprender a lidar com isso.

— Acho que você tem razão. Muito bem, vamos lá!... — Fez um gesto vago, segurando os dois últimos eletrodos em suas mãos. — Agora vou precisar colocar estes dois aqui no seu... Você sabe, precisamos monitorar sua frequência cardíaca, e então...

— Ah... — disse ela, olhando para o pequeno adesivo branco, e depois de volta para o rosto dele.

— Se você se sentir desconfortável ou constrangida a respeito disso, podemos simplesmente pular essa parte.

Ela estudou a expressão de Mac e decidiu que o único homem em quem confiava mais do que naquele que estava diante dela, tentando não parecer envergonhado, era o próprio marido.

— Quem começa, tem que ir até o fim — disse ela, desabotoando a blusa.

Ele foi rápido, eficiente e gentil, olhando para o outro lado enquanto instalava o sensor.

— Simplesmente relaxe, fique bem confortável. Vamos medir suas frequências em repouso.

Mac se virou de costas para Nell, a fim de trabalhar nas máquinas que havia trazido do chalé. Ele não tinha a intenção de trazer tudo aquilo, nem mesmo de fazer o teste, pelo menos não naquele momento. Mas, quando Nell viera ao chalé com ele, havia feito muitas perguntas. Mostrou um interesse educado, em princípio, mas depois começou a lhe parecer muito direta, sedenta de mais detalhes.

Antes de se darem conta disso, os dois já estavam discutindo as reações físicas provocadas pela Magia. Padrões de ondas cerebrais, lobos da massa cefálica, frequências de pulsação. E ela concordara em participar de uma bateria de testes.

— Então, começando... Onde foi que você aprendeu a cozinhar?

— Com a minha mãe. Foi onde meu interesse teve início. Depois que perdemos o meu pai, ela começou o próprio negócio; por coincidência, um serviço de bufê.

— Alguma vez você pensou em abrir um restaurante? — Mac ajustava os mostradores e observava os gráficos.

— Pensei nisso um pouco, mas não queria a estrutura complicada de um local fixo nem as limitações. Gosto muito do meu serviço de bufê e também de trabalhar na cafeteria de Mia. Embora, no momento, eu esteja brincando com algumas ideias. Acho que nós, isto é, ela — corrigiu-se — poderia se expandir um pouco. Dava para colocar pequenas mesas para atender pessoas do lado de fora, durante a temporada de verão. Talvez abrir um clube de culinária, também. Estou para conversar com Mia a esse respeito, assim que estiver com todas as ideias mais estruturadas na cabeça.

— Você tem um faro para negócios.

— Isso é uma coisa muito simpática de se dizer. — Suas covinhas apareceram mais uma vez, demonstrando puro prazer.

— É um dom, assim como o seu Poder é um dom.

Os sinais vitais dela eram contínuos e se apresentavam estáveis. Mac verificou as leituras de saída do eletrocardiograma, e fez algumas anotações rápidas no laptop.

— Fico imaginando, Nell, quando foi que você descobriu que tinha esse dom. Parece-me que, no caso de Mia, ela já nasceu sabendo que o tinha.

— É verdade, no caso dela. Já conversamos a respeito disso.

— E Ripley?...

— Ela não fala tanto quanto Mia sobre esse assunto, mas acho que foi quase a mesma coisa. Um conhecimento nato que sempre esteve lá.

E um fardo, para Ripley, pensou ele. *Será que sempre foi assim?* Perguntou então a Nell:

— E no seu caso, como foi?

— Uma descoberta e um processo de aprendizado. Tinha sonhos, quando era criança, com este lugar, com pessoas que ainda eu ia conhecer. Mas jamais pensei neles como... não sei, memórias ou visões do futuro. Então, depois de Evan... — Suas mãos ficaram tensas e deliberadamente tornaram a se relaxar. — Eu os esqueci, ou os bloqueei. Quando fui embora, meu único pensamento claro era correr, fugir. Mas então os sonhos começaram a voltar.

— Eles a assustaram?

— Não, não mesmo. Eram uma espécie de conforto, no princípio, e depois uma espécie de necessidade. Um dia, vi uma pintura linda: o farol, os penhascos, a casa de Mia, e senti que precisava estar naquele lugar. Era como se fosse... o ponto final de uma viagem. Sabe a sensação que uma pessoa tem quando descobre o lugar em que ela, finalmente, sente necessidade de estar?

— Sei. Conheço exatamente essa sensação. — Ele pensou em si mesmo e na casa junto à enseada.

— Então, sabe que não é apenas um alívio, mas um arrepio. Quando saí com o carro da barca naquele dia de junho do ano passado, e quando dei a primeira olhada na ilha, pensei, na mesma hora: *É isso! Finalmente!* E senti que pertencia a este lugar.

— Foi como se você o tivesse reconhecido.

— Para uma parte de mim, sim. Outra parte simplesmente tinha lembranças nostálgicas. Então me encontrei com Mia, pela primeira vez, e foi quando tudo começou.

— Você poderia dizer então que ela foi uma espécie de tutora sua? — Continuava a monitorá-la, parte do seu cérebro calculando sem parar as mudanças, os picos e os vales dos gráficos e registros.

— Sim, embora eu imagine agora que ela apenas me ajudou a lembrar. — Nell virou a cabeça para analisar Mac. Como ele parecia ser uma pessoa serena e controlada. E, no entanto, sua voz era quente e amigável. — Na primeira vez que ela me ajudou, eu consegui movimentar o ar.

— Como você se sentiu, naquela hora?

— Surpresa, empolgada. E, de certa forma, em casa.

— Você poderia fazer isso agora?

— Agora, neste exato momento?

— Se você se sentir confortável com isso. Nada de muito grande. Não quero que você faça a mobília ficar rodando em volta da gente em redemoinho. Apenas uma pequena brisa, para fazer uma leitura dos registros.

— Você é um homem muito interessante, Mac.

— Como disse?

— "Apenas uma pequena brisa, para fazer uma leitura dos registros" — disse ela com uma risada, imitando-o. — Não é de admirar que a Ripley esteja tão louca por você.

— O quê?

— Aqui, vamos lá...

Um pequeno farfalhar
Um murmúrio em pleno ar
Calma brisa, daqui para ali
Para alegrar o amigo aqui

Mesmo antes de o fenômeno ter início, os registros começaram a se alterar. Como se fosse uma reunião de forças, pensou Mac, notando a pequena variação na frequência cardíaca de Nell e a flutuação dos padrões das ondas cerebrais.

Depois, um novo salto das agulhas dos mostradores quando o ar simplesmente começou a se movimentar.

— Isso é fabuloso! Veja só este padrão! Eu sabia. Não é apenas um aumento nas atividades do cérebro. É como se fosse uma expansão, quase toda acontecendo no hemisfério cerebral direito. O hemisfério da criatividade, da imaginação. É realmente muito legal!

Nell soltou novamente uma pequena risada, e fez o ar ficar mais uma vez completamente estável, parado. *Pronto, agora a sua serenidade acabou, não é, doutor Booke?* Perguntou:

— Era mais ou menos isso que você estava procurando?

— Bem, isso é um grande avanço na confirmação de algumas das minhas teorias. Será que você poderia fazer alguma coisa mais? Algo que fosse um pouco mais complicado? Não que o que você tenha feito seja irrelevante. — Ele se apressou em explicar: — É que eu gostaria, agora, de algo que exigisse mais esforço de sua parte.

— Algo com mais força, mais energético?

— Isso aí!

— Deixe-me pensar... — Seus lábios se curvaram levemente para cima enquanto avaliava o caso. Como Nell queria surpreendê-lo, entoou o cântico dentro de sua cabeça e invocou mais sentidos além do tato, para fazer surgir algo que fosse doce e ao mesmo tempo surpreendente.

Dessa vez a reunião das forças aconteceu mais depressa e deu origem a registros mais fortes. A agulha do gráfico do eletrocardiograma enlouquecia com movimentos largos e rápidos, de um lado a outro. De repente, toda a sala criou vida, com o som de música. Eram harpas, gaitas e flautas. Tudo encharcado por um arco-íris de cores que se espalhavam em volta, no teto e nas paredes, e acentuado por um suave perfume de primavera.

Ele mal conseguia acompanhar todas as mudanças nos aparelhos. Desesperado para ter certeza de que estava registrando tudo, ficava verificando sua câmera, seus monitores, quase dançando em torno do aparelho do eletrocardiograma.

— Gostou? — perguntou Nell, em tom brincalhão.

— É do cacete! Opa, desculpe o palavreado. Dá para você segurar o fenômeno por mais um minutinho? — perguntou, enquanto verificava o sensor de energia. — E, a propósito, isso está realmente lindo.

— E que eu estou louca para que chegue logo a primavera.

— Eu também, principalmente depois dos últimos dois dias. Sua respiração está acelerada, mas não tanto. Pulsação forte e estável. O esforço físico parece ser mínimo. Humm... A frequência cardíaca na verdade voltou ao patamar de repouso. Será que o uso do Poder faz com que ela fique mais calma ou é o resultado disso? — perguntou a si mesmo, em voz alta.

— É o resultado — respondeu Nell.

— O quê? — perguntou ele, piscando e tentando focar os olhos nela mais uma vez.

— Você estava falando sozinho, mas acho que sei a resposta. — Riu mais ainda quando viu Diego ficar pulando em volta da sala, tentando pegar as cores que dançavam nas paredes. — Este é um encanto que me acalma, me deixa mais relaxada.

— É mesmo? — Interessado, ele se sentou no chão ao lado dela, enquanto as harpas continuavam a espalhar seus sons melodiosos pela casa. — Você diria então que as suas reações físicas refletem tanto a natureza do encanto quanto do feitiço?

— Exatamente.

— Então, por exemplo, naquela outra noite, na clareira, foi tudo mais forte e mais contundente por causa do que vocês estavam fazendo, aliado ao fato de as três estarem reunidas?

— Sempre é mais forte quando estamos nós três. Quando estou com elas, sinto que seria capaz até de mover uma montanha. Depois, me sinto energizada durante horas.

Ele se lembrou do lugar para onde Ripley havia canalizado a sua energia naquela noite e limpou a garganta.

— Certo, entendi. E como é que você consegue manter o encanto que criou enquanto eu estou aqui, distraindo você com outros assuntos?

— Nunca tinha pensado nisso. — Pareceu completamente fora do ar por alguns instantes, pensativa. — Foi muito inteligente de sua parte. Não percebi que você estava tentando me distrair. Deixe-me pensar... Será que é pelo fato de o encanto ser uma coisa que simplesmente está ali? — sugeriu. — Não, não é bem isso. Diria que é mais ou menos assim, tipo quando você consegue fazer duas coisas diferentes ao mesmo tempo.

— Por exemplo, dar palmadinhas na cabeça ao mesmo tempo em que massageia a barriga?

— Não — respondeu ela. — É mais assim como... deixar um assado no forno enquanto se coloca a mesa para a refeição. Você pode continuar com a cabeça em um, para que ele não queime, e mesmo assim continuar fazendo a outra ação com facilidade.

— Quanto é nove vezes seis?

— Cinquenta e quatro. Ah, entendo, você agora está testando as funções do lado esquerdo do cérebro. Sou boa com números.

— Recite o alfabeto de trás para frente.

Concentrando-se, ela começou. Por duas vezes hesitou, tropeçou nas letras e teve que voltar atrás, mas a música e as cores não sofreram nenhuma variação.

— Você sente cócegas com facilidade?

— Por que você quer saber? — perguntou ela, com um traço de suspeita no rosto.

— Estou tentando uma distração física. — Apertou a mão no joelho dela, fazendo-a gritar e dar um pulo, rindo. Exatamente nesse instante, Ripley e Zack entraram pela porta.

— Que diabo está acontecendo aqui? — quis saber Ripley.

Ao ouvir a voz tão conhecida, Mac apertou os olhos e se xingou baixinho por não ter prestado atenção à hora. Depois, reparando que ainda estava com a mão sobre o joelho de Nell, e que o marido dela estava armado, tirou a mão dali com a rapidez de um raio.

— Ahn... — fez ele, sem saber o que dizer.

— Pelo que me parece — disse Zack, piscando de modo quase imperceptível para Nell —, esse sujeito está fazendo gracinhas com a minha mulher. — Quando Lucy entrou na casa com ele, Zack se abaixou e começou a coçar a cabeça dela, casualmente, enquanto levantava o nariz para sentir o perfume que enchia o ar. A seguir, deu um tapinha próximo à cauda do animal e declarou:

— Acho que vou ter que levar esse cara lá para fora e dar uns chutes na bunda dele.

— Então entre na fila para fazer isso — disse Ripley com cara de zangada, fazendo Mac se lembrar que ela também estava armada.

— Eu... ahn... pedi e Nell concordou em participar de alguns testes — começou ele.

— Isso não é verdade — corrigiu Nell, e conseguiu fazer com que todo o sangue desaparecesse do rosto de Mac em décimos de segundo. O seu olhar de espanto repentino fez com que ela quase se dobrasse de rir. — Fui *eu* quem se apresentou como *voluntária* para participar.

— Você se importaria agora, Nell, de desligar as luzes, a música e toda essa porção tão festiva da experiência? — perguntou Ripley, com frieza.

— Tudo bem. — Nell encerrou o encanto, e toda a casa ficou, por um momento, em completo silêncio.

— E agora... — disse Zack, já tirando o casaco —, eu queria saber, Nell... — e fez uma pausa, para criar suspense — ... o que temos para o jantar?

— Você pode me ajudar com isso — respondeu ela, alegremente —, assim que eu me desplugar dessas coisas.

— Ah, desculpe. Deixe que eu faço isso... — Mac esticou a mão para retirar os eletrodos que monitoravam a frequência cardíaca de sua parceira de testes, mas de repente puxou as mãos de volta, para trás, como se tivesse tocado em algo muito quente. — Ninguém vai me dar um tiro pelas costas, vai? — perguntou a ela, bem baixinho.

— Garanto que Zack não vai fazer uma coisa dessas — cochichou.

— Ele estava só brincando com você.

— Não é com ele que eu estou preocupado. — Tão delicadamente quanto possível, ele tirou todos os fios e manteve o olhar discretamente desviado, enquanto ela abotoava a blusa de volta.

— Isso foi muito divertido — disse ela, enquanto se levantava. — E muito informativo, também. Zack, por que você não vem comigo para me dar uma mãozinha na cozinha?... Agora!

— Tudo bem, tudo bem, mas eu detesto perder a parte engraçada — reclamou, enquanto a mulher o carregava pela mão para fora da sala.

— Muito bem, Booke, por que você agora não tenta me explicar por que motivos eu deveria me conter e não sair dando uns tapas em você?

— Porque a violência jamais é uma solução sensata.

A resposta de Ripley foi um grunhido grave e perigoso. Ele parou de desmontar o equipamento e se virou para ela.

— Tudo bem, Ripley, compreendo que você esteja se sentindo revoltada em vários níveis, então deixe que eu comece por um deles. Não estava acontecendo nada de errado entre nós dois. Estávamos trabalhando em uma base completamente profissional.

— Meu filho, entenda uma coisa. Se eu pensasse o contrário, você estaria neste momento gemendo como um jumento capado.

— Certo. — Mac resolveu tirar os óculos para vê-la melhor e também porque se ela resolvesse pular em cima dele, dando-lhe uns tabefes, não correria o risco de quebrá-los. — Então, você está zangada porque eu trouxe um monte de equipamento até a sua casa e fiz alguns testes em Nell.

— Bingo! Convidei você para vir até a minha casa e não para transformá-la em um maldito laboratório.

— Mas é a casa de Nell também — frisou ele. — Jamais teria trazido o equipamento até aqui se ela não tivesse concordado.

— Você deve tê-la adulado ou feito alguma chantagem sentimental.

— Eu posso adular e chantagear, se quiser — respondeu ele, no mesmo tom. — Mas não foi necessário fazer isso. O fato é que ela estava realmente interessada. Está explorando a si mesma, descobrindo sua força, e isso tudo faz parte. Sinto muito se deixei você aborrecida; temia que isso fosse acontecer. E se eu não tivesse me distraído e prestasse mais atenção à hora, já teria desligado tudo antes de você chegar em casa, para não me aporrinhar.

— Quer dizer então que você teria escondido isso tudo de mim? Esse é realmente o toque final.

— É muito difícil ganhar de você, delegada. —A raiva dele começou a ribombar. — Não, senhora! Jamais escondi de você qual era o meu trabalho e não faria isso agora. Só que tentaria respeitar os seus sentimentos a respeito do assunto, como venho tentando fazer desde o princípio.

— Então por que...

Ele a interrompeu levantando o dedo indicador com força.

— O fato simples é que este é o *meu* trabalho e você vai ter que aprender a lidar com isso. Agora, esta é a *sua* casa, e se a minha presença aqui sob essas circunstâncias a deixa indignada, peço desculpas por isso. Vou levar só uns quinze minutos para desmontar este circo e cair fora. Depois, vou lá dentro avisar a Nell que agradeço pelo jantar, mas fica para outra vez.

— Ah, Mac, deixe de ser babaca!

— Sabe, Ripley, você fica forçando e forçando a barra, até chegar a um ponto onde ninguém sai ganhando.

Quando se virou para desatarraxar a câmera do tripé, ela se aproximou dele e puxou os próprios cabelos com toda a força, para trás, até que a dor aguda que sentiu ajudou a clarear a mente.

— Talvez você esteja com a razão — concordou ela. — Mas eu não pedi para que você fosse embora.

— E o que foi que você pediu?

— Sei lá! Só sei que cheguei em casa depois de um dia horroroso no trabalho, vim para cá completamente exausta, irritada, e quando coloco o pé dentro de casa, vejo você fazendo a sua *performance* rotineira de cientista maluco junto com Nell, que está não apenas cooperando, mas também parece estar adorando a festa. Agora, tudo o que eu queria era uma maldita cerveja e uma droga de banho quente, e não uma briga.

— É compreensível. Só posso me desculpar pela falta de senso de minha parte para escolher o momento certo. Isso, porém, não muda o fato de que isso é o que eu faço na vida, é o meu trabalho.

— Não, não muda, você está certo. — Nem, ela compreendia agora com uma fisgada de remorso, mudava o fato de que ela tinha pulado na garganta dele por causa disso... E que ele na verdade até mesmo já *esperava* por isso.

Ela estava sendo não apenas uma megera, mas muito pior: estava sendo uma megera previsível. Era humilhante.

— Mac, você deixou de mencionar um dos níveis.

— E qual foi? — Continuava embalando a câmera e fechando o laptop.

— Queria saber por que foi que você não me pediu para fazer isso.

— Não podia perguntar se você não se incomodava que eu fizesse alguns testes com Nell, porque você não estava por perto.

— Não, o que quero saber é por que você não pediu *a mim* para que fizesse os testes com você. — Ao vê-lo parar de desembaraçar os cabos de repente para olhar para ela, simplesmente encolheu os ombros. — Acho um desaforo que você tenha ido até Nell antes de vir a mim.

Era sempre assim. Justamente quando Mac achava que já a tinha colocado contra a parede, ela mudava o padrão em cima dele.

— Você teria aceitado?

— Não sei. — Ela expirou com força. — Talvez... Pelo menos, teria pensado a respeito disso, de alguma forma. Mas você nem mesmo chegou a perguntar.

— Está falando sério ou está só distorcendo as coisas, para que eu acabe me sentindo realmente um idiota?

Não havia dúvidas de que, por mais viciado em computadores e por mais irritante que ele às vezes pudesse ser, sua mente era como um bisturi afiado que cortava com precisão através de toda a baboseira e ia direto ao ponto, com um só golpe.

— Fazer você se sentir um idiota é apenas um benefício paralelo. Pelo menos, pode ter certeza de que eu não teria pulado em cima de sua cabeça daquele jeito, nem sairia atacando você e seu trabalho. Sinto muito por isso.

— Agora você chega e me pede desculpas. Vou ter que me sentar.

— Não se faça de vítima, Booke. — E Ripley foi até ele e o segurou pelos braços. — Por que você não vai lá dentro pegar aquelas cervejas para nós e, então, enquanto eu tomo o meu banho, você me explica para o que é que servem todos aqueles aparelhos estranhos? Talvez eu até deixe você experimentá-los comigo.

— É... podemos fazer isso. — Ele esticou os braços para pegar nas mãos dela, antes que ela afastasse os braços dele. — Mas antes eu tenho que lhe fazer uma pergunta. Por que você está disposta a considerar essa possibilidade, agora?

— Porque é como você disse. Este é o seu trabalho, o seu interesse. Eu respeito você, Mac. Assim, parece que vou ter que aprender também a respeitar o seu trabalho.

Nenhum dos muitos prêmios e honras acadêmicas e profissionais lhe havia proporcionado tanta satisfação quanto aquela declaração, conseguida a duras penas. Deu um passo para chegar mais perto dela, emoldurou-lhe o rosto com as mãos e disse:

— Obrigado.

— De nada. Mas continuo achando você um babaca.

— Entendido. — Sentiu os lábios dela se curvarem e formarem um sorriso debaixo dos dele, quando ele a beijou longamente.

— A ciência que estuda a paranormalidade... — começou Mac.

— Pronto, viu? Já me perdeu logo de cara — reclamou Ripley. — Porque, para mim, essa história de "ciência paranormal" é um paradoxo.

Os dois estavam no quarto dela, Ripley sentada na cama com as pernas cruzadas, enquanto ele montava o equipamento.

— Bem, houve uma época em que a Astronomia era considerada um estudo marginalizado. Se a ciência não tentar estender os limites do que é aceitável e estudar todas as possibilidades, acaba estagnando. Ninguém aprende nada ficando onde está, sem andar para a frente.

— A ciência e a instrução são parte daquilo que transformou a Magia em algo condenável e, depois, dispensável.

— Você está certa, mas eu acrescentaria ignorância, intolerância e medo a essa mistura. São a ciência e a instrução que poderão, com o tempo, virar o jogo novamente.

— Eles caçaram e assassinaram, a nós e a inúmeras outras.

— E você não consegue perdoar isso? — Estava na voz dela, ele notou. Uma raiva fria e um medo quente.

— Você conseguiria, Mac? — Ela começou a balançar os ombros, sentindo-se inquieta. — Não gosto de insistir nisso, mas sempre vale a pena lembrar aquilo que pode acontecer quando os dedos começam a ser apontados contra pessoas indefesas.

— Você está preocupada com o que poderia acontecer com você se pessoas de fora viessem olhar muito de perto?

— Não. Posso muito bem cuidar de mim mesma. Da mesma forma que as irmãs tomaram conta de si próprias. Você sabe quantas bruxas foram enforcadas em Salem, Mac, em 1692? Nenhuma. — Falou depressa, antes que ele pudesse responder. — Todas as escolhidas e executadas eram pessoas inocentes e sem poder algum.

— Então foi por isso que você virou policial... — afirmou. — Porque se sentiu como a escolhida para proteger os inocentes, os fracos e oprimidos e para redimir os outros que, no passado, não puderam ser protegidos.

— Não é preciso ser um super-herói para conseguir manter a ordem na Ilha das Três Irmãs. — Ripley começou a argumentar, mas a seguir simplesmente soltou o ar por entre os dentes.

— Mas isso não vem ao caso, não é? Você protege (é policial), Mia educa (trabalha com livros) e Nell nutre. Cada uma de vocês foi escolhida para fazer o que conseguem fazer de melhor, para curar antigas feridas. Para promover a volta do equilíbrio da balança.

— Isso tudo é muito profundo para mim — disse ela.

Mac correu os dedos de forma gentil sobre os cabelos dela, antes de se agachar para prender os cabos.

Esse simples gesto e o carinho embutido nele fizeram amolecer todos os músculos do corpo dela.

— Ripley, você alguma vez já foi hipnotizada?

— Não. — De repente, todos os músculos se retesaram novamente. — Por que pergunta?

— É que eu gostaria de tentar hipnotizar você — explicou, olhando de volta para ela de forma rápida e casual. — Sou licenciado para isso.

— Mas você não tentou esse troço esquisito com a Nell.

— Vou fingir que não ouvi a palavra "esquisito". Não, não utilizei hipnose com Nell. Não quis forçar demais a barra com ela. Mas você e eu temos um tipo diferente de relacionamento e, pelo menos eu gosto de pensar assim, um nível diferente de confiança um no outro. Você sabe que eu jamais faria algo que pudesse machucar você.

— Claro que sei disso. Só que hipnose não iria funcionar comigo, eu acho.

— Isso é algo que eu gostaria de testar. É um processo simples, baseado em técnicas de relaxamento e perfeitamente seguro.

— Eu não estou com medo de...

— Ótimo! Por que você não se deita calmamente?

— Espere só um pouco. — O pânico lhe atingiu a garganta. — Por que é que você não pode seguir a mesma programação que usou com a Nell antes do jantar?

— Poderia fazer isso. Só que gostaria de fazer alguns testes novos, se você estiver disposta a colaborar. Primeiro, estou interessado em descobrir se os seus dons fazem com que você fique mais ou menos suscetível à hipnose. E, se for o caso de conseguir hipnotizar você, verificar se você *é* capaz de demonstrar o seu Poder nesse estado.

— Já passou pela sua cabeça que "nesse estado" pode ser que eu não tenha um controle perfeito das coisas?

— Isso iria deixar tudo ainda mais interessante, você não acha? — concordou com ela, distraidamente, enquanto a empurrava com delicadeza para que se deitasse na cama.

— Interessante? Meu Deus! Você não se lembra de que a Mia derreteu um dos seus brinquedinhos, simplesmente por ter ficado um pouco enervada, naquele dia em que nos encontrou na caverna?

— Sim, foi muito legal, não? Mas, lembre-se bem, ela não me machucou, e você também não vai. Agora, vou prender os sensores em você. Já expliquei para o que serve cada uma das máquinas.

— Já, já...

— Você vai ter que tirar o suéter.

Ela olhou na mesma hora para a câmera e sorriu de modo afetado, perguntando:

— Você e seus amiguinhos maníacos por pesquisa não levam fitas como essa para reuniões do tipo "Clube do Bolinha", só para homens, levam?

— Claro que levamos. Não há nada melhor do que assistir a um vídeo com mulheres seminuas para quebrar o tédio do trabalho de laboratório. — Ele beijou a testa dela antes de afixar o primeiro eletrodo. — Essa fita, porém, prometo que vou deixar guardada na minha coleção particular.

E seguiu com ela os mesmos passos que tinha dado com Nell. Perguntas casuais, monitoração e registro dos seus sinais vitais em repouso. Houve uma pequena mudança de padrão quando pediu para que ela fizesse um encanto bem pequeno e básico. Ansiedade, ele reparou. Ripley realmente não se sentia completamente à vontade quando se deixava abrir para o Poder.

Mesmo assim concordou, fazendo com que as luzes do banheiro ao lado do quarto começassem a acender e apagar, ritmicamente.

— Costumava fazer isso quando éramos crianças e quando Zack estava tomando banho trancado no banheiro, à noite — explicou ela. — Fazia isso só para deixá-lo irritado.

— Agora me mostre alguma coisa maior, algo que exija mais esforço. — Sua frequência cardíaca subiu mais do que a de Nell nesta mesma etapa. Ansiedade novamente, avaliou. Os padrões das ondas cerebrais das duas, no entanto, eram notavelmente similares.

Ripley uniu as duas mãos em concha, e depois as abriu, levantando o braço. Ele viu uma pequena bola de luz que começou a brilhar cada vez com mais intensidade e que de repente decolou com força, subindo até chegar próximo do teto. Outra bola luminosa seguiu a primeira, e depois mais outra. Enquanto olhava as bolinhas de luz se posicionarem no teto, ele começou a rir.

— Elas estão formando um campo de beisebol. Campo interno, campo externo, nove jogadores.

— Rebatedor preparado! — disse ela, empolgada, e enviou mais uma luz para a posição do rebatedor. — Costumava fazer isso quando era criança, também. — Sentia uma imensa falta disso, compreendeu naquele momento. — Ou quando não conseguia pegar no sono, ou não queria. Vamos ver se ele consegue pegar uma bola rápida.

E mais uma bola de luz, dessa vez pequena e azul, foi lançada e saiu zunindo da base do arremessador. Ouviu-se um estalo forte, e viu-se uma explosão de luzes que começaram a fluir continuamente.

— Uau! Atingimos a base, agora no fundo do campo direito. Vamos tentar uma eliminação tripla.

Esquecido das máquinas, Mac se sentou na ponta da cama e ficou olhando para cima, observando, maravilhosamente entretido, enquanto ela jogava um tempo completo da partida.

— Continue com o jogo! — encorajou ele. — Que idade você tinha quando descobriu o seu dom?

— Não sei ao certo. Parecia que era algo que sempre havia estado em mim. Eliminação dupla da defesa, suave como seda!

— Alguma vez você já jogou beisebol em um campo de verdade?

— Claro. Jogava no canto, e tinha uma boa pegada. E você?

— Nunca. Eu era muito desajeitado. Divida 84 por doze.

— Atingi a base! E toda a lateral se retira. Dividir o quê? Isso *é* matemática, e eu odeio matemática. — Franziu o cenho. — Você não avisou que ia ser um teste desse tipo.

— Chute um valor qualquer — disse ele, levantando-se novamente para verificar as leituras.

— Doze é um daqueles números traiçoeiros para fazer contas de cabeça. Arremessando uma bola em curva, com efeito, bem baixa e... passou! O resultado é seis, não, espere. Droga, sete... Sete vezes dois, quatorze e vai um, pa-ra-ra... É sete, mesmo. Que tal?

A empolgação dele era visível, mas tudo o que transparecia na sua voz era a diversão.

— Você forçou o cérebro esquerdo um pouco, mas manteve o padrão do cérebro direito — explicou ele.

Recitar o alfabeto de trás para frente foi moleza para ela. Mac não estava inteiramente certo sobre o que isso queria dizer a respeito da sua mente ou personalidade, mas as leituras permaneceram altas e estáveis.

— Tudo bem, pode fechar o encanto.

— Mas estou com um jogador dentro e outro fora.

— Mais tarde a gente continua.

— Isto aqui está começando a ficar muito parecido com a escola — reclamou ela, mas abriu as mãos novamente e recolheu todas as luzes, extinguindo-as uma por uma.

— Agora, quero que você relaxe novamente. Inspire pelo nariz e expire bem devagar pela boca. Respire leve e profundamente.

Pronta para fazer uma cara feia por causa do adiamento do jogo, ela olhou para ele. E reparou no que Nell também reparara: serenidade, controle e calma.

— Já estou bem relaxada.

Ele se sentou ao lado dela na cama e verificou a sua pulsação, com as pontas dos dedos.

— Agora, relaxe os dedos dos seus pés.

— Relaxe o quê?

— Os seus dedos dos pés. Deixe-os relaxar, sinta quando eles ficam moles, e deixe toda a tensão escorrer para fora.

— Não estou tensa. — Mas ele sentiu o seu pulso disparar. — Se esse é o seu prelúdio para a hipnose, já avisei que não vai funcionar comigo.

— Então não vai... — Observando o rosto dela, Mac levou os dedos ao longo do antebraço de Ripley, para sentir a pulsação na curva interna do seu cotovelo, e depois os trouxe de volta lentamente até o pulso. Sentia agora batidas mais suaves e estáveis. — Relaxe os pés. Você esteve em pé a maior parte do dia, trabalhando. Deixe que a tensão saia deles. Deixe que ela evapore agora, através dos tornozelos.

Sua voz era calma e acalentadora. Seus dedos na pele dela criavam uma conexão leve e adorável.

— Agora relaxe a barriga das pernas. Sinta a sensação de água morna que vai fluindo lentamente pelo seu corpo, lavando toda a tensão. Sua mente está relaxando, também. Deixe-a completamente vazia, não pense em nada. Seus joelhos estão relaxando agora, e a seguir as suas coxas. Visualize uma parede suave e completamente branca. Não há nada nela. É fácil para os olhos; isso os deixa relaxados.

E pegou o pingente que estava por baixo da camisa, envolvendo o cordão duas vezes em volta da mão.

— Agora respire profundamente nessa calma que envolveu você, de modo a expelir todo o resto de tensão. Você está segura, aqui. Pode se deixar flutuar nessa calma.

— Essa não é a hora em que você tinha que dizer que eu estou começando a me sentir sonolenta?

— Shh... Respire. Focalize o pingente.

— Ei, isso aí é da Mia! — Sua pulsação pulou novamente quando ele segurou o pingente, colocando-o na linha de visão dela.

— Relaxe. Focalize a estrela. Você está segura. Sabe que pode confiar em mim.

— Já falei que isso não vai funcionar comigo — disse ela, umedecendo os lábios.

— Agora, o pingente está bem na frente da parede branca. É tudo o que você pode ver e tudo o que precisa ver. Deixe a sua mente completamente limpa. Apenas olhe para o pingente. Escute a minha voz, ela é tudo o que você precisa ouvir.

E continuou a acalmá-la, passo a passo, de forma gentil, até que suas pálpebras começaram a ceder. Finalmente se fecharam, profundamente.

— A paciente é invulgarmente suscetível à hipnose — afirmou ele para a câmera. — Os sinais vitais estão estáveis, e as leituras são típicas de um estado de transe. Ripley, você pode me ouvir?

— Sim.

— Quero que você se lembre de que está segura e de que não é para você fazer nada que não esteja disposta a fazer ou que não se sinta confortável fazendo. Se por acaso eu pedir a você para fazer algo que não queira, você deverá me dizer imediatamente que não quer. Compreendeu tudo?

— Sim.

— Você consegue fazer o ar se movimentar?

— Sim.

— Quer fazer isso? Suavemente?

Ela levantou os braços, como se fosse para dar um abraço em alguém, e Mac sentiu o ar se movimentar em torno dele, como se fosse uma onda confortável de água morna.

— Como é que você se sente ao fazer isso? — perguntou a ela.

— Não sei explicar. Feliz... e com medo.

— Medo de quê?

— Eu quero muito isso, quero muito esse Poder.

— Desfaça o encanto — ordenou. Não era justo fazer-lhe perguntas como aquela, ele se forçou a lembrar. Ela não concordara em responder aquilo antes de ele a colocar sob hipnose. — Você se lembra das luzes, Ripley? As luzes que formavam o campo de beisebol? Você consegue trazê-las de volta?

— Não, porque não posso ficar brincando depois da hora de dormir — respondeu, e a voz dela tinha mudado sutilmente, ficou mais jovem e com um jeito travesso. — Só que, mesmo assim, às vezes eu brinco.

Ele olhou fixamente para ela, em vez de olhar para as luzes que haviam acabado de ser lançadas no teto.

— A paciente está vivenciando um estado de regressão, sem sugestão direta de minha parte — declarou, com voz pausada. — A lembrança da brincadeira de infância parece ter desencadeado o evento.

O lado cientista de Mac queria ir adiante, mas o lado humano não podia permitir isso.

— Ripley, você não é uma garotinha. Quero que permaneça na época em que estamos e aqui neste lugar.

— Mia e eu costumávamos nos divertir muito. Se eu não tivesse que crescer, ainda seríamos amigas. — Isso foi dito com uma pontada de mau humor, e a boca fez um beicinho, enquanto ela continuava a brincar com as luzes.

— Ripley, eu preciso que você permaneça nesta época aqui, e neste lugar.

— Sim, estou aqui. — Ela soltou um suspiro profundo.

— Posso tocar em uma das luzes?

— Pode, não vai machucá-lo. Não quero machucá-lo. — E trouxe uma das luzes para baixo, até que ela ficou pairando no ar junto da palma da mão aberta de Mac, que conseguiu traçar seu formato com um dos dedos da outra mão, e viu que era uma esfera perfeita.

— É lindo. O que você tem dentro de você é lindo, Ripley.

— Uma parte é escura. — Ao dizer isso, seu corpo ficou arqueado sobre a cama, e as luzes começaram a voar em volta de todo o quarto, como estrelas brilhantes.

Mac abaixou a cabeça, por instinto. As luzes começaram a emitir um som agudo e a pulsar, mudando de cor e ficando em um tom de vermelho-sangue.

— Desfaça o encanto.

— Há algo aqui. Veio para nos caçar. Para se alimentar. — Seus cabelos se eriçaram e começaram a se enrolar, formando cachos que se movimentavam de modo selvagem. — Tudo voltou. Uma, vezes três!

— Ripley. — As luzes passavam zunindo diante do rosto de Mac, e ele se inclinou depressa sobre ela. — Desfaça o encanto. Quero que você desfaça o encanto e volte, agora. Vou contar de dez para trás, até um.

— Ela precisa de você para guiá-la nesse caminho.

— Eu a estou trazendo de volta, agora! — E Mac apertou com força os ombros que ele sabia que não eram mais os de Ripley. — Você não tem o direito de entrar nela!

— Ela é minha, e eu sou dela. Mostre-lhe o caminho. Mostre-lhe o caminho que é *dela mesma*. Ela não pode seguir pelo *meu* caminho, ou estaremos todos perdidos.

— Ripley, permaneça focada na minha voz. Na *minha* voz, Ripley! — Foi preciso manter todo o controle para continuar com a voz suave. Firme, porém calma. — Volte, agora! Quando eu chegar no um, você vai acordar.

— Ele está trazendo a morte. Ele anseia por isso.

— Mas não vai conseguir! — retrucou Mac, com vigor. — Dez, nove, oito. Você está despertando lentamente. Sete, seis. Você vai se sentir relaxada e refrescada. Cinco, quatro. Vai conseguir se lembrar de tudo, mas estará a salvo, estará segura. Volte agora. Acorde, Ripley. Três, dois, um.

Enquanto fazia a contagem regressiva, sentiu que ela estava voltando, não apenas para a superfície da consciência, mas também fisicamente. Quando suas pálpebras começaram a se movimentar com rapidez, as luzes desapareceram, e o quarto ficou novamente calmo e em silêncio.

Ripley respirou fundo e depois engoliu em seco.

— Caramba! — conseguiu exclamar, finalmente, e se viu dando um pulo da cama até cair no colo dele e se atirar em seus braços.

Capítulo Dezessete

Ele não conseguia largá-la e não podia deixar de se culpar por assumir tais riscos com ela. Nada do que ele jamais vira, experimentara ou teorizara o assustara tanto como a visão de Ripley se transformando fisicamente diante dos seus olhos.

— Está tudo bem. — Era ela quem batia no ombro dele, como que para consolá-lo. A seguir, notando que os dois estavam tremendo de forma incontrolável, enlaçou o pescoço dele com força e apertou firme. — Mac, eu estou bem!

Ele balançou a cabeça e enterrou ainda mais o seu rosto entre os cabelos dela.

— Eu merecia levar um tiro! — exclamou, indignado consigo mesmo.

Já que um toque confortador mais suave não estava adiantando, Ripley resolveu mudar de tática, e tentou uma abordagem mais natural para ela.

— Controle-se, Booke! — ordenou, sacudindo-o. — Ninguém se machucou, não houve nada de mal.

— Eu hipnotizei você e permiti que ficasse aberta. — Ele se afastou dela, deixando que percebesse que não era medo o que ele sentia, mas fúria. — Aquilo foi machucando você. Eu podia ver. Então, de repente, você já tinha ido embora daqui.

— Não, não tinha. — A reação dele lhe dera pouco tempo para trabalhar uma reação própria. Naquele momento, porém, sentiu o estômago se agitar. Algo havia entrado dentro dela. Não, pensou, a expressão não era correta. Algo havia surgido *em cima* dela.

— Eu estava aqui, Mac — explicou lentamente, enquanto tentava decifrar o enigma do que acontecera. — Era como se estivesse debaixo d'água. Não me afogando ou afundando, mas apenas... flutuando, embora não seja bem isso, pois eu estava sob uma camada de água. De qualquer forma, aquilo não estava me machucando. Senti um choque repentino e depois apenas me deixei levar.

As sobrancelhas dela se uniram quando ela franziu a testa, pensando em tudo o que acontecera, com mais cuidado.

— O que sei, Mac, é que eu não posso dizer que estava com medo. O caso não foi esse. É que não gosto da ideia de ser empurrada para o lado a fim de dar lugar a algo que quer se fazer ouvir.

— Como você está se sentindo agora?

— Bem. Na verdade, me sinto ótima. Pare de tomar o meu pulso, doutor.

— Deixe-me tirar essas coisas pregadas em você.

No momento em que ele começou a remover os eletrodos, Ripley fechou uma das mãos sobre o pulso dele, perguntando:

— Espere um instante. A que conclusão você chegou depois de tudo isso?

— Recebi uma espécie de lembrete. — Ele parecia estar mordendo as palavras. — Para ser mais cauteloso.

— Não, não recebeu. Pense como cientista. Avalie tudo como no início. O certo é que você seja objetivo, não?

— Dane-se a objetividade.

— Ora, Mac, vamos lá, pare com isso! Não podemos jogar os resultados da experiência pela janela. Conte-me tudo, estou interessada. — E, quando ele franziu a testa, olhando para ela, a viu suspirar. — Lembre-se de que agora isso não é mais apenas um assunto seu. Tenho um interesse pessoal considerável sobre o que aconteceu aqui.

Ripley estava certa. E, por saber que estava certa, ele procurou manter a calma e perguntou:

— Quanto do que aconteceu você se lembra?

— Tudo, eu acho. Por um minuto eu estava novamente com 8 anos. Foi muito legal.

— Você começou a regredir, por conta própria.

Pressionou as têmporas com os dedos. *Limpe a cabeça,* ordenou a si mesmo. *Guarde as emoções e ofereça algumas respostas concretas.*

— Muito bem, Ripley — continuou —, talvez o jogo de beisebol tenha desencadeado tudo. Se quer uma análise rápida, diria que você voltou para uma época onde não se sentia em conflito. Subconscientemente, você precisava voltar a um tempo em que as coisas eram mais simples e você não questionava seus dons nem você mesma. Um tempo em que você costumava curtir as suas dádivas.

— Sim, e curti por algum tempo a arte da Magia, o aprendizado, o refinamento do Poder, poderíamos dizer. — Inquieta agora, ela começou a balançar os ombros. — E então quando você começa a ficar mais velha, começa a pensar no peso daquilo, na responsabilidade. E nas consequências.

— E foi tudo isso que começou a deixar você perturbada. — Ele colocou a mão de leve sobre o rosto dela.

— Bem, a verdade é que as coisas não são tão simples agora, não é? Não têm sido simples, para mim, nos últimos dez anos.

Ele não quis dizer nada; ficou observando seu rosto, com paciência. As palavras pareciam tremer na língua dela, até que de repente se soltaram em uma torrente ininterrupta.

— Consegui ver, Mac, em sonhos, o que poderia acontecer se eu desse um passo além dos limites; se não me contivesse; se não fosse cuidadosa o suficiente. E às vezes, naqueles sonhos, a sensação era boa. Surpreendentemente boa, a ponto de me fazer sentir que era possível realizar qualquer coisa que eu quisesse, quando bem entendesse. As regras que se danassem!

— Mas você jamais agiu assim — replicou ele, com calma. — Em vez disso, resolveu parar com tudo.

— Quando Sam Logan abandonou Mia, ela ficou um caco. Eu ficava tentando entender por que diabos ela não *fazia* alguma coisa a respeito daquilo. Ela deveria fazê-lo pagar pelo que fizera, o filho da mãe. Deveria fazê-lo sofrer do mesmo modo que ela estava sofrendo. E comecei a pensar no que eu faria no lugar dela. Não admitia que ninguém me magoasse daquela maneira, porque, se alguém tentasse...

E tremeu com o corpo inteiro.

— Imaginei com força e, antes mesmo de perceber, um raio de luz desceu do céu, como uma flecha, pontuda, irregular e implacável. Afundei o barco de Zack — confessou com um sorriso fraco, quase de ironia. — Não havia ninguém no barco, mas poderia haver. Zack poderia estar nele, e eu não teria sido capaz de evitar aquilo. Não havia controle; apenas raiva.

— Que idade você tinha quando isso aconteceu? — Ele pousou delicadamente a mão sobre a perna dela.

— Estava com quase 20. Mas isso não importa — disse, com fúria. — Você sabe que não importa. "Não levar o Mal a ninguém." Isso é o ponto vital, e eu já não sabia se seria capaz de manter aquele voto fundamental. Meu Deus, Zack tinha estado naquele maldito barco vinte minutos antes de o raio destruí-lo. E eu nem estava pensando nele ou preocupada com ele nem nada desse tipo. Estava apenas furiosa.

— Por isso, você resolveu negar a você mesma o seu dom e a sua amiga.

— Fui obrigada. Não havia uma sem a outra, quando se tratava de Magia. As duas estavam entrelaçadas. Mia jamais teria compreendido ou aceitado a minha posição e, droga, jamais iria parar de me azucrinar a cabeça. Além do mais, eu estava furiosa com ela, porque...

Ripley retirou uma lágrima do canto do olho com o punho fechado, e disse em voz alta o que recusava a admitir para si mesma:

— Eu sentia a dor dela como se fosse minha fisicamente mesmo. O pesar, o desespero. O amor desesperado dela por ele. Não podia mais suportar aquilo. Nós éramos muito ligadas, e de repente eu já não conseguia mais nem respirar direito.

— Então foi algo tão difícil para você quanto para ela. Talvez pior.

— Acho que sim. Jamais contei a alguém a respeito disso. Agradeceria muito que você mantivesse isso apenas entre nós dois.

Ele balançou a cabeça para frente, e, quando seus lábios roçaram os dela, estavam mornos.

— Só que você vai ter que contar isso a Mia, mais cedo ou mais tarde.

— Então escolho contar mais tarde. — Deu mais uma fungada, esfregando o rosto de modo brusco. — Vamos em frente, está bem? Ou melhor dizendo, vamos voltar atrás. Você já tem suas medições, já tem a sua fita — disse ela, apontando com a cabeça para o equipamento. — Eu jamais pensei que você fosse conseguir me hipnotizar. Continuo subestimando você. Mas foi relaxante, até mesmo prazeroso. — Ela puxou o cabelo pesado para trás. — E então...

— Então o quê? — incentivou-a. Não precisava olhar para as máquinas para saber que a frequência cardíaca e a respiração dela estavam disparadas.

— Era como se alguma coisa estivesse querendo chegar. Tentando me agarrar, sorrateiramente. Algo que parecia estar agachado em um canto, esperando. Puxa, isso está soando meio melodramático. — Embora começasse a rir de si mesma, encolheu os joelhos, como que para se proteger. — Não era ela. Tenho certeza de que não era ela. Era alguma coisa... diferente.

— Que machucou você.

— Não, mas queria. De repente, eu estava deslizando por baixo d'água, e ela estava na superfície. Não consigo explicar de outro modo.

— Tudo bem, a explicação está bastante boa.

— Não vejo o que há de bom nisso. Não conseguia controlar aquilo. Foi como, por eu não controlar, o que aconteceu com o barco de Zack. Como, por eu não conseguir controlar, o que comecei a fazer com as luzes, agora há pouco. Mesmo sabendo que ela estava dentro de mim, ou pelo menos uma parte dela, me parecia que ela não conseguia controlar também. Era como se o Poder estivesse preso em algum ponto entre nós duas. Indisponível. — Ela tremeu, sentindo a pele ficar gelada. — Não quero mais continuar.

— Tudo bem, a gente pode parar por hoje. — Ele tomou as mãos dela, acariciando-as. — Vou guardar todo esse equipamento agora mesmo.

Embora concordasse com a cabeça, ela sabia que ele não a tinha compreendido. Ela não queria fazer aquilo *nunca mais*. Mas tinha medo, bem no fundo, de que não ia ter a chance de escolher.

Alguma coisa estava chegando. Para ela.

Ele a colocou na cama como se ela fosse um bebê, e Ripley deixou. Quando ele a puxou mais para perto para confortá-la, no escuro, ela fingiu que estava dormindo. Brincou com o cabelo dela, fazendo-a começar a sentir que lágrimas estavam chegando em seus olhos.

Se ela era normal, se era uma pessoa comum, sua vida também poderia ser assim, pensou com amargura. Ela poderia simplesmente ser abraçada no escuro pelo homem que amava.

Uma coisa simples. Uma coisa que representava tudo.

Se jamais o tivesse conhecido, ficaria satisfeita em continuar do jeito que era. Aproveitando a companhia de um homem de vez em quando, se alguém lhe despertasse interesse ou ela estivesse disposta. Quanto a voltar ou não ao uso dos seus poderes ela não tinha certeza. Mas, pelo menos, o seu coração continuaria sendo apenas dela.

Quando você entrega o coração, arrisca mais do que a si mesmo. Coloca em risco a pessoa que o recebeu.

Como pôde?

Ela o respirou e adormeceu.

A tempestade estava de volta, fria e amarga. Transformou o mar em um frenesi de som e fúria. Os relâmpagos ricocheteavam por todo o céu, partindo-o em mil pedaços, como se fosse de vidro.

Uma chuva escura brotava dos cacos, arremessada como farpas congeladas pelo vento inclemente.

A tempestade parecia uma fera. E ela a domava.

O Poder a abastecia correndo entre os músculos e os ossos com uma *força* gloriosa. Ali estava uma energia que ia além de tudo o que conhecera até então, ou que imaginara ser possível.

E tendo toda aquela força na ponta dos dedos, ela conseguiria finalmente a sua vingança.

Não, não. Justiça. Não era vingança buscar punição para os que estavam errados. Não era vingança *exigir essa* punição. Distribuí-la por toda parte, com a mente clara e serena.

Só que sua mente não estava clara. Mesmo nos espasmos de sua fome de justiça, ela sabia disso. E tinha medo.

Porque estava amaldiçoando a si mesma.

Olhou para baixo, na direção do homem encolhido a seus pés. Para que serviria o Poder se você não pudesse usá-lo para acertar o que estava errado, para impedir o Mal, para punir os cruéis?

— Se fizer isso, tudo vai acabar em violência. Em desesperança — ouviu ela, ao longe.

Suas irmãs, atingidas por um pesar profundo, continuavam no círculo, e ela estava de fora.

— Tenho o direito de fazer isso!

— Ninguém tem. Se você cometer esse ato, vai rasgar o coração de seu dom. A alma de tudo o que você é.

— Mas eu não posso parar agora — argumentou, sentindo que já estava condenada.

— Pode, sim. Só você pode. Venha, fique aqui conosco. Se não fizer isso, é ele que vai destruir você.

Olhou para baixo e viu o rosto do homem ficar distorcido e mudar, e semblantes de pessoas diferentes começaram a aparecer em sucessão, indo do terror ao regozijo, do apelo ao ódio e à fome.

— Não. Ele acaba aqui!

Ela levantou a mão. Um relâmpago explodiu, ferindo o céu com um jorro de luz que desceu até as pontas dos seus dedos e se transformou em uma espada de prata.

Com o poder que tenho, tiro a sua vida
Para fazer justiça e fechar a ferida
Por ela eu liberto minha fúria
E aceito o destino, sem lamúria.

Empolgada e ameaçadoramente estimulada, levantou a espada bem no alto enquanto gritava:

Aqui e agora, para quem quiser ver
Experimento o fruto maduro do poder
Sangue por sangue, decreto a desgraça
E que assim seja e assim se faça.

E baixou a espada em um rápido golpe. Ele sorriu de alegria enquanto a espada era enterrada em seu corpo estirado. E desapareceu.

A noite soltou um grito de pavor, e a terra tremeu. E do meio da tempestade surgiu o rosto do homem que ela amava, que chegava correndo.

— Para trás! — berrou ela. — Não se aproxime!

Mas ele lutou para avançar através da ventania, esticando os braços para alcançá-la. E então, da ponta da espada que ainda estava em sua mão, um raio foi lançado na direção dele e atravessou como uma flecha o seu coração.

— Ripley, vamos! Acorde, querida, acorde agora! Foi só um pesadelo.

Ela estava soluçando com um som gutural que o deixou mais preocupado que os tremores que ela não conseguia controlar.

— Não consegui parar. Eu o matei. Não consegui impedir. — E continuava dormindo.

— Pronto, pronto, já acabou. — Mac apalpou o fio do abajur ao lado da cama, procurando pelo interruptor, mas não conseguiu encontrá-lo. Então, ficou sentado com ela no escuro, recostados na cama, e a manteve junto de si, acalentando-a e reconfortando-a. — Já acabou, você está bem agora, está segura. Acorde, Ripley. — Ele beijou seu rosto banhado de um suor frio, e logo a seguir a testa.

— Mac! — Assustada, ela o enlaçou com os braços, usando toda a força que tinha.

— Tudo bem. Estou aqui. Você teve um pesadelo. Quer que eu acenda a luz e pegue um pouco de água?

— Não, não... Só fique aqui comigo mais um pouquinho e me abrace forte, está bem?

— Claro.

Não foi um pesadelo, pensou ela, enquanto continuava agarrada nele. Foi uma visão, uma mistura do que já acontecera com o que ainda estava por acontecer. Ela reconhecera o rosto... os rostos... do homem que estava no chão, na praia. Um ela já vira em outros sonhos. Ele morrera há mais de três séculos. Amaldiçoado pela irmã que se chamava Terra.

Outro daqueles rostos mutantes ela vira pela primeira vez no bosque atrás do chalé amarelo, no dia em que Evan Remington estava encostando uma faca afiada na garganta de Nell.

O terceiro rosto ela vira na cafeteria da loja de Mia, lendo o jornal e tomando sopa.

As três partes de um todo? Três porções de um mesmo destino? Oh, Deus! Como é que ela poderia saber?

Ela os tinha matado. No fim, ela se vira parada, de pé, na tempestade, com a espada na mão. Ela os matara porque teve esse Poder, e porque a necessidade de fazer aquilo tinha sido imensa.

E o pagamento pelo seu ato foi perder alguém terrivelmente querido.

Porque foi Mac que ela viu correndo no meio da tempestade em sua direção. Foi Mac que caiu fulminado, como castigo por ela não ter controlado a força que tinha dentro de si.

— Não vou permitir que isso aconteça — sussurrou no escuro. — Não vou.

— Conte-me, Ripley. Fale-me do seu sonho. Vai ajudar.

— Não. É isso que vai ajudar. — Ela levantou a boca, à procura da dele, e se despejou toda dentro de sua alma com um beijo. — Me toque, me acaricie. Por Deus, faça amor comigo. Preciso estar com você. — Novas lágrimas deslizaram-lhe sobre o rosto. — Preciso de você.

Para confortar, para preencher, para desejar. Ela tomaria tudo isso, e devolveria também. Por uma última vez. Tudo o que poderia ter sido, tudo o que ela se permitira sonhar, seria reunido e jorraria ali, em um perfeito ato de amor.

Ripley conseguia ver o semblante dele no escuro. Cada curva de seu rosto, cada linha, cada plano estava entalhado na sua alma e em seu coração. Como era possível que ela tivesse se apaixonado tão profundamente, e de modo tão irremediável?

Jamais se acreditara capaz disso, jamais procurara ou quisera isso. No entanto, o sentimento estava ali, doendo dentro dela. Mac era seu princípio e seu fim, e ela não tinha palavras para contar isso a ele.

Mac, porém, não precisava de palavras.

Deixou-se cair sobre ela, com submissão e demanda. Havia uma ternura imensa ali, uma profundidade que nenhum dos dois jamais explorara antes. Inundado por essas sensações, murmurou o nome dela. Queria dar tudo a ela. Coração, mente e corpo. Aquecê-la com suas mãos e sua boca. Mantê-la protegida para sempre.

Ela ergueu-se na direção dele, e o puxou para baixo. Uniram os suspiros de ambos em um só. O amor era como um banquete que cada um estava aproveitando aos poucos.

Uma carícia suave, uma fusão de lábios. Uma necessidade quieta que agitava suas almas.

Ela se abriu, e ele a preencheu. Calor envolvido em calor. Movendo-se harmonicamente na noite contínua, sustentando cada pulsação, enquanto o prazer florescia e amadurecia.

Os lábios dele tocaram as lágrimas dela, produzindo um sabor adorável. Na penumbra e no silêncio, as mãos dos dois se encontraram e se entrelaçaram.

— Você é tudo o que existe.

Ela o ouviu dizer isso, de modo terno. E, quando a onda subiu para cobrir a ambos, era suave como seda pura.

Na escuridão total do depois, ela dormiu o resto da noite nos braços dele. Sem sonhos.

A manhã finalmente chegou. Ela estava preparada para isso. Havia medidas a serem tomadas, passos a serem dados. Faria tudo o que precisasse ser feito sem hesitações e, prometeu a si mesma naquele momento, também sem arrependimentos.

Saiu de casa logo cedo, sorrateiramente. Deu uma última olhada em Mac, que parecia estar dormindo totalmente em paz, na cama dela. Por um breve instante, permitiu-se imaginar como o futuro deles poderia ter sido.

Então, ela fechou a porta com cuidado, sem olhar para trás.

Podia ouvir Nell, já de pé e cantarolando na cozinha, e sabia que seu irmão também logo estaria de pé, para começar o dia bem cedo. Ela precisava escapar desse encontro.

Saiu pela porta da frente sem fazer barulho e foi direto para o centro da pequena cidade, e para a delegacia, em ritmo de corrida leve.

O vento e a chuva tinham passado durante a noite. Sob um céu claro, o ar se tornara amargo novamente.

Podia ouvir, bem forte, o golpear constante do mar. As ondas ainda deviam estar altas e selvagens, e a praia, cheia com os detritos e resíduos que a água rejeitara.

Mas não haveria nenhuma corrida longa e libertadora para ela, naquela manhã.

O centro da pequena cidade ainda estava parecendo uma pintura, capturado sob uma cristalina camada de gelo. Ripley o imaginava acordando, bocejando, espreguiçando-se e quebrando aquela proteção, fina como a casca de um ovo que a envolvia.

Com a determinação de providenciar para que sua casa e todos dentro dela acordassem sempre em segurança, destrancou a porta da delegacia e entrou, sem fazer barulho.

Estava gelado lá dentro, e isso a fez notar que estavam sem luz. Provavelmente a luz havia faltado durante a noite, e o gerador entrara em funcionamento automaticamente. Parou para avaliar aquilo, imaginando o quanto ela e Zack estariam atarefados mais tarde, lidando com todos os moradores da ilha que não tinham gerador em casa.

Mas isso era um assunto para depois.

Deu uma olhada no relógio e ligou o computador. Talvez ele não funcionasse durante muito tempo, devido ao gerador, mas alguns minutos já seriam suficientes para descobrir aquilo de que precisava.

Jonathan Q. Harding. Ela jogou os ombros para trás, fazendo um alongamento rápido, e começou a busca.

O trabalho rotineiro da polícia a deixava mais equilibrada. Para ela, aquilo era rotina, quase uma segunda natureza. Ela havia passado no hotel na véspera e pegara o endereço dele, ou pelo menos o endereço que ele dera.

Agora iria descobrir realmente quem era aquele sujeito. E, a partir disso, começar a montar o quebra-cabeça que a levaria a entender que papel ele desempenhava no drama pessoal dela.

Rastreou os dados, fazendo-os rolar com rapidez sobre a tela. Harding, Jonathan Quincy. Quarenta e oito anos. Divorciado, sem filhos, morador de Los Angeles.

— Los Angeles... — repetiu em voz alta, sentindo o mesmo tremor gelado que sentira no momento em que conseguiu o nome de sua cidade de origem, no registro do hotel.

Evan Remington era de Los Angeles. Assim como milhões de outras pessoas, lembrou, como já fizera no dia anterior. Só que dessa vez não tinha tanta convicção.

Em seguida, leu as informações sobre a ocupação e os empregos que Harding tivera. Um escritor para revistas... um repórter. Filho da mãe.

— Procurando uma história quente, Harding? Bem, pode tirar o cavalinho da chuva. Tente passar por cima de mim para chegar até Nell e...

Parou de falar de repente, soltou a respiração e, deliberada e conscientemente, vedou a raiva instintiva que sentiu surgir.

Tinha havido outros repórteres, lembrou a si mesma. Predadores, parasitas e alguns outros, apenas curiosos. Ela e Zack tinham conseguido manipulá-los sem muitos problemas. Com aquele ali, conseguiriam fazer o mesmo.

Voltando aos dados, reparou que Harding não tinha nenhum registro na polícia. Nem mesmo uma multa por estacionamento proibido. Portanto, ele era, por todas as aparências, um cidadão respeitador das leis.

Recostou-se na cadeira, considerando tudo aquilo.

Se ela fosse uma repórter de Los Angeles à procura de uma história como aquela para desenvolver, por onde começaria o seu trabalho? A família de Remington era um bom palpite. A irmã dele, depois alguns amigos, e talvez os sócios no trabalho. Depois, uma pesquisa completa sobre os personagens mais importantes, o que incluiria Nell. A partir daí, o que mais? Relatórios policiais, provavelmente. Entrevistas com pessoas que tivessem conhecido Remington e Nell.

Mas isso era apenas pano de fundo, não? Seria impossível chegar até o prato principal, a não ser que você conversasse pessoalmente com os protagonistas da história.

Pegando no telefone, teve a intenção imediata de entrar em contato com o hospital psiquiátrico, onde Remington estava. Mas, assim que colocou o fone no ouvido, ouviu um ruído parecido com um estalo, e a linha ficou muda. Primeiro a falta de luz, agora a queda nas linhas telefônicas. Resmungando algumas reclamações, sem parar, pegou no celular e apertou a tecla "Liga". Rangeu os dentes quando o visor de cristal líquido informou que o aparelho estava com a bateria descarregada.

— Droga, maldição! — Levantou-se abruptamente da cadeira e começou a andar de um lado para o outro. Havia uma sensação de urgência nela, agora. Se era a policial, a mulher ou a bruxa que a estava impulsionando naquele momento, isso não era importante. *Precisava*, sim, descobrir se Harding havia se encontrado com Remington.

— Tudo bem, então. — Firmou o corpo novamente e ficou ereta. Era imperativo que ela mantivesse a calma e o controle, para fazer o que decidira.

Já fazia muito tempo desde a última vez em que tentara um voo. E ali não havia instrumento algum para ajudá-la a focar a energia necessária para isso. Embora, de repente, desejasse que, pelo menos naquele momento, Mia estivesse junto dela, aceitou a circunstância de que nessa viagem teria que se virar por conta própria.

Lutando para não fazer o ritual às pressas, invocou o círculo e, no centro dele, clareou a mente e se abriu.

Clamo a todos que possuem o Poder
Ajuda e doação para o que vou fazer
Comando o vento para ajudar na viagem
Que o poder da visão me clareie a imagem
Meu corpo fica, e o espírito, livre, esvoaça
E que assim seja, e assim se faça.

Era como ser sugada para o alto, com um formigamento que fluía com suavidade pelo corpo. Então, com um puxão, foi levada para fora do corpo que acolhia sua alma, deixando-o em pé, como uma casca inerte.

Ao olhar para baixo, viu a própria forma física — a Ripley que se mantinha de pé com os olhos fechados e a cabeça levantada, dentro do círculo de luz.

Conhecendo os perigos de ficar perdendo tempo ali ou de ficar muito seduzida pela sensação maravilhosa do voo, procurou centrar os pensamentos no alvo a que se propusera. E se deixou subir vertiginosamente, rumo ao céu, acima das nuvens.

O fluxo das correntes de ar nas alturas, o estímulo do vento, o mar abaixo dela. Havia uma alegria magnética e indescritível naquilo, que Ripley sabia ser uma sedução perigosa. Antes que pudesse se sentir atraída pelo glorioso silêncio dos níveis superiores e pela vertigem inebriante do movimento veloz, permitiu que sons diversos enchessem sua cabeça.

Um zumbido constante de vozes e sussurros, os pensamentos e conversas de uma cidade inteira, todos estavam vivos de repente dentro dela. Preocupações, alegrias, raivas, paixões, tudo misturado no coquetel maravilhoso da música humana.

Enquanto viajava velozmente, já agora começando a deslizar para baixo, foi filtrando todos os sons, até encontrar o que precisava.

— Não ocorreram muitas mudanças no estado dele durante toda a noite — dizia uma enfermeira para outra, enquanto lhe entregava uma prancheta com dados e gráficos. Seus pensamentos misturados começaram a emitir sutis interferências.

Reclamações, um pouco de fadiga, a lembrança de uma briga com o marido, um desejo oculto e repentino por sorvete.

— Bem, ele vai ter menos problemas enquanto estiver em coma. É estranho, porém, o jeito repentino com que ele entrou nesse estado, poucos minutos depois da saída daquele repórter. Ele andava tão bem, tão alerta, estável e cooperativo há vários dias, e de repente essa reviravolta completamente inesperada em seu estado.

Enquanto as enfermeiras se moviam de modo decidido e profissional pelos corredores, uma delas sentiu um tremor repentino no corpo, quando Ripley passou por entre as duas.

— Eu, hein... Acabei de sentir um calafrio — comentou uma com a outra, enquanto se movia pelo corredor em direção ao quarto onde Remington estava, inerte sobre uma cama. Várias máquinas espalhadas à sua volta monitoravam seus sinais vitais, e todas as câmeras estavam voltadas para ele, continuamente.

Ripley flutuou no ar acima dele, estudando-lhe as feições e o estado. Comatoso, completamente encarcerado, mental e fisicamente, atrás de grades e trincos poderosos. Que mal poderia ele fazer, naquele estado?

Enquanto olhava para seu rosto plácido, bem de perto, os olhos dele se arregalaram de repente, e ele sorriu maliciosamente para ela.

Ripley sentiu uma fisgada no coração, uma dor inacreditavelmente forte e real, quase palpável. O Poder que havia dentro dela e à sua volta se tornou instável e frágil. De repente, sentiu que estava caindo.

Seus pensamentos lhe martelavam a mente. Eram golpes sangrentos e cruéis, que falavam de vingança, morte e destruição. Eles a envolveram como tentáculos, dedos ávidos que eram, de algum modo, e de forma terrível, estimulantes. E se viu tentada, inexplicavelmente, a se render àquela força atraente que a puxava.

Mais do que simples rendição, a tentação dela era se apoderar daquela força inusitada.

Não. Você não vai conseguir me possuir, nem aos meus, gritou uma voz distante, dentro dela.

Lutou, esforçando-se para conseguir se libertar daquilo. Pequenas asas de pânico se agitaram em sua garganta, forçando-a a reconhecer a energia poderosa daquilo que se tornara vivo através do corpo do homem em coma.

E de repente rasgou o ar com um grito pavoroso, onde se misturavam a fúria e o medo.

E se encontrou de volta, esparramada no chão de madeira da delegacia, dentro do círculo que criara usando apenas as suas forças.

Gemendo de dor, rasgou a parte da frente da blusa e olhou horrorizada para as profundas marcas de queimadura que haviam aparecido entre os seios e que, naquele instante, estavam começando a sangrar.

Tentou se levantar e conseguiu recolher todas as forças que lhe restavam para fechar o círculo. Estava ainda cambaleando pela sala, já de pé, em busca da caixinha de primeiros socorros, quando ouviu a porta da frente se abrir com violência.

Mia entrou por ela como um furacão descontrolado, espalhando fúrias.

— Que diabos você pensa que está fazendo?

Por instinto, Ripley fechou a blusa, escondendo as feridas.

— O que faz aqui tão cedo, Mia?

— Será que você achou que eu não iria descobrir o que fez? — Tremendo no corpo inteiro, de raiva e de nervoso, Mia diminuiu a distância entre elas. — Achou que eu não iria sentir? Como ousa fazer uma coisa dessas por sua própria conta e risco, sem uma preparação adequada? Tem ideia do quanto se arriscou?

— O risco era meu, e você deveria cuidar da sua vida, em vez de ficar me espionando.

— Você arriscou tudo, e sabe muito bem, da mesma forma que sabe que eu não estava *espionando.* Você me acordou de repente e me arrancou de um pequeno e adorável sonho.

Ripley virou a cabeça um pouco para o lado e deu uma boa olhada em Mia. O cabelo dela estava completamente em desalinho, sua boca, sem batom, seu rosto, sem maquiagem, e suas bochechas, completamente pálidas, como cera.

— Agora que você falou, estou vendo que não teve tempo de colocar a sua pintura de guerra. Não me lembro de ter visto você sem maquiagem desde que tínhamos 15 anos.

— Mas é fato sabido que, mesmo sem maquiagem, eu sempre fui muito mais bonita do que você... especialmente agora. Você está completamente branca e abatida, Ripley. Sente-se aqui... — E resolveu o problema acabando com a gentileza e empurrando Ripley na direção de uma cadeira, enquanto repetia: — Sente aqui, agora!

— Ah, vá cuidar da sua vida!

— Você, infelizmente, é parte da minha vida. Se queria verificar alguma coisa a respeito de Remington, por que simplesmente não *olhou?*

— Não venha me passar sermões, Mia. Você sabe muito bem que eu não sou tão boa nessa área quanto você. Além do mais, não possuo nenhuma bola de cristal ou algo parecido.

— Um cálice grande e largo cheio de água até a borda serviria perfeitamente bem para isso, como você já está cansada de saber. É completamente tolo e imensuravelmente perigoso voar dessa maneira, sem uma acompanhante, alguém que seja capaz de chamar você de volta e puxá-la, se necessário.

— Bem, como você vê, não foi necessário. Voltei perfeitamente bem.

— Mas deveria ter pedido a minha ajuda. — Um pesar insuportável misturou-se à frustração. — Pelo amor da deusa, Ripley, você me odeia tanto assim?

O choque de ouvir essas palavras saírem da boca de Mia fez com que Ripley deixasse as mãos desabarem, impotentes, enquanto, com o olhar estupefato, se ouviu dizendo:

— Eu não odeio você, Mia. Simplesmente não pude...

— O que fez consigo mesma? — O restante da zanga se desvaneceu por completo quando Mia reparou as pontas das feias feridas com bordas queimadas que estavam escondidas pela blusa de Ripley. Movendo-se com a rapidez de um raio, ela abriu a blusa de Ripley para os lados e sentiu a alma estremecer. — Ripley, ele fez isso em você! Como foi possível? Você estava *dentro do círculo*. Ele é apenas um homem. Como conseguiu quebrar a proteção e atingir com tanta violência o seu corpo físico?

— Ele não é apenas um homem — disse Ripley, com a voz em um tom cansado. — Não é mais. Há alguma coisa dentro dele: muito forte, muito poderosa e muito escura. Uma parte dessa força está aqui na ilha. Dentro de um homem que está hospedado no hotel.

E contou a Mia tudo o que descobrira e que pretendia contar a Nell logo em seguida. Elas precisavam estar preparadas.

— Preciso estudar com calma todo esse assunto — disse Mia. — Pensar. Juntas, vamos encontrar uma saída. Nesse meio-tempo, você ainda está com o seu amuleto ou alguma de suas pedras de proteção?

— Mia...

— Não faça papel de tola, Ripley, não agora... Use o amuleto, mas não esqueça de remagnetizá-lo primeiro. Precisa permanecer longe desse tal de Harding até sabermos mais a respeito de tudo isso.

— Sei disso. Não vou permitir que nada de mau aconteça comigo, Mia. Mas preciso que você me prometa que não vai tentar me impedir de fazer o que precisar ser feito.

— Vamos procurar uma saída, juntas. Deixe-me cuidar desses arranhões e queimaduras.

— Você vai tentar me impedir! — repetiu Ripley, pegando a mão de Mia e apertando-a, com desespero. — Você é mais forte do que eu e sabe o quanto estou no meu limite, a ponto de admitir isso abertamente.

— O que precisar ser feito será feito. — Impaciente, Mia se livrou das mãos de Ripley. — Isso deve estar doendo muito. Deixe-me cuidar dessas feridas.

— Por alguns instantes, as queimaduras me deram estímulo. — Ripley soltou um longo suspiro. — Era algo muito sedutor, que eu de repente queria muito, pelo que iria me proporcionar.

— Isso faz parte da dissimulação e da astúcia do Mal. — Enquanto dizia isso, o medo, frio, úmido e pegajoso, fez a pele de Mia tremer por dentro. — Você também sabe disso e muito bem.

— Sim, sei. E agora acabei de sentir na pele. Você e Nell podem conseguir se segurar contra essa força, e Nell é capaz de resistir para proteger Zack. Eu, porém, acabei de sentir o que pode acontecer e não quero correr nenhum risco. Não posso ir embora, pois isso não ia adiantar. Então é Mac que vai ter que deixar a ilha.

— Ele não vai fazer isso — disse Mia, enquanto curava as feridas instantaneamente, com as pontas dos dedos.

— Vou obrigá-lo a fazer.

Com a mão sobre o coração de Ripley, Mia sentiu uma batida singular, uma mistura de amor e medo. E seu próprio coração sentiu aquela dor, em um momento de empatia.

— Vai *obrigá-lo*? Bem, você pode tentar.

Havia passos a serem seguidos e medidas a serem tomadas com urgência, Ripley lembrou a si mesma enquanto se aproximava do chalé amarelo. Esse passo, mais do que todos os outros, tinha que ser dado de imediato. Não precisava de bola de cristal ou do poder da visão para prever que aquilo iria ser algo muito doloroso. Mais doloroso do que os arranhões e queimaduras que nem Mia tinha conseguido apagar por completo de sua pele. Mac poderia até sentir ódio dela, quando acabasse de falar com ele. Pelo menos, porém, estaria completamente a salvo.

Sem hesitar, bateu na porta com força e, sem esperar que ele atendesse, foi entrando.

Vestido com uma camiseta velha, muito usada, e uma calça jeans ainda mais surrada, Mac estava de pé na sala entulhada de aparelhos. Estava revendo a fita da noite anterior. Foi um choque inesperado ver o rosto dele no monitor, tão calmo, tão sereno e *estável*, sentado à beira da cama, ao lado dela, tomando-lhe com toda a delicadeza a pulsação enquanto continuava a falar com a voz lenta e reconfortante.

Sentiu outro choque ao olhar para o rosto dele naquele momento, ao notar a concentração profunda em seus olhos e então o prazer descontraído que os inundou e aqueceu quando se virou e a viu.

Ainda de pé, e bloqueando parte da imagem do monitor com o corpo, ele se inclinou e o desligou.

— Oi. Você saiu de mansinho hoje de manhã e me deixou dormindo.

— Tinha coisas para resolver — explicou ela, encolhendo os ombros. — De volta ao trabalho, hein?

— É, mas não há nada urgente, isso pode esperar. Quer um café?

— Sim, seria bom. — Ela não evitou o beijo, mas também não respondeu a ele. Sabia que Mac ficara ligeiramente confuso com aquela reação, então seguiu atrás dele em direção à cozinha.

— Queria conversar com você — começou ela. — Sei que nós já estamos circulando juntos há algum tempo e já aproveitamos muito.

— Circulando juntos?

— Sim. Há um tipo de energia que rola entre nós dois e que é muito boa, especialmente debaixo dos lençóis. — Sentou-se, esticando as pernas e tentando parecer casual, cruzando os pés logo a seguir na altura dos tornozelos. — O fato, porém, Mac, é que isso tudo está começando a ficar muito intenso para mim. Puxa, a noite passada, então, foi o máximo. Só que eu vou ter que tirar o time de campo.

— Tirar o time de campo? — Ele se pegou repetindo as palavras dela como um papagaio. — Escute, eu compreendo que a sessão de ontem à noite foi meio brava. — Pegou em duas canecas, enchendo-as de café. — Entendo também que você queira dar um tempo com essas experiências e testes.

— Você não está me entendendo. — Já se sentindo sangrar por dentro, ela pegou a caneca que ele lhe estendia. — Não é apenas com relação ao trabalho, embora tenha que admitir que achei tudo muito mais interessante do que imaginava. Você sabe que eu acho homens com cérebro uma coisa muito sexy. Jamais tinha andado com um sujeito assim tão inteligente, antes.

Provou o café, queimando a língua, mas aguentou firme e continuou falando:

— Olhe, Mac, você é realmente um cara muito legal, e acho que nós dois nos divertimos à beça. Você até mesmo me ajudou a clarear uma porção de ideias que estavam obscuras na minha cabeça. Isso foi muito bom, e quero que saiba que estou muito grata.

— Está mesmo?

Lá estava ele, pensou Ripley, olhando como se ela fosse um inseto esmagado sobre uma lâmina de microscópio.

— Pode ter certeza que sim, Mac. Só que estou começando a me sentir um pouco, sabe, confinada, amarrada por esse relacionamento. Preciso tocar a vida para a frente.

— Entendo. — A voz dele era calma, apenas um pouco distante. — Então você está me dando o fora, é isso?

— Puxa, isso é meio cruel de se falar. — Ele não estava reagindo da maneira que ela esperava. Não parecia estar zangado, nem chateado, nem magoado, e nem chocado. Parecia apenas remotamente interessado. — Escute, Mac, por que não mantemos nossa relação cordial, como amigos, e vamos lembrar apenas que foi tudo divertido enquanto durou?

— Tudo bem... — Ele se recostou na bancada da cozinha, cruzando as pernas compridas na altura dos tornozelos, em um movimento que espelhava estranhamente o dela. A seguir, tomou com toda a calma do mundo um gole do café, enquanto afirmava: — Foi divertido mesmo.

— Ótimo. — Uma pequena pontada de ressentimento começou a se infiltrar por dentro dela, tentando atingir-lhe o coração e embargar-lhe a voz. — Eu saquei logo que você era um sujeito completamente controlado e razoável, o que provavelmente explica o fato de você não ser exatamente o meu tipo. Imagino que você vai voltar para Nova York assim que acabar o seu trabalho aqui.

— Não, ainda vou levar várias semanas mais.

— Não vejo motivos para você ficar por aqui. Não quero mais sair com você, em nenhuma ocasião.

— Então, vou usar esse tempo para provar a mim mesmo que você não é o centro do meu universo. Além do mais, ainda tenho trabalhos para completar, aqui na ilha.

— Mas não espere mais cooperação de minha parte. Veja bem, estou só tentando pensar em você, em como você vai se sentir. Esta ilha é um mundo muito pequeno. As pessoas vão saber que fui eu que quis terminar. Vai ficar um pouco embaraçoso para você.

— Deixe essa preocupação comigo.

— Tudo bem, você é que sabe. O problema não é meu. — E se levantou.

— Não, é claro que o problema não é seu. — Ele falava de modo amigável e casual, enquanto colocava a caneca vazia de lado, sobre a pia. Ela nem teve tempo para pressentir o que ia acontecer. Em um segundo ele a estava estudando com o olhar, expressando aquela vaga curiosidade com o jeito que ela conhecia tão bem. No segundo seguinte, ele já a tinha puxado com toda a força para junto dele.

A boca de Mac grudou como um ferro em brasa, cobrindo a dela. Seus lábios estavam quentes, zangados, e sugavam tudo.

— Por que você está mentindo para mim? — perguntou ele, afinal.

Ela ficou sem ar e sentiu os pensamentos se espalharem em todas as direções, como formigas em uma tarde de verão.

— Tire as mãos de mim!

— Por que está mentindo? — repetiu ele, imprensando-a contra a porta da geladeira.

Distante?, pensou ela, desnorteada. *Ela realmente achou que ele estava distante?*

— De onde é que veio todo esse papo idiota? — Ele a sacudiu com movimentos rápidos. — Por que é que você está tentando me machucar dessa maneira?

E realmente machucou. Mac sentia uma dor profunda e latejante na boca do estômago e um lento e massacrante movimento no coração, como se estivesse sendo torcido após uma lavagem.

— Não estou tentando machucar você, Mac, mas não vou hesitar em fazer isso, se continuar forçando a barra. Não quero mais você.

— Você está mentindo. Dormiu a noite toda agarrada comigo.

— Não posso ser responsabilizada pelo que faço enquanto estou dormindo.

— Você procurou por mim, no escuro; você me queria. — Sua voz era rígida. Uma parte dele sentiu que aquela era uma luta para salvar sua própria vida. — Você se entregou para mim, completamente.

— Ora, sexo é apenas...

— Não estou falando de sexo. — Ele se lembrava de como tinha sido. Para ambos. As mãos dele diminuíram a força sobre ela, e sua raiva começou a se transformar em irritação. — Você acha que pode me enrolar, fazer com que eu me afaste de você e vá embora da ilha para sempre? Quero saber por quê!

— Porque eu não quero você aqui por perto! — Ela o empurrou, com a voz começando a falhar.

— E por quê?

— Porque, seu tapado, estou completamente apaixonada por você.

Capítulo Dezoito

As mãos dele vinham desde os ombros, ao longo dos braços dela, até enlaçar seus dedos, enquanto se inclinava para a frente a fim de tocar com os lábios a sua testa.

— Bem, sua idiota, eu estou completamente apaixonado por você também. Agora, vamos nos sentar e começar a partir desse ponto.

— O quê? O que foi que você disse? — Ela queria puxar os braços para trás, mas ele apertou ainda mais as mãos dela. — Chegue para lá. Afaste-se de mim!

— Não. — Ele falou com suavidade. — Não, Ripley, eu *não vou* me afastar de você. Eu *não vou* embora da ilha. E *não vou* deixar de ficar apaixonado por você. É melhor engolir tudo o que eu disse, digerir e se convencer de uma vez. Então, vamos poder descobrir juntos o que foi que apavorou você a ponto de querer que eu me afaste.

— Mac, se você realmente me ama, vai fazer as malas agora mesmo e voltar para Nova York, pelo menos por uns tempos.

— Não é assim que funciona. Não! — repetia, enquanto ela abria a boca novamente.

— Não seja assim tão...

— Implacável?... Bem, esse é um termo que já ouvi associado a mim em diversas ocasiões. Acho que é uma palavra que tem um pouco mais de classe do que "cabeça-dura". Nesse caso, no entanto, não creio que seja o caso de aplicar nenhuma das duas. — Balançou a cabeça para os lados. — Você ficou apavorada com alguma coisa, preocupada com alguém e, como sempre, quer deixar o instinto de lado. Do mesmo jeito que fez com o seu dom — continuou ela a falar, apesar dos protestos dela. — Do mesmo jeito que fez com Mia. Agora, não vou permitir que você faça o mesmo comigo. Conosco, Ripley. — Ele levantou suas mãos entrelaçadas, beijando os nós dos dedos dela, um por um. — Estou apaixonado demais por você para deixar que isso aconteça.

— Pois não fique. — O coração dela não podia suportar aquilo. — Dê um tempo e simplesmente aguarde.

— Detesto ficar repetindo não para você. Prometo compensar esses *nãos* mais tarde. — E ele abaixou a cabeça para beijá-la, até que os ossos dela pareceram se derreter.

— Não sei o que fazer, nem como lidar com isso. Jamais me senti assim antes.

— Nem eu. Vamos encontrar uma saída. É melhor nos sentarmos para começar a avaliar o problema.

— Avisei a Zack que estaria de volta em vinte minutos. Não pensei que fosse levar tanto tempo para...

— Para me dar o fora? — Ele riu para ela. — Surpresa, surpresa! Quer ligar para ele?

— Não consigo nem pensar direito. — Balançou a cabeça. — Droga, ele sabe onde eu estou, se precisar de mim. — Era como se tudo dentro dela estivesse saltando e se contorcendo. No entanto, apesar de tudo, bem no fundo, seu coração estava brilhando como a lua. — Você está mesmo apaixonado por mim?

— Completamente.

— Bem... — Ela fungou, aspirando o ar pelo nariz. — E como é que você não disse isso para mim, antes? — quis saber ela.

— E como é que você também jamais mencionou, até hoje, que estava apaixonada por mim?

— Eu perguntei primeiro.

— Nessa você me pegou. Talvez eu estivesse acumulando coragem para dizer isso. Você sabe... — Ele apertou os braços dela antes de conduzi-la a uma cadeira. — Esperando que a sua resistência diminuísse.

— Talvez eu estivesse fazendo o mesmo.

— Sério? Vir até aqui para terminar comigo é um jeito muito estranho de conseguir isso.

— Mac... — Ripley se inclinou para a frente, e desta vez foi ela quem tomou as mãos dele. — Você é o primeiro homem a quem eu disse isso em toda a minha vida. Precisa ter cuidado; não deve ficar espalhando por aí. Se você for descuidado com isso, o sentimento perde a força. E, para mim, você será sempre o único. É assim que funciona com os Todd. Quando escolhemos alguém para nos acompanhar por essa caminhada, é para a vida toda. Portanto, você vai ter que se casar comigo.

— Eu vou ter que... casar com você? — Mac fez uma cara de quem levou um susto.

— Sim. É assim que tem que ser.

— Espere um instante... — Uma pontada de prazer brincava dentro dele. — Não é aquela história de que eu ganho um anel, ou uma aliança, ou algo assim? Depois você se ajoelha diante de mim e pede que eu case, e eu posso responder sim ou não?

— Você está é abusando da sorte, sabia?

— É porque me sinto com sorte. Já estou até comprando uma casa.

— É?... — Sentiu então uma fisgada, acompanhada de pesar e lamento... Talvez um pouco de aceitação. — Em Nova York? Sim, bem, é onde o seu trabalho está. Imagino que sempre vão estar precisando de uma policial por lá.

— Provavelmente, mas só que a casa que eu estou comprando fica aqui na ilha mesmo. Você achou que eu poderia pedir a você que abandonasse este lugar e o seu coração? Ainda não notou que o meu coração, agora, também está aqui?

Ripley olhou fixamente para ele. Por um longo momento, não conseguia fazer outra coisa que não fosse olhar para ele. E viu as suas vidas, entrelaçadas, no fundo dos olhos do homem à sua frente.

— Não me faça chorar. Odeio quando isso acontece.

— Fiz uma oferta pela casa dos Logan.

— A casa dos... — *Grande, maravilhosa e na beira da praia.* — Mas ela não está à venda.

— Ah, mas vai ficar. Posso ser muito obstinado, quando me interesso por uma coisa. E mais: vou querer filhos.

— Eu também. — Os dedos dela se apertaram entre os dele. — Vai ser uma coisa boa para nós. Boa, sólida e real. Só que, primeiro, você vai ter que fazer uma coisa por mim.

— Eu *não vou* embora.

— Não consegue confiar em mim o bastante para atender a esse pedido tão simples, só por algum tempo?

— Esse papo não vai colar. Conte-me o que a está assustando. Comece pelo sonho de ontem à noite.

— No sonho, eu matei você — disse ela, desviando o olhar.

— Você me matou? De que modo? — perguntou, parecendo intrigado.

— O que você tem nessas veias, gelo? Matei, matando... Acabei com a sua vida. Terminei com a sua existência.

— Humm. Olhe, podemos descobrir uma solução para isso mais facilmente se não entrarmos em pânico. Conte-me tudo sobre o sonho.

Ripley se afastou da mesa e andou pela cozinha de um lado para o outro por três vezes, formando círculos cada vez mais fechados, tentando dissipar a agitação. Contou tudo a Mac. E, ao contar, trouxe de volta todas aquelas imagens de forma tão clara, que sentiu o medo formigar através dela, por dentro, como se fossem tarântulas recém-saídas do ovo.

— Assassinei você e destruí tudo o que mais importa em minha vida — terminou ela. — Não posso carregar esse fardo, Mac. Não vou conseguir lidar com isso. Foi exatamente por causa disso que abandonei tudo e fugi daquilo que sou. Dei as costas para Mia. Na época me pareceu a coisa mais certa... A única coisa a fazer. Uma parte de mim ainda pensa assim, até hoje.

— Mas no fundo você sabe muito bem que isso não vai funcionar; que vai ter que enfrentar isso, no fim.

— Está me pedindo para colocar em risco você, a minha família, os meus amigos, a minha casa?

— Não, não estou — replicou ele, com gentileza. — Estou pedindo para você nos proteger.

— Meu Deus, Mac... —A emoção tomou conta dela por completo. — Você sabe o botão certo para apertar.

— Sei mesmo. Quero e vou ajudar você, Ripley. Acho eu que estava destinado para isso, sempre estive. Estava destinado a amar você — acrescentou, pegando a mão fechada dela e abrindo-a com suavidade. — Estava destinado a ser parte de tudo isso. Não acredito que o trabalho da minha vida, ou a minha vinda até aqui, ou o fato de estar sentado aqui com você neste momento, seja uma coincidência. E sei também que vocês são muito mais fortes juntas do que separadas.

Ripley olhou para baixo, para as mãos que continuavam entrelaçadas. Tudo o que ela sempre desejara, compreendia agora, sem saber exatamente ao certo o que procurava, estava logo ali, ao seu alcance.

— Se eu acabar matando você, Mac, isso vai me deixar realmente enfurecida.

— A mim também. — Seus lábios se contorceram, em uma sombra de sorriso.

— Você está usando o pingente da Mia?

— Estou.

— Não vá a lugar algum sem ele. Ou sem isto. — Enfiou a mão no fundo do bolso. Pelo visto, parecia que ela instintivamente soubera aonde tudo aquilo ia chegar, quando se sentira impelida a trazê-lo com ela. Era um anel, que apresentava um trabalho complexo de prata retorcida e um trio de círculos que se entrelaçavam, cheio de símbolos. — Este anel pertenceu à minha avó.

Ele se sentiu encabulado, achando o gesto profundamente tocante. Teve que limpar a garganta antes de dizer:

— Então, não foi uma aliança, mas acabei conseguindo pelo menos um anel nessa história toda, afinal.

— Parece que sim. Vai ser pequeno demais para os seus dedos. Use-o pendurado no cordão, junto com o pingente.

Pegando o anel da mão dela, apertou os olhos para ver se conseguia identificar os símbolos sem precisar dos óculos.

— Parece idioma celta.

— E é mesmo. O círculo do meio diz "justiça"; os outros, em cada um dos lados, dizem "compaixão" e "amor". Acho que isso cobre tudo.

— É uma peça belíssima. — Ele tirou o cordão do pescoço, abrindo-o e colocando o anel nele. — Obrigado.

Antes que conseguisse colocar novamente o cordão por sobre a cabeça, ela agarrou o pulso dele, pedindo:

— Quero que me hipnotize novamente.

— É muito perigoso.

— Não me venha com essa conversa. *Tudo isso é* muito perigoso. Quero que você me deixe hipnotizada e me dê alguma sugestão pós-hipnótica, ou sei lá qual é o nome. Algo que me faça parar, nem que seja no último instante, se eu começar a perder o controle.

— Em primeiro lugar, você fica muito aberta a sugestões externas quando entra em transe. Na outra vez parecia uma esponja, Ripley, absorvendo tudo o que os outros colocavam em sua cabeça. Em segundo lugar, não tenho ideia de nenhuma sugestão que pudesse funcionar. Quando você está consciente e desperta, tem a cabeça muito forte e uma vontade férrea demais para ser influenciada dessa maneira.

— É apenas mais uma linha de defesa. Não vamos saber se funciona, a não ser que tentemos. Isto é uma coisa que você pode fazer, e confio plenamente em você. Este é um pedido de ajuda, Mac.

— Bela chantagem, não é? Tudo bem, podemos tentar... mas não agora — acrescentou depressa. — Quero algum tempo para fazer um pouco mais de pesquisas e me preparar. E vou querer que Nell e Mia estejam presentes.

— Por que isso não pode ficar apenas entre nós dois?

— Porque não é algo que exista apenas entre nós dois. Posso tentar essa sua ideia, mas só quando vocês formarem o círculo. Agora, espere um minuto.

Disse isso em um tom tão realista, convencendo-a de que não adiantava nem se dar ao trabalho de argumentar, que Ripley já não tinha certeza se estava se sentindo irritada, com vontade de rir ou impressionada. Mas ficou ali sentada, tamborilando com os dedos sobre a mesa, enquanto ele saía da cozinha.

Escutando os barulhos que ele fazia ao procurar alguma coisa por todo o quarto, murmurando coisas para si mesmo, Ripley acabou de tomar o café, que já estava quase frio.

Quando Mac voltou, ele levantou-a da cadeira e a colocou de pé, segurando-a com os dois braços e dizendo:

— Comprei isto aqui na Irlanda, há uns doze anos. — Colocando a mão dela com a palma virada para cima, ele pousou um disco de prata entre os seus dedos. No centro do disco, havia o desenho de algo que parecia um redemoinho de prata, e de cada lado havia uma pedra pequena, totalmente redonda.

— Quartzo rosa e pedra-da-lua — disse Ripley.

— Para amor e compaixão. Comprei isto como uma espécie de talismã, uma peça para trazer boa sorte. Sempre a carrego comigo. Na maior parte do tempo nem sei onde guardei, mas ela sempre acaba aparecendo depois. Portanto, acho que tem me trazido muita sorte. Possui uma argolinha na parte de trás, então eu imagino que no passado deve ter sido usada como um pingente. Ou, se preferir, você pode carregá-la no bolso. Não sabia na ocasião, mas agora entendo que a comprei para você.

— Isso vai acabar me deixando melosa. — Ela recostou a cabeça sobre o ombro dele.

— Não me importo.

— Tenho que voltar para o trabalho; não posso andar pela rua com este olhar apaixonado. Mas realmente amo você — disse, levantando a boca para encontrar a dele. — Amo mesmo.

Ele a empurrou para fora, mas gentilmente, para não parecer que queria se livrar dela.

Tinha muitas coisas a fazer.

Mac não era tão tolo a ponto de acreditar que não poderia sair machucado daquela história. Ou morto. Pelo contrário, estava convencido de que o sonho de Ripley era uma premonição de acontecimentos que tinham grande chance de se tornarem reais. O círculo que havia sido criado trezentos anos antes ainda continuava aberto.

Mas também ele era esperto o suficiente para conhecer várias outras maneiras de proteger a si mesmo e acreditava piamente que conhecimento é poder. Partindo desse princípio, iria garimpar mais conhecimento, a fim de fortalecer o escudo em volta deles.

Não queria correr o risco de colocá-la em um transe vulnerável, a não ser que tivesse certeza de que ela conseguiria sair dele a salvo.

Pegou uma das cópias do diário de sua antepassada e encontrou a página que procurava.

17 de fevereiro

Ainda está muito cedo, antes do amanhecer. Está muito frio e escuro. Deixei meu marido dormindo no calor de nossa cama e vim para o meu quarto particular aqui na torre, para escrever isto. Uma inquietação está me envolvendo, uma preocupação que fica doendo e latejando como um dente podre.

Uma névoa espessa cobre toda a casa, como uma mortalha. Ela pressiona os vidros. Consigo ouvir suas garras nas vidraças, pequenos e astutos dedos feitos apenas de ossos. Como essa força anseia por entrar! Já encantei as portas e janelas, bem como todas as pequenas rachaduras, da forma que minha mãe me ensinou, antes que o desespero engolfasse o seu espírito.

Tudo aconteceu há tanto tempo, e, no entanto, em uma noite como esta, me parece que foi ontem. Eu me consumo por ela, pelo estímulo, pela força e pela beleza que possuía. Sinto os seus calafrios penetrarem em meus ossos e anseio por seus conselhos. Mas tudo está vedado a mim, mesmo tendo o vidro e o cristal à minha frente.

Não é exatamente por ela que eu temo, mas pelas filhas das filhas de minhas filhas. Já consegui ver o mundo à frente de mim, cem anos vezes três. Tantas maravilhas; tanta mágica; tanto pesar.

Um círculo gira. Não consigo enxergar com clareza, mas sei que o meu sangue, antes e depois de mim, gira no compasso do círculo. Força, pureza, sabedoria e, acima de tudo, amor, vão todos entrar em guerra com a força que neste mesmo instante tenta penetrar em minha casa.

Ela é eterna, existe sempre. E é escura.

O sangue de minhas antepassadas liberou essa força, e agora o sangue dos meus, no futuro, vai ter que enfrentá-la. Daqui de onde estou, deste lugar longínquo e presa neste tempo, posso fazer pouco mais além de proteger o que possuo agora, e rezar pelo que virá. Vou deixar como legado, depois de mim, toda a Magia que puder, para que estas muito amadas e distantes crianças do futuro possam recebê-la.

O Mal não pode e não vai ser vencido pelo Mal. A escuridão vai conseguir engolir apenas mais escuridão, e acentuá-la. O bem e a luz são as armas mais afiadas. Que as crianças que virão mantenham essas armas prontas e acabem com as forças do mal no devido tempo.

Abaixo disso estava um encanto escrito em celta, que Mac já conseguira traduzir. Naquele momento, tornava a estudá-lo com atenção, na esperança de que aquela mensagem do passado longínquo pudesse ser de alguma ajuda no momento que estava para chegar.

Harding se sentia bem como há muitos dias não se sentia. A vaga sensação de fadiga que o acometera já havia melhorado, e a virose aparentemente fora debelada. Sua mente estava mais clara, e ele estava certo de que a crise passara.

Na verdade, sentia-se bem o suficiente para ficar até mesmo aborrecido com o fato de que uma gripe qualquer o tivesse colocado fora da sua programação. Planejava voltar completamente aos trilhos de seu esquema, se possível naquele mesmo dia, aproximando-se de Nell Todd para a sua primeira entrevista.

Como preparação para isso, decidiu fazer um desjejum bem leve, com uma xícara grande de café no quarto. Desse modo, poderia dar uma olhada em suas anotações, refrescar a memória a respeito de alguns detalhes e planejar a melhor estratégia para persuadi-la a conversar com ele sobre o livro.

A ideia do livro, do dinheiro e do glamour que Harding esperava obter através dele enchia-o de expectativa. Durante dias, sentia agora, não lhe tinha sido possível pensar com clareza, imaginar a melhor abordagem para a entrevista, ou simplesmente se lembrar de qual tinha sido exatamente a sua programação inicial.

Era como se a sua mente tivesse estado trancada atrás de uma porta muito grossa e pesada; sempre que tentara lutar para clareá-la de novo, sentira-se muito cansado para conseguir fazê-la funcionar.

Enquanto esperava pelo café da manhã, tomou um banho e se barbeou. Olhando para a sua imagem no espelho, admitiu a si mesmo que não estava com boa aparência. Seu rosto estava muito pálido e um pouco abatido. Não que ele não pudesse aproveitar os quilos que, naquele momento, notava claramente que perdera. As profundas olheiras que rondavam seus olhos, porém, ofendiam a sua vaidade.

Considerou a possibilidade de aproveitar uma parte do imaginado adiantamento que iria receber pelo seu livro para um pouco de malhação e uma passagem regeneradora por algum spa de luxo.

Depois de completar a sua entrevista com a antiga Senhora Evan Remington, Helen, acabaria de preparar a sua proposta de edição e a enviaria a um agente de Nova York, que, inclusive, já contactara, e com quem conversara a respeito da ideia.

No quarto, considerava com cuidado a escolha entre um terno bem-talhado ou o visual mais despojado de uma calça esporte e um suéter. Acabou optando pelo estilo casual, pois assim iria parecer mais amigável, mais próximo e mais descontraído. Essa era a imagem de Nell Todd, e ele se vestiria de acordo, ao contrário da roupa formal e elegante que usara ao visitar Evan Remington.

Ao pensar em Remington, Harding sentiu uma vertigem inexplicável, que o forçou a se agarrar à porta do closet com toda força para conseguir se manter de pé. Constatou que ainda não estava cem por cento. Tinha certeza, no entanto, de que se sentiria bem melhor depois do café da manhã.

O choque seguinte veio quando colocou as calças. Elas estavam bambas e largas demais na cintura. Calculou, então, que tinha perdido pelo menos cinco quilos durante aqueles poucos dias de gripe, talvez até mais. Embora suas mãos tremessem um pouco enquanto tentava afivelar o cinto no último buraco, disse a si mesmo que poderia tirar alguma vantagem daquele emagrecimento radical.

Poderia manter aquele mesmo peso, dar início a um programa permanente de exercícios físicos e controlar a dieta com mais cuidado. Isso o faria parecer em forma e bem-composto para as inúmeras aparições públicas e entrevistas, quando o livro fosse publicado.

No momento em que se sentou para tomar o café, que o serviço de quarto aprontara com cuidado sobre a mesa junto à janela, convenceu-se de que estava perfeitamente bem. Na verdade, melhor do que nunca.

Após o primeiro gole, olhou para a parte externa do hotel. O sol estava muito forte, quase que brilhante demais, como se estivesse duplicando a luz que emitia por causa do reflexo no gelo que parecia polir todas as superfícies. Pareceu-lhe estranho que um sol aparentemente tão forte não conseguisse derreter uma parcela sequer daquele gelo. E que as ruas da pequena cidade estivessem tão calmas. Como se estivessem realmente congeladas. Um inseto preso no âmbar.

Esperava que a livraria não permanecesse fechada por causa do tempo. Preferia se aproximar de Nell Todd ali, em seu ambiente de trabalho, pelo menos naquela primeira vez. Ela iria se sentir mais segura, imaginava, e mais inclinada a dar ouvidos às suas ideias. Ele poderia até mesmo marcar uma entrevista com Mia Devlin também.

Por ser a pessoa que dera emprego a Nell e que lhe havia alugado a casa, logo que ela chegou na ilha, a tal de Devlin poderia acrescentar muitas informações preciosas ao livro.

Havia ainda outro detalhe. Mia Devlin era considerada uma bruxa. Não que Harding acreditasse realmente nesse tipo de bobagem. O fato, porém, é que algo de muito peculiar acontecera na floresta naquela noite em que Remington tinha sido preso. O ângulo de Mia Devlin merecia ser mais bem explorado.

Relâmpagos azuis, um círculo de luz brilhante, cobras que rastejavam sob a pele.

Harding não conseguiu evitar um calafrio ao pensar nessas coisas; começou a olhar com atenção para as suas anotações.

Ele poderia se aproximar de Nell Todd e temperar sua sede de informações com declarações de admiração pela sua coragem e inteligência. E isso seria feito de modo sincero, admitiu Harding. Para fazer o que ela havia feito era necessário possuir muita coragem, destreza e cérebro.

Isso iria inflar o seu ego. A seguir, ele contaria como havia seguido a trilha dela por todo o país e como entrevistara dezenas de pessoas para quem ou com quem ela estivera trabalhando, naquele período. E havia ainda mais uma coisa importante, ponderou, enquanto folheava o seu caderno de anotações. Em tudo aquilo havia um grande apelo para o senso de compaixão dela e do seu dever para com outras pessoas que estivessem naquele momento passando por situações abusivas.

Um farol na escuridão da esperança, escreveu apressadamente em seu bloco. *Um cintilante exemplo de coragem, determinação e iniciativa feminina. Para algumas mulheres, fugir é uma opção muito aterrorizante para ser efetivamente considerada, ou muito além do alcance de seus espíritos esmagados. (Confirmar as estatísticas mais recentes a respeito de abuso conjugal, abrigos para mulheres agredidas e vítimas de homicídios maritais. Selecionar um terapeuta familiar para entrevista a respeito de: causas mais comuns, efeitos e resultados. Entrevistas com outras sobreviventes de situações similares? Espancadores? Explorar potencial para comparações e confirmações de dados.)*

Satisfeito por ver que seus pensamentos estavam fluindo normalmente, Harding começou a comer.

O conceito popular com frequência enquadra vítimas dessa natureza como parte de um ciclo vicioso de abusos que vem desde a infância. Helen Remington, ou Nell Channing Todd, não parece ter um ciclo desse tipo em seu passado. (Continuar as pesquisas sobre a sua infância. Obter estatísticas sobre a exata porcentagem de mulheres vítimas de abusos e agressões que jamais presenciaram esse tipo de situação em sua vida familiar anterior.) Um ciclo, no entanto, precisa ter um começo. Por todas as evidências e aparências, o ciclo, neste caso, começara e terminara com Evan Remington.

Harding continuava a escrever, mas a sua concentração começou a falhar. Seus dedos se apertaram contra a caneta, fazendo tanta pressão sobre o papel que este quase se rasgou.

MERETRIZ! PIRANHA! QUEIMEM A BRUXA!
MINHAMINHAMINHAMINHAMINHAMINHA!
SANGUE. MORTE. VINGANÇA.
A VINGANÇA É MINHA, É MINHA, É MINHA.

Ele revirava as páginas com rapidez, escrevendo palavras soltas, enquanto sentia sua respiração acelerar. A escrita que não era sua não chegou a queimar o papel, mas o deixou chamuscado.

ELES TÊM QUE MORRER. ELES TODOS TÊM QUE MORRER, E EU VOU VIVER NOVAMENTE.

Quando voltou a si, seu caderno de anotações já estava cuidadosamente fechado, e a caneta colocada com capricho, ao lado. Harding estava tomando café, de forma indiferente, olhando pela janela e planejando o seu dia.

Pensou em dar uma longa e agradável caminhada, entrar um pouco em contato com o ar puro e fresco da manhã. Poderia aproveitar para conhecer várias áreas da ilha que poderiam ser descritas depois, no momento da composição final do livro. Poderia ir até o pequeno chalé para onde Nell se mudara, assim que chegou na ilha.

Certamente já estava na hora de dar uma olhada pessoalmente no famoso bosque atrás do chalé, o local onde Remington perseguira a ex-mulher naquela noite memorável.

Sentindo-se confortavelmente cheio e alimentado, Harding deixou o antigo caderno de anotações de lado e pegou um novo. Folheando-o, colocou o caderno, juntamente com um pequeno gravador e uma câmera, em seus bolsos, e saiu para realizar seu trabalho.

Não se lembrava de nada do que havia escrito, nem da sede de sangue que se apossara subitamente dele enquanto quase rasgava o papel com a fúria da caneta.

Capítulo Dezenove

O chalé amarelo havia sido construído às margens de uma pequena floresta. As árvores ao redor eram pretas e nuas e lançavam curtas sombras sobre o chão. No interior do bosque, o silêncio era absoluto.

Havia finas cortinas rendadas enfeitadas com pequenos laços em todas as janelas, e os vidros refletiam a brilhante luz do sol da manhã.

Nada se movia, nem um tufo de grama sequer, nem mesmo uma folha seca e crispada. Parecia que não havia som algum ali, embora o mar estivesse tão perto e a parte central da cidade às suas costas. Enquanto ficava ali, olhando para a casa junto do bosque, Harding pensou que ver tudo de perto era como estudar uma fotografia tirada por outra pessoa. Um momento congelado que estava sendo oferecido a ele por razões que não conseguia explicar.

Sentiu um calafrio subir-lhe pela espinha. Seu corpo todo trepidou com a sensação, e sua respiração se tornou mais rápida e ofegante. Deu um passo vacilante para trás, pois parecia que tinha acabado de bater de encontro a uma parede invisível. Apesar disso, não conseguiu se virar e fugir correndo, como por um instante se sentiu impelido a fazer.

Assim, tão depressa quanto chegara, a sensação desapareceu. E ele se viu simplesmente de pé, à beira da estrada, olhando para um lindo chalé à frente de um bosque, em uma manhã de inverno.

Decidiu que, definitivamente, iria fazer uma checagem assim que voltasse para o continente, enquanto dava mais um instável passo para a frente. Obviamente, estava sob mais estresse do que imaginara. Quando acabasse de organizar todos os dados básicos e as pesquisas para o livro, iria tirar umas férias. Apenas uma semana ou duas, para se recompor e recarregar as energias, antes de se dedicar ao trabalho mais sério de escrever.

Animado por esse pensamento, continuou em direção ao bosque. Agora já conseguia ouvir a suave e estável pulsação do mar, o descuidado canto dos pássaros e o leve sussurrar do vento entre os galhos desnudos.

Balançou a cabeça enquanto marchava por entre as árvores, cada vez mais para dentro, e circulou, avaliando tudo em volta com o olhar desconfiado e complacente de alguém inveteradamente urbano que se encontra frente a frente com a solidão da natureza. Os motivos que levariam alguém a escolher um lugar remoto como aquele para viver estavam muito além da sua compreensão.

No entanto, Helen Remington fizera essa escolha.

Abrira mão de uma riqueza imensa, um estilo de vida privilegiado, uma casa linda e uma posição social destacada, e tudo isso em troca de quê? Servir de cozinheira para estranhos, viver em um minúsculo mundo feito quase que totalmente de pedra, cercado por uma imensidão de mar, e um dia, imaginava, criar uma ninhada de pirralhos barulhentos e travessos.

Piranha burra.

Suas mãos se flexionaram, e, enquanto ele caminhava, seus punhos se fechavam e se abriam. Sob seus pés, uma cerração densa e suja que permanecia junto do solo começou a se formar e envolver os seus sapatos. Apertou o passo e já estava quase correndo, logo depois, pelo caminho que de repente sumira, agora escorregadio e coberto de gelo. Sua respiração começou a ficar mais ofegante, soltando nuvens de vapor visíveis e igualmente densas.

Piranha ingrata.

Ela tinha que ser punida. Tinha que sofrer. Ela e os outros iam ter que pagar, *precisavam* pagar caro por tudo o que haviam feito. Todos iriam morrer. E, se ousassem desafiar os seus poderes, se ousassem desafiar os seus direitos, iriam morrer em agonia.

A cerração junto do solo seguia ao longo do caminho e parecia estar entornando pelas bordas de um círculo no solo que pulsava, emitindo um suave brilho branco. Seus lábios se esgarçaram em um sorriso assustador, e um urro de fera escapou do fundo de sua garganta.

Tentou se aproximar do anel de luz e foi repelido. Um facho luminoso saiu de dentro do círculo; uma fina, brilhante e tremeluzente cortina de ouro. Com fúria, tentou se jogar contra essa parede de luz, repetidas vezes. Ela o queimava, e o fogo chamuscava sua pele e suas roupas.

Enquanto a raiva o devorava, a estranha e poderosa força que estava dentro do corpo de Jonathan Q. Harding se atirou no solo, uivando em desespero e amaldiçoando a luz.

Nell acabara de preparar dois pedidos do prato especial do dia. Cantarolava com os lábios fechados, enquanto trabalhava e brincava com as novas ideias que tivera para ajustar o cardápio do casamento que iria preparar, já agendado para o final do mês.

Os negócios iam bem. O Bufê das Três Irmãs tinha encontrado o seu espaço e já se mantinha sobre as próprias pernas. Mesmo nos meses menos movimentados do inverno, ela se mantinha ativa e satisfeita, com muitos pedidos.

Apesar do trabalho constante, tinha conseguido espremer um pouco de tempo livre para trabalhar em uma proposta que estava pensando em apresentar a Mia. A ideia básica era a de abrir um clube de culinária na "Livros e Quitutes". Tanto essa sugestão quanto a outra, de expandir o cardápio, pareciam perfeitamente viáveis. Quando estivesse com os detalhes mais definidos na cabeça, iria levar a ideia até Mia. Aquela ia ser uma conversa séria, entre duas mulheres de negócios.

Depois de servir os pedidos, olhou para o relógio. Meia hora a mais, e Peg iria aparecer para rendê-la. Nell tinha ainda várias coisas para resolver, além de encontros para discutir serviços de bufê com dois clientes.

Ia ter que andar depressa, pensou, para conseguir fazer tudo a tempo de aprontar o jantar. O aparente caos formado pelos deveres de dona de casa e mais as obrigações de uma executiva se empilhavam em sua vida em camadas que se sobrepunham, mas isso a deixava ainda mais feliz.

Havia, no entanto, assuntos sérios a serem resolvidos, isso ela não podia negar. O jantar daquela noite não tinha apenas uma função social. Ela compreendia muito bem as preocupações de Mac e a necessidade de todos focarem as suas energias para enfrentar o que estava para chegar em suas vidas. Ela, porém, já tinha passado pelo pior e conseguira sobreviver.

O que quer que fosse necessário para proteger aqueles que amava seria feito, sem pestanejar.

Circulava alegremente pelo salão, limpando uma das mesas, e colocou no bolso do avental uma gorjeta que o cliente deixara. O dinheiro das gorjetas ia direto para um vidro grande, especial, e era considerado dinheiro de gastança. Seu salário era mensalmente separado para as despesas fixas, mas o dinheiro extra era sempre usado para diversão. As moedas tilintavam melodiosamente em seu bolso no momento em que ela se virou para carregar a pilha de pratos e várias tigelas vazias para a cozinha.

Parou de repente, e a seguir correu apressada quando viu a figura de Harding, que estava parado junto ao balcão olhando com um olhar completamente vazio para o quadro onde estava escrito o cardápio do dia.

— Senhor Harding, o que aconteceu? O senhor está bem?

Ele olhou para ela... Através dela.

— É melhor o senhor se sentar. — Rapidamente colocou os pratos sobre o balcão e o pegou pelo braço. Carregou-o para trás do balcão e o levou até a cozinha. Harding se deixou desabar sobre uma cadeira que estava ali, enquanto ela corria para o filtro a fim de pegar um copo de água fresca para ele.

— O que aconteceu, Sr. Harding?

— Não sei. — Pegou no copo com um olhar de gratidão e, com muita avidez, tomou toda a água, em grandes goles. Sua garganta parecia estar completamente seca e áspera, como se tivesse sido picada por milhares de agulhas quentes.

— Vou lhe preparar um pouco de chá e trazer uma canja.

Ele concordou, balançando a cabeça e olhando fixamente para as mãos. As unhas estavam sujas de terra. Os nós dos dedos estavam em carne viva, e as palmas das mãos arranhadas.

Ele olhou para as próprias roupas, reparou que suas calças estavam manchadas de terra, e os sapatos, imundos. Pedaços de grama, pequenos gravetos e espinhos estavam grudados no suéter.

Aquilo o deixou envergonhado, e lhe pareceu inaceitável. Ele, um homem meticuloso e exigente com a própria aparência, se encontrar em um estado de sujeira e desalinho.

— Será que eu poderia... lavar as mãos?

— Claro! — Nell lançou um olhar preocupado para ele, por cima dos ombros, quando ele se levantou. Uma faixa larga vermelha e escura como uma queimadura cobria-lhe mais da metade do rosto. Estava com uma aparência péssima, parecia assustado e com alguma dor.

Encaminhou-o até o banheiro, esperou por ele do lado de fora, e depois o conduziu de volta até a cozinha. Colocou uma generosa concha de canja e preparou o chá, enquanto o olhava. Ele continuava de pé, paralisado, em uma espécie de transe.

— Senhor Harding. — Sua voz era mais suave do que nunca, agora, e ela tocou seu ombro. — Por favor, sente-se. O senhor não está nada bem.

— Não, eu... — Ele sentiu uma ligeira sensação de náusea. — Devo ter levado um tombo. — Piscou muito depressa. Por que não conseguia *se lembrar*? Ele acabara de dar um passeio pelo bosque, em uma linda tarde de inverno.

E não conseguia se lembrar de absolutamente nada.

Ele se deixou ser cuidado com todo o carinho, como os muito jovens ou muito velhos permitem. Tomou a primeira colherada de canja, quente e acalentadora, e isso serviu para confortar um pouco a sua garganta, que estava pegando fogo, assim como o mal-estar do estômago.

Em seguida bebeu o chá de ervas, adoçado por uma generosa quantidade de mel.

E se deleitou com o respeitoso e compreensivo momento de silêncio que Nell lhe proporcionou.

— Devo ter levado um tombo — repetiu. — Não venho me sentindo muito bem ultimamente.

Os aromas da cozinha eram tão convidativos, e os movimentos de Nell de um lado para o outro, enquanto atendia aos novos pedidos, eram tão graciosos e eficientes que a ansiedade dele diminuiu.

Harding, subitamente, se lembrou da extensa pesquisa que fizera sobre ela e da admiração que sentira quando estava seguindo os mesmos passos que ela durante sua fuga, por todo o país. Conseguiria escrever uma história fabulosa, isto é, um livro fantástico a respeito dela, pensou. Um livro que ia falar de coragem e triunfo.

Piranha ingrata. As palavras ecoaram fracas em algum lugar remoto de sua cabeça e o fizeram tremer.

Nell o estava estudando com preocupação, e aconselhou:

— O senhor deveria ir até a clínica.

— Prefiro me consultar com meu próprio médico — argumentou, sacudindo a cabeça. — Mas agradeço pela sua preocupação, Sra. Todd, e pela sua gentileza.

— Vou trazer algo para colocar sobre essa queimadura.

— Queimadura?

— Espere um minuto. — Saiu da cozinha de novo e falou com Peg, que tinha acabado de chegar para o seu turno. Quando voltou, Nell abriu um pequeno armário e pegou lá dentro uma garrafa verde e fina.

— Isto é basicamente uma loção de babosa, uma planta medicinal — explicou com rapidez. — Vai ajudar.

Ele tentou colocar a mão sobre o rosto, mas logo a afastou novamente, tentando se justificar:

— Eu devo ter... O sol é muito perigoso — conseguiu articular. — Sra. Todd, preciso lhe dizer que vim até a Ilha das Três Irmãs com o propósito específico de falar com a senhora.

— Ah, foi? — Ela destampou o vidro de loção.

— Sou um escritor — começou ele. — Acompanhei a sua história toda. Antes de qualquer coisa, gostaria de que a senhora soubesse o quanto a admiro.

— É mesmo?

— Sim, sim, realmente admiro. — Alguma coisa estava tentando engatinhar por dentro dele, da barriga até a garganta. Engoliu em seco, tentando forçar aquilo de volta. — A princípio, estava interessado na história simplesmente para preparar uma matéria para uma revista, mas, enquanto estudava a sua jornada, quanto mais pesquisava, mais compreendia o valor de tudo o que a senhora havia suportado e da maneira como fez o que fez. Isso serviria de exemplo a tantas outras pessoas. Estou certo de que a senhora está a par de quantas mulheres se veem em um ciclo de abuso — continuava ele a falar, enquanto ela colocava uma porção do bálsamo entre os dedos. — A senhora é um farol, Sra. Todd, um facho de esperança, um símbolo de vitória e engrandecimento para as mulheres.

— Não, não sou nada disso, Sr. Harding.

— É, sim. — Ele olhou profundamente nos olhos dela. Eles eram tão azuis, tão calmos. As cólicas no seu estômago haviam diminuído um pouco. — Segui todo o caminho que a senhora percorreu pelo país.

— Sério? — replicou ela, espalhando a loção cuidadosamente sobre seu rosto queimado.

— Conversei com várias pessoas que trabalharam com a senhora e segui as suas pegadas, por assim dizer. Sei melhor do que ninguém o que a senhora fez, o duro que deu, o quanto trabalhou, e imagino como deveria estar assustada. Mesmo assim, nunca desistiu.

— E nunca vou desistir — disse ela, com clareza. — Você deve compreender isso e se preparar para isso. Jamais vou desistir!

— Você pertence a mim! Por que me faz machucar você, Helen?

Aquela era a voz de Evan. O tom calmo e sensato que ele usava sempre, antes de bater nela, para puni-la. O terror estava a ponto de se libertar e tomar conta dela. Mas Nell sabia que era o terror que aquilo estava procurando; era exatamente o que ele queria.

— Você não pode mais me machucar, nunca mais. E jamais vou permitir que alguém que eu ame seja machucado por você.

A pele dele tremia rapidamente debaixo dos dedos dela, como se algo estivesse rastejando sob a superfície. Mesmo assim, ela continuou cuidando da pele queimada, espalhando a loção com todo o cuidado. Ele tremeu mais uma vez e agarrou o pulso dela com força.

— Fuja, Sra. Todd — sussurrou Harding. — Saia daqui agora, antes que seja tarde demais.

— Esta é a minha casa. — Ela lutou bravamente, tentando controlar o medo. — Vou protegê-la com tudo o que sei e tudo o que sou. Nós vamos derrotar você.

— O que disse? — Harding tremeu novamente.

— Eu disse que o senhor deve ir se deitar agora para descansar, Sr. Harding. — Tampou o vidro, sentindo uma pena muito grande dele surgir do fundo do coração. — Espero que o senhor melhore logo.

— Você o deixou escapar? — Ripley andava dentro da delegacia, de um lado para o outro, puxando os cabelos em sinal de frustração. — Deu simplesmente uma batidinha no ombro dele e o dispensou, mandando-o tirar uma soneca?

— Ripley... — A voz de Zack trazia embutida um aviso de calma, mas ela simplesmente balançou a cabeça.

— Pelo amor de Deus, Zack, pense! O homem é perigoso. Ela mesma acabou de dizer que sentiu que havia algo dentro dele.

— Mas não é culpa dele — começou a argumentar Nell, mas Ripley girou o corpo para ficar de frente para ela.

— Não se trata de quem é a culpa, trata-se de encarar a realidade. Mesmo que ele fosse apenas um repórter com mania de grandeza e ilusões sobre sucessos futuros, isso já seria ruim. Veio até aqui à procura de você, seguiu todos os seus passos através da droga do país inteiro, conversando com um monte de pessoas, a respeito de você, e pelas suas costas.

— Mas esse é o trabalho dele! — Nell levantou a mão para cima, antes que Ripley conseguisse voltar a falar. Um ano antes, ela recuaria de imediato diante da possibilidade de um confronto como aquele. Os tempos realmente tinham mudado. — Não vou colocar a culpa nele por estar fazendo o seu trabalho ou pelo que está acontecendo dentro de seu corpo neste momento. Ele nem sabe o que está havendo; está visivelmente doente, se sentindo frágil e com medo. Você não o viu, Ripley, mas eu vi.

— Não vi, isso é verdade. E não o vi porque você não me chamou. Não me deixou enfrentar o problema.

— Ah, então é isso que está deixando você irritada, não é? Não ter pedido o seu conselho nem a sua ajuda? — Nell jogou a cabeça para o lado. — Diga-me, com sinceridade. Você teria me chamado? Ou chamado a Mia?

Ripley abriu a boca para responder, mas a fechou de novo, formando uma linha fina e reta com os lábios.

— Não estamos falando a respeito de mim — replicou.

— Talvez estejamos, sim. Talvez estejamos falando a respeito de tudo junto. É um ciclo, afinal de contas. O que deu início a ele é algo que está dentro de nós, e só o que está dentro de nós poderá colocar um ponto final nisso. Ele estava ferido, fisicamente — argumentou, apelando para Zack agora, em busca de apoio. — Confuso, amedrontado. Não tem a menor ideia do que está acontecendo.

— E você tem? — perguntou Zack.

— Não estou certa. Senti uma força muito escura, um poder forte. Ele está usando o Sr. Harding. E eu acho... — Era difícil dizer aquilo, difícil até mesmo pensar naquilo. — Tenho a impressão de que está usando Evan, também. Como uma ponte, de onde quer que essa força venha, através de Evan, até chegar a esse pobre homem. Precisamos ajudá-lo.

— Precisamos é expulsá-lo da ilha o mais depressa possível — interrompeu Ripley. — Temos que colocar a bunda dele sentada na primeira barca que sair em direção ao continente, e não é preciso nem usar magia para fazer isso.

— Ele não fez nada de errado, Rip — lembrou Zack. — Não quebrou nenhuma lei, não fez nenhuma ameaça. Não temos o direito de expulsá-lo da ilha.

Ripley bateu com a mão espalmada sobre a mesa, e se apoiou nela, inclinando o corpo para frente.

— Ele vai vir atrás dela. Vai ter que fazer isso.

— Não vai mais conseguir nem chegar perto dela. Não vou permitir que isso aconteça — afirmou Zack.

— Ele vai tentar destruir o que você ama — disse Ripley, virando-se de volta para Nell. — Esta é a sua razão de existir, agora.

— Eu não vou deixar. — Nell balançou a cabeça e esticou a mão para alcançar a de Ripley. — *Nós* não vamos deixar.

— Já senti o que ele é, e do que é capaz. Senti aqui, dentro de mim. — Ripley bateu no peito.

— Eu sei. — E os dedos de Nell se uniram com os de Ripley. — Vamos precisar de Mia.

— Você está certa — concordou Ripley. — E eu odeio isso.

— Você é uma mulher fascinante, minha irmãzinha. — Mia estava encostada na bancada da cozinha enquanto observava Nell, que colocava um punhado de macarrão dentro de uma panela com água fervendo. — Uma crise gigantesca, ameaçadora, está sobre nós. Um evento que está sendo planejado há três séculos. Ripley se atormenta e xinga. Enquanto isso, você cozinha e serve.

— Cada uma faz o que sabe fazer melhor. — Ela olhou para cima, enquanto dava uma mexida na panela com a colher de pau. — E você, o que faz, Mia?

— Eu aguardo.

— Não, não é assim tão simples.

— Eu me preparo, então. — Mia levantou o cálice de vinho e o levou até a boca, tomando um gole. — Para o que quer que esteja para chegar.

— Você conseguiu ver isso? Conseguiu visualizar o que está chegando?

— Não especificamente. Senti apenas que é algo muito forte, algo destrutivo e amaldiçoado. Uma coisa que se formou da mistura do ódio com a vingança. E agora anseia por vencer o que o destruiu — explicou. — Vai crescendo, junto com a fome de destruição. E utiliza a fraqueza para crescer.

— Então, não podemos ser fracas.

— Essa força nos subestima — continuou Mia. — Precisamos ter cuidado para não subestimá-la, também. O Mal não se interessa pelas regras, pelo que é correto ou justo. E ele é esperto. Pode se disfarçar em algo profundamente desejável.

— Estamos juntas e fortes agora, nós três. Eu tenho Zack, e Ripley tem Mac. Gostaria de que você...

— Não pense em mim. Tenho tudo de que necessito.

— Mia... — Tentando encontrar as palavras certas, Nell pegou o escorredor de macarrão. — *Se,* ou melhor seria dizer *quando,* nós conseguirmos enfrentar o que está aqui agora, há ainda uma última etapa. A sua.

— Você acha que eu vou me atirar dos meus penhascos? — Mia se sentiu relaxada o suficiente para rir. — Pois eu posso lhe assegurar que não vou fazer isso. Valorizo demais a vida para desistir dela.

Havia outras formas, Nell pensou, de pular para o vazio. Ia começar a dizer isso, mas segurou a língua. Elas já tinham o suficiente com que lidar, no momento.

Afinal, o que estava errado com eles? Ripley escutava o zumbido da conversa em volta da mesa, temperada com o perfume maravilhoso de comida bem preparada e bem servida. Palavras de uso diário, ditas casualmente por vozes despreocupadas.

Me passe o sal, por favor.

Jesus!

Era como se alguma coisa estivesse começando a se agitar, ainda em fogo brando, quase a ponto de ferver, pronta para borbulhar e transbordar, E todos ali continuavam a bater papo e a comer, como se aquela fosse uma noite como outra qualquer.

Uma parte dela sabia que tudo era apenas um intervalo temporário de calma, aquele espaço de tempo utilizado para reunir todas as forças e estar preparado. Mas não tinha a mínima paciência com nada disso. Nem com a calma absoluta de Nell nem com a espera serena de Mia. Seu próprio irmão se serviu de outra porção de massa, como se tudo o que mais importava em sua vida não estivesse à beira de um desastre.

E Mac...

Calado, observando, absorvendo, avaliando tudo, pensou ela, com uma sensação de ressentimento impotente. Um intelectual até o último fio de cabelo.

Havia alguma coisa faminta lá fora, algo que não podia ser saciado com uma refeição caseira bem preparada. Será que ninguém ali conseguia *sentir* isso? Era uma força que queria sangue, músculos e ossos, morte e aflição. Uma energia poderosa que se alimentava de dor e pesar.

E estava com as garras cravadas nela.

— Isso é o fim! — desabafou ela, empurrando o prato, e fazendo com que toda a conversa parasse de repente. — Estamos todos aqui, com a maior naturalidade, degustando talharim! Isso não é uma maldita festa.

— Há inúmeras maneiras de se preparar para um confronto — começou Mac, pousando a mão sobre o braço de Ripley.

— Confronto? Isso vai ser uma batalha. — Ficou com vontade de tirar a mão dele do seu braço com um tapa e se odiou por isso

— Há muitas maneiras de se preparar — disse novamente. — Permanecendo aqui juntos, deste modo, dividindo uma refeição. Um símbolo de vida, unidade e força...

— Já passou da hora dos símbolos. Precisamos de alguma coisa mais palpável e definida.

— A raiva apenas serve para alimentá-lo — continuou Mia, tentando trazer harmonia.

— Então ele deve estar estourando, de tão cheio — retrucou Ripley, levantando-se com um gesto brusco. — Porque eu estou muito enraivecida.

— Ódio, zanga, sede de violência — continuou Mia suavemente, levando o cálice de vinho com elegância até os lábios. — Todas essas emoções negativas servem apenas para fortalecê-lo e enfraquecem você.

— Não venha me dizer como eu devo me sentir.

— E alguma vez consegui? Você quer o que sempre quis: uma resposta clara e objetiva. Quando não a consegue, esmurra alguma coisa, dá as costas e vai embora.

— Não, vocês duas, parem com isso! — pediu Nell. — Não podemos nos virar uns contra os outros agora.

— Certo. Vamos manter a paz — concordou Ripley, ouvindo o tom de ironia na própria voz, mesmo sentindo vergonha por isso; era algo que ela não conseguia disfarçar. — Por que não tomamos um pouco de café com bolo?

— Já chega, Rip. Isso já é o bastante! — Era Zack quem intervinha, agora.

— Não, não chega. — Mais frustrada do que conseguia suportar, virou o rosto para o irmão. — Nada é o bastante até que seja resolvido, até que consigamos acabar com o problema. Dessa vez vai ser mais do que uma faca encostada na garganta de Nell, mais do que uma faca já manchada com o seu sangue. Não vou perder o que eu amo. Não vou ficar aqui sentada, esperando que ele venha atrás de nós.

— Nesse ponto, todos podemos concordar. — Mia pousou o seu cálice na mesa. — Não podemos nos dar ao luxo de perder. E considerando que brigar faz mal à digestão, por que não partimos para o trabalho?

Ela se levantou, começando a tirar a mesa.

— Nell vai se sentir melhor — continuou, antes que Ripley pudesse fazer algum comentário irônico —, se colocarmos a casa dela novamente em ordem.

Não adiantou nada, pois Ripley replicou:

— Certo, essa é ótima! — Ela agarrou o próprio prato. — Vamos todos ser bem ordeiros e comportados.

Ela saiu voando em direção à cozinha, oferecendo mentalmente alguns pontos a si mesma por não ter simplesmente arremessado o prato dentro da pia. Que controle! Que surpreendente sangue-frio!

Deus, ela quis gritar!

Foi Mac que chegou devagar por trás dela, sozinho. Colocou os pratos na bancada, depois se virou para ela e colocou as mãos nos seus ombros, notando como eles estavam duros, rígidos.

— Você está com medo. — Ele balançou a cabeça antes que ela tivesse a chance de responder. — Todos nós estamos. Só que você sente que o peso de tudo isso e do que pode acontecer em seguida está todo sobre os seus ombros. Não tem que ser assim.

— Não tente me apaziguar, Mac. Sei muito bem quando estou sendo insuportavelmente rabugenta.

— Que bom! Então não tenho que mostrar isso a você, não é? Vamos todos passar pelo problema e juntos vamos vencê-lo.

— Você não sente as coisas que eu sinto. Não consegue sentir.

— Não, não consigo. Mas amo você, Ripley, com tudo o que existe em mim. Portanto, eu não sinto, mas sei, e saber é a coisa mais próxima de sentir.

Ela se deixou ser convencida, apenas por um minuto. Deixou-se ficar entre os braços dele, sentindo-se segura dentro do círculo formado pelos seus braços.

— Seria mais simples se tivéssemos descoberto este sentimento depois de tudo — disse ela.

— Você acha? — Mac esfregou a bochecha nos cabelos dela.

— Você podia ter aparecido quando tudo estivesse bem de novo, e nós teríamos todo o tempo do mundo para sermos melosos um com o outro, e poderíamos levar uma vida normal, com churrascos no quintal, implicâncias conjugais, sexo espetacular, contas de dentista.

— É isso que você quer?

— Neste exato momento, me parece o paraíso. Sempre preferi me sentir louca a amedrontada. Funciono melhor daquele jeito.

— Lembre-se apenas de que, no fundo, tudo se resume nisso. — Puxou a cabeça dela para trás, dando um beijo prolongado em seus lábios. — E bem aqui que existe muito mais Magia do que a maioria das pessoas imagina.

— Jamais desista de mim. Combinado?

— Nem penso nisso.

Ela tentou refrear sua impaciência, enquanto os preparativos estavam sendo feitos. Recusava-se a ficar deitada no sofá, porque isso a fazia se sentir muito vulnerável. Em vez disso, preferiu se sentar em uma poltrona confortável da sala de estar, com os cotovelos apoiados nos braços acolchoados, e tentou ignorar todos os monitores e câmeras.

Sabia que se sentiria mais segura se estivesse com Mia e Nell, uma de cada lado, como sentinelas. Mas se sentiu tola por pensar assim.

— Vamos lá, comece logo — disse para Mac.

— Você precisa relaxar. — Pegou então uma cadeira, colocando-a em frente a ela e se sentando, quase de modo preguiçoso, enquanto segurava o pingente. — Respire devagar... para dentro... para fora.

E a colocou sob hipnose. Desta vez foi tão rápido e fácil que o fato lhe causou um pequeno arrepio.

— Ela está completamente sintonizada com você — disse Mia, baixinho, surpresa pela maneira com que Ripley se entregara tão completa e rapidamente —, e você está sintonizado com ela. Isso, por si só, já é uma força poderosa.

E eles iriam precisar dessa força, pensou, enquanto sentiu algo gelado estremecer-lhe a pele. Em resposta a isso, estendeu o braço e, na frente de Ripley, segurou com força a mão de Nell.

— Nós somos as três — disse com clareza. — E duas guardam uma. Enquanto estamos unidas, nenhum mal pode nos atingir. — E, sentindo um calor que as envolveu, acenou com a cabeça para Mac.

— Você está em total segurança aqui, Ripley. Nada pode fazer mal a você, agora.

— Já está bem perto — disse ela, com um tremor no corpo. — Está com frio e cansado de esperar. — Seus olhos se abriram, e ela olhou para Mac, sem vê-lo. — Ele conhece vocês. Vigiou vocês e está à espreita. Vocês compartilham o sangue. Você vai morrer através de um ato meu, é isso o que ele quer. Morte ao poder, para dar poder à destruição. Tudo através das minhas mãos. — Sentiu então um profundo pesar invadir seu corpo até os ossos. — Impeça-me!

Sua cabeça tombou para trás, e as íris rolaram para cima, deixando visível apenas a parte branca dos olhos.

— Eu sou Terra.

E então mudou por completo, enquanto todos a observavam, estupefatos. Seus cabelos se enroscaram em pesados cachos castanhos e suas feições sutilmente se modificaram, ficando mais arredondadas.

— Meu pecado tem que ser reparado, e o tempo já está se esgotando. Irmã com irmã, e amor com amor. A tempestade se aproxima, e com ela a escuridão. Estou indefesa. Estou perdida.

Grossas lágrimas começaram a lhe escorrer pela face.

— Irmã. — Mia colocou a mão que estava livre sobre o ombro de Ripley, e sentiu um novo calafrio. — O que podemos fazer?

Os olhos que se focaram em Mia não eram os de Ripley. Pareciam muito antigos e insuportavelmente tristes.

— Farão o que precisam fazer. O que acreditam. A confiança é uma só, mas com a justiça faz duas, e com o amor sem fronteiras completa três. *Vocês* são as Três. Consigam ser mais fortes do que aquilo que as criou, ou tudo terá sido em vão. E, se viverem, e seus corações se quebrarem novamente, vão conseguir enfrentar isso?

— Eu vou viver e proteger meu coração.

— Ela pensava o mesmo. Eu a amava, amava-as ambas. Foi demais ou não foi o bastante; isso ainda temos que descobrir. Que o círculo de vocês consiga ser mais forte, e consiga se manter unido.

— Conte-nos como mantê-lo unido.

— Não posso. Se as respostas vivem dentro de vocês, as perguntas não importam. — E, nesse instante, se virou para Nell: — Você encontrou a sua resposta. Abençoada seja.

Ripley deu um suspiro forte e ofegante, e voltou a falar:

— Na tempestade! — gritou, enquanto o primeiro relâmpago explodiu com a luz de um sol branco-azulado, dentro da sala.

Uma lâmpada caiu no chão e se partiu em mil pedaços. Um vaso de flores que Nell tinha em um canto da sala começou a girar sozinho no ar, até que se atirou contra a parede. O sofá também se levantou sozinho e começou a andar perigosamente no ar, pela sala.

Quando Zack correu para proteger Nell, uma mesa lateral se atravessou em seu caminho. Ele deu um salto e conseguiu pular sobre ela, xingando, e, agarrando a sua mulher, usou o próprio corpo como escudo para protegê-la dos objetos que ganhavam vida, girando em volta deles.

— Pare! — gritou Mia, dirigindo-se ao vento que invadira a sala. — Nell, fique comigo agora, não largue a minha mão. — Apertou ainda mais a mão de Nell, usando a outra para segurar a mão de Ripley, que estava mole, largada sobre seu colo. Nell pegou-lhe a outra mão:

Que este Poder se acalme e aquiete o ar
Ouse este círculo de três desafiar
Quem tiver coragem, tente nos impedir
Somos as três e vamos resistir
Que o nosso passado nos proteja
Que assim se faça e que assim seja.

A força de vontade embateu-se contra a força de vontade, criando uma onda de choque. A Magia se defrontou com a Magia. De repente, tão subitamente quanto começara, o vento desapareceu. Os livros que estavam girando em pleno ar naquele instante caíram no chão com um baque surdo.

— Ripley! — A voz de Mac se mantinha absolutamente calma, em oposição direta ao seu coração disparado. — Vou contar de dez para trás. Você vai acordar quando eu chegar no um. Agora, lentamente.

Ele se inclinou mais para perto dela, esfregou os lábios em seu rosto e sussurrou com clareza as palavras mágicas que lera e decorara no diário de sua antepassada:

— Você vai se lembrar disso no momento certo — assegurou a ela, com a esperança de que aquelas palavras realmente ficassem gravadas em sua mente no momento em que ela mais precisasse. — Você vai ouvir e vai saber que é a hora de usar as palavras.

Ela se sentiu levitar enquanto ele a trazia de volta. Estava leve, como se estivesse se levantando de um monte de penas. Quanto mais perto da superfície chegava, mais sentia o frio, e a apreensão.

Quando seus olhos se abriram por completo, e sua visão ficou completamente clara, a primeira coisa que viu foi o sangue que descia pelo rosto de Mac. Ele escorria formando um filete da testa, até quase o queixo.

— Deus! Oh, meu Deus!

— Não foi nada. — Mac nem notara que estava com um corte profundo até o momento em que Ripley colocou a mão em seu rosto e a puxou de volta empapada de sangue. — Deve ter sido algum pedaço de vidro que voou. Não é nada — repetia ele. — Foi só um arranhão.

— É o seu sangue! — Fechou a mão sobre o sangue de Mac, sentindo uma pontada de culpa, além da sensação de poder, fome e medo.

— Já fiz coisa muito pior me barbeando. Olhe para mim, Ripley, e relaxe. Nell, você poderia trazer um copo d'água para Ripley? Vamos ter que dar uma parada agora, para podermos analisar tudo o que aconteceu.

— Não — disse Ripley, antes de Nell se levantar. — Deixe que eu mesma pego a água. Preciso ficar sozinha por um minuto. — Ela tocou o rosto ensanguentado de Mac mais uma vez, com suavidade. — Desculpe, eu não consegui controlar tudo aquilo. Sinto muito.

— Está tudo bem.

Ela concordou com a cabeça, mas sabia, enquanto se encaminhava para a cozinha, que não estava nada bem. Não iria ficar nada bem. Não poderia ficar.

Sabia o que tinha que fazer. Sabia o que precisava ser feito. O sangue dele já estava começando a esfriar entre os dedos quando ela saiu da cozinha pela porta dos fundos e seguiu em direção à tempestade que se formava.

Capítulo Vinte

Ela saiu da casa enfrentando o vento com um único propósito claro na cabeça. Iria arrastar Harding e ela mesma para fora da ilha, para longe de Mac. Para longe de Nell, de Mia e de seu irmão. Depois disso, veria como resolver o que viesse. O perigo mais imediato para aqueles que amava, porém, estava dentro dela mesma e profundamente ligado à força que estava dentro de Harding.

Ela havia derramado sangue de Mac.

Flexionou os dedos, ainda sentindo a umidade do sangue dele, e fechou o punho novamente. Sangue era poder, uma das suas fontes mais elementares. A magia negra o usava como condutor ou se alimentava dele.

Tudo o que ela era e tudo aquilo em que acreditava rejeitava isso; recusava isso; refutava isso.

Jamais faça o Mal, pensava ela, enquanto caminhava. Pois bem, ela tentaria não causar nenhum mal. Antes disso, porém, precisava se certificar de que nenhum mal seria feito aos que ela amava.

Os inocentes assassinados.

Ouviu uma espécie de sussurro atrás dela, tão claro, tão urgente, que se voltou para trás, esperando ver algo parado atrás dela.

Só que não havia ninguém a não ser a noite. A escuridão, e a relampejante e brutal força da tempestade.

Quanto mais se afastava da casa, mais a tempestade crescia e mais a sua raiva aumentava. Aquela força maldita planejava usá-la para ferir Mac, para atingir Nell, para destruir Mia.

Aquela força teria que morrer primeiro, nem que fosse preciso levar a vida dela junto.

Ao alcançar a praia, apertou o passo e então girou o corpo ao ouvir um ruído nítido às suas costas.

Lucy saltou da escuridão, com os ouvidos em estado de alerta. Ripley quase a mandou de volta com uma ordem abrupta, mas resolveu abaixar a mão que já apontava para a casa e expirou com força.

— Tudo bem, então, venha comigo. É sempre melhor ter um cão bobalhão como família do que não ter ninguém. — Ela pousou a mão sobre a cabeça da cadela. — Proteja o que é meu.

Seus cabelos voavam, soltos ao vento, enquanto ela e sua acompanhante canina corriam compassadamente através da areia. As ondas rebentavam em muralhas de água escura que martelavam a praia incessantemente.

O som daquilo parecia amplificado, explodindo na cabeça de Ripley.

Sua irmã estava morta. Assassinada como um cordeiro de sacrifício, por causa do seu amor, por causa do seu coração. Por causa do seu dom. Onde estava a justiça então?

O ar à sua volta estava grávido de uivos e gritos de um milhão de vozes atormentadas. Debaixo de seus pés, uma névoa densa e escura que parecia suja começou a se formar e se manteve bem baixa, quase rastejando pelo solo. A seguir, foi crescendo como uma maré enevoada, cobrindo seus calcanhares e depois continuando a subir, até quase chegar-lhe à altura dos joelhos.

O calafrio que aquilo lhe causou foi se infiltrando gradativamente, até atingir os ossos.

Sangue por sangue. Uma vida pela outra. Um Poder em troca de outro. Como pudera imaginar que havia outra maneira?

Algo a fez olhar para trás, por cima dos ombros. Onde a casa havia estado, com suas luzes brilhando, reconfortantes, nas janelas, havia agora apenas um borrão luminoso bem distante, em tom de branco sujo.

Ripley sabia que tinha sido arrancada para fora de casa por aquela força; podia notar agora, enquanto a névoa continuava a subir, aumentando de tamanho e envolvendo-a em grossos redemoinhos, que ela estava se afastando do centro da pequena cidade também.

Tudo bem, tudo ótimo, pensava, afastando o medo para debaixo da fúria.

— Pode vir, agora, seu canalha! — gritou ela, e sentiu que sua voz cortava a névoa como uma faca quente sobre manteiga. — Venha me pegar.

O primeiro golpe que recebeu a fez recuar três passos, antes de colocá-la em ação.

A fúria se contorcia por dentro dela. Ao colocar os braços para cima, sentiu que o ódio a envolvia, enquanto os relâmpagos vergastavam o céu e o mar como se fossem chicotes com as pontas vermelhas. Ah... pensou ela, isso é magia com músculos. E viu a si mesma, embora não fosse realmente ela, parada, em pé, recolhendo forças. Ar, Terra, Fogo, Água.

Atrás dela, Lucy levantou a cabeça e soltou um longo e ululante ganido.

Harding, ou o que quer que o estivesse comandando por dentro, saiu de dentro da névoa.

— Rip sempre tocou o maior rebu — disse Zack, tentando aliviar o clima pesado.

A sala de estar estava em ruínas, e, se ele se permitisse, conseguiria sentir o zumbido das forças que haviam se lançado sobre o ambiente, e até mesmo um estranho formigamento sobre sua pele.

— Medo e fúria, fúria e medo. — Mia andava de um lado para o outro, enquanto falava. — Não consegui alcançar quem estava por trás de tudo isso. Por trás de Ripley e por trás da que veio antes dela. É tão forte, tão rígido...

— Como a cabeça dela? — perguntou Mac com um sorriso leve.

— Precisamente. Esperava descobrir qual a tática que seria usada a seguir, para que pudéssemos contra-atacar. Isso, naturalmente, seria simples demais.

— É algo que a machuca — comentou Nell.

— Sei que machuca. — Mia deu uma batidinha amigável no braço de Nell, quase sem perceber. — E sinto muito por isso. O certo a fazer agora é sentar e tentar descobrir como usar todas aquelas emoções dela, e a negatividade que elas contêm, para enfrentar o que está vindo. Um encanto de proteção, a esta altura, é apenas paliativo. Por mais que me custe concordar com a delegada, temos mesmo é que entrar em ação.

Parou para colocar os pensamentos em ordem.

— Você ainda não teve muitas experiências com o Mal, Nell, e de qualquer maneira não seria uma tarefa muito fácil o que pretendo, de qualquer modo.

— O que, exatamente, não seria muito fácil? — perguntou Mac. — Você está pensando em lançar um esconjuro?

— É tão conveniente ter um especialista por perto. Sim... — confirmou Mia. — Há cinco de nós aqui. Conseguiríamos um resultado melhor se houvesse doze, mas não temos muito tempo para rodar por aí à procura de recrutas. Já não há muito tempo para preparações. Vamos usar o que temos e combater com o que pudermos. Quando chegarmos...

Ela parou de falar de repente. De um segundo para o outro, seu rosto ficou branco como cera.

— Ela se foi. Neste momento, está fora da barreira de proteção. — O medo pulou por dentro dela, antes que conseguisse enjaulá-lo. — Ripley quebrou o círculo.

No instante em que Mac se lançou em direção à porta, Mia agarrou o seu braço.

— Não, Mac, espere. *Pense.* Sentir não é o bastante, e esse é o problema dela. Temos que ir todos juntos — falou, percorrendo o olhar por todos em volta. — Você sabe como é que se faz, Mac?

— Só na teoria — respondeu ele, lutando para vencer o pânico.

Mia reparou bem quando Zack pegou na arma e a colocou dentro do coldre. Ficou com vontade de explicar a ele que um revólver não era a solução, mas a expressão em seu rosto parecia um aviso para que ninguém desse palpites.

— Diga-nos o que fazer — disse Nell, com urgência na voz. — E vamos rápido.

Ripley estava com os pés plantados no chão, as pernas abertas e o corpo firme. Aquilo era uma ousadia, e ela sabia disso. Tinha que atraí-lo para longe, pensava. Atraí-lo em direção a ela, para conseguir salvar os outros.

E depois, destruí-lo.

Atrás dela, Lucy rosnava baixinho.

— Harding. — Ela falou com frieza e quase em tom de zombaria. — Um sujeito molenga, de meia-idade, barrigudo, criado na cidade. Não me parece uma escolha muito boa, se você quer saber.

— Ele é apenas uma carcaça útil. — A voz era mais grave e profunda, e de algum modo mais molhada do que era de esperar. — Nós dois já nos encontramos antes.

— Ah, já?... É que eu me lembro apenas das pessoas interessantes que conheço.

— Mas o que está dentro de você se lembra do que está dentro de mim — disse isso e a rodeou, quase flutuando sobre os pés. Ripley foi se virando ao mesmo tempo em que ele, tomando o cuidado de manter os olhos fixos em seu rosto, cara a cara. Deixou a mão escorregar para segurar Lucy pela coleira e mantê-la no lugar, enquanto ela pulava e tentava avançar na voz, que continuava: — Você uma vez tentou conseguir o que eu tenho, se dedicou a isso com o cuidado que se dá a um amante. Lembre-se do êxtase que sentiu.

Aquilo não era, Ripley descobriu, uma pergunta. Era um comando. Uma excitação rápida e pulsante bombeou todo o seu sistema. Era uma sensação poderosa e intensa. Gloriosa. Uma espécie de orgasmo no corpo inteiro que por pouco a deixou de joelhos, com uma sensação de prazer puro e feroz.

Ela estremeceu com a sensação, mas não deu sequer um gemido.

Sim, por Deus, sim, aquilo era muito bom. Será que ela poderia sentir isso? Uma sensação como aquela fazia qualquer coisa valer a pena. Traição, danação, maldição eterna, até mesmo a morte.

Enquanto lutava para clarear as ideias e manter a sanidade, percebeu um breve movimento. Não conseguiu contra-atacar a tempo e acabou esparramada no chão, com a cara enterrada na areia fria.

Parecia que acabara de ser atropelada por um caminhão.

Ele estava rindo, como se estivesse realmente adorando tudo aquilo. Era uma espécie de delícia inebriante que lhe dava prazer, enquanto ela se arrastava na areia, tentando ficar de quatro no chão. Viu quando Lucy avançou na direção dele, pulando com os dentes à mostra, até bater em uma barreira invisível, em pleno pulo. A parede soltou faíscas no momento do impacto e a atirou de volta para trás.

— Não, Lucy, não! Fique quieta!

— Posso lhe dar tudo o que você desejar e ainda mais. Só que não pode ser de graça. Não vai ser de graça, mas pode ser muito fácil. Por que não pega na minha mão?

Ripley prendeu a respiração, por alguns segundos. Estendeu a mão para alcançar Lucy, que tremia toda, mas continuava a rosnar. Levantando a cabeça, respondeu:

— E por que você não vai se danar?

Ele a derrubou com a cara na areia novamente, com um golpe súbito e fortíssimo de vento.

— Eu poderia esmagar você. Seria uma pena. Junte o seu Poder com o meu, e juntos poderemos ditar as regras e governar tudo.

Mentiroso, pensou ela. *Ele mente. E agora está brincando com você. Seja mais esperta do que ele*, disse a si mesma. *Seja mais cruel e dissimulada do que ele, e saiba fazer a jogada certa.*

— Estou confusa... — disse ela, fazendo-se de fraca. — Não consigo pensar direito. Preciso saber se as pessoas que eu amo estão a salvo.

— É claro — concordou ele, com uma voz melodiosa. — O que você quiser poderá acontecer, e o que desejar poderá ser seu. Simplesmente me dê a força que faz você ser o que é.

Ripley manteve a cabeça baixa enquanto se levantava lentamente, tentando ficar de pé, como se estivesse fazendo aquilo com grande esforço. Foi com o poder da sua mente que ela o atingiu quando jogou a cabeça para trás. Toda a fúria de seu ódio acumulado. E por um instante gratificante notou uma expressão de choque em seu olhar. Depois, o corpo dele foi atirado para trás, pelo ar, arremessado pela raiva concentrada que saiu de Ripley.

A areia onde ele caiu, mais atrás, se tornou negra em meio à névoa, como se tivesse sido chamuscada.

— Vou mandar você para o inferno! — prometeu a ele.

A luz era ofuscante, e o calor e o frio se chocavam no ar, soltando estilhaços. Ela continuou a atacar, por puro instinto, pulando para trás, reagindo, atacando.

Sentia dor, fisgadas fortes e agudas, e usava essa dor como se fosse uma arma, devolvendo toda essa energia acumulada contra ele.

— Você e os seus vão sofrer muito — ameaçou ele. — Haverá uma terrível agonia, e então não haverá mais nada, o que é ainda pior do que a agonia. Tudo o que você ama deixará de existir.

— Você não pode atingir o que eu amo antes passar por cima de mim.

— Não?...

Ela conseguiu ouvir sua respiração, irregular e estridente. Ele estava começando a ficar cansado, pensou. Ela ia conseguir vencer. E, enquanto tentava recompor as forças para acabar com ele de vez, notou-o juntando as mãos e as levantando sobre a cabeça. Um relâmpago forte foi ejetado do céu turbulento, um raio desceu, penetrou nas suas mãos unidas e uma espada cintilante se materializou ali.

Ele cortou o ar com ela, agitando-a de um lado para o outro, e depois repetiu o gesto. Seu rosto tinha uma expressão de triunfo quando arremeteu contra ela

Ela invocou Terra e sentiu o chão vibrar levemente. Quando o tremor ficou mais forte, Lucy deu um novo salto, para defendê-la. No momento em que Ripley gritou, a espada desceu sobre Lucy.

— Tudo o que você ama! — gritou ele, enquanto a cadela permanecia caída, inerte, sobre o solo. — Tudo o que você mais ama vai morrer esta noite.

— Só por causa do que acabou de fazer — disse ela, atirando as mãos unidas para o céu e concentrando todo o seu Poder nelas. — Eu vou acabar com você, agora!

E sentiu o cabo da espada materializar-se em sua mão, envolvendo-a como uma luva, como se fosse a extensão do braço, e com o peso tão familiar. Ripley lançou a espada para baixo com fúria, na direção da dele, e o encontro de lâmina com lâmina emitiu um som forte de metal que prenunciava o fim de tudo.

Agora era ela que chamava a tempestade, e centenas de raios feriam a terra e o mar à volta deles, até que o círculo de raios que desciam do céu como flechas foi se fechando cada vez mais. De repente, os dois estavam dentro de uma espécie de jaula, cujas barras eram formadas por raios ininterruptos. O furor e a violência a alimentavam e se transformavam nela.

O ódio dela foi aumentando, com um apetite e uma intensidade tão grandes que engoliam todo o resto.

— Você matou os inocentes! — acusou ela.

— Todos — respondeu ele, com os lábios repuxados para trás, formando um sorriso sardônico.

— Você destruiu as minhas irmãs.

— Morreram todas chorando.

— Você assassinou o homem que eu amava.

— Fiz isso no passado, vou fazer de novo agora.

A sede pelo sangue dele queimava-lhe a garganta e parecia alimentá-la com uma força incontrolável. Ela o foi empurrando para trás, cada vez mais para trás, contra a parede de raios flamejantes.

Ao longe, no meio daqueles ruídos ensurdecedores, ouviu alguém que a chamava pelo nome. Ouvia com distinção, dentro da sua mente, e também fisicamente, com os ouvidos. Tentou bloquear o som do chamado, enquanto continuava a atacá-lo e a empurrá-lo, enquanto sentia a sua espada tremer e vacilar um pouco mais a cada golpe.

Ela não queria nada, nada. Apenas experimentar a glória de atravessar o coração dele com a sua espada. E sentir o poder cantar louvores dentro de si, por aquele ataque assassino.

A força corria cada vez mais rápido por dentro dela, cada vez mais fundo, cada vez mais verdadeira. Está mais perto agora, pensou, mais perto do que nunca. Ela iria finalmente provar a promessa daquele momento de prazer, negro e amargo, mas imensamente sedutor.

Quando a espada lhe foi arrancada da mão e ele caiu aos pés dela, Ripley sentiu a maravilhosa sensação de vitória e de poder e foi inundada por um prazer quase sexual.

Com o punho da espada agarrado pelas duas mãos, ela a levantou bem acima da cabeça, e se preparou para o golpe final.

— Ripley!

A voz de Mac parecia tão calma através dos urros ensurdecedores que havia dentro de sua cabeça que ela praticamente não a ouviu. Suas mãos, porém, vacilaram.

— É isso o que ele quer, Ripley. Não faça o que ele quer. Não dê a ele o que ele deseja.

— Eu quero justiça! — gritou ela, enquanto os cabelos esvoaçavam em torno de sua cabeça, em cachos serpenteantes.

— Você é fraca demais para me matar. — E o homem aos pés dela, enquanto dizia isso, jogou a cabeça para trás, deliberadamente expondo a própria garganta. — Você não tem coragem de me matar.

— Fique comigo, Ripley. Olhe para mim! — insistiu Mac.

Com a espada ainda agarrada fortemente em suas mãos, ela olhou através das barras ofuscantes que a rodeavam e viu Mac correndo em volta pelo lado de fora, a alguns centímetros dela, com as mãos estendidas, mas sem poder alcançá-la.

De onde ele surgiu?, pensou ela, vagarosamente, com alguma parte do fundo do seu cérebro. *Como conseguiu chegar até aqui?* Ao lado dele estava seu irmão, Zack, e de cada um dos dois lados estavam Mia e Nell. Todos pareciam desesperados.

Ripley ouviu o som do ar sibilante que passava pelos seus pulmões, o ritmo ofegante de sua respiração. Sentiu um filete de suor frio que escorria pelos braços levantados. E o impulso ganancioso do anseio daquele momento de glória que nadava por dentro de suas veias.

— Eu amo você. Fique comigo, Ripley — repetiu Mac, mais uma vez. — Lembre-se daquelas palavras.

— Abaixe essa barreira de raios, Ripley. —A voz de Mia era penetrante. — E invoque o círculo, agora mesmo. Juntas, nós somos mais fortes.

— Eles vão todos morrer. — A coisa monstruosa que tinha o rosto de Harding continuava a atiçá-la, com a voz firme e calma. — Vou matá-los lentamente, dolorosamente, para que você possa ouvi-los gritar enquanto morrem. É a minha morte ou a deles. Escolha!

Ela se virou de costas para aqueles a quem amava e encontrou dentro de si mesma a sua outra parte.

— Nesse caso, vai ser a sua.

A noite explodiu com mais relâmpagos e sons terríveis, enquanto ela trazia a espada lentamente para baixo. Mil imagens ecoaram através da sua mente. Através delas conseguiu ver o triunfo nos olhos dele, a alegria pura que eles emitiam.

E, no instante seguinte, aqueles mesmos olhos estavam transformados, como se olhassem para o nada, estupefatos, parecendo perdidos. Eram os olhos de Harding.

Ela parou com a lâmina a dois centímetros de sua garganta.

— Ajude-me! — sussurrou ele. E Ripley viu sua pele se rasgar em tiras, com violência.

— Eu vou ajudá-lo. — Inesperadamente, começou a repetir, palavra por palavra, o texto que Mac colocara em seu subconsciente.

A raiz e a base da magia é o coração
E no coração que o dom e o poder começarão
Sua luz nos ilumina e destrói a escuridão
Sua alegria nos faz deixar a marca em nosso chão
Para proteger e defender, para testemunhar e viver
Para assim crescer, e dessa forma acontecer.

Debaixo da lâmina já pronta para rasgar-lhe a garganta, Harding começou a gargalhar.

— Você acredita realmente que esse encanto velho criado por mulheres fracas do passado vai conseguir me impedir?

Ripley colocou a cabeça para o lado, quase com um ar simpático.

— Acredito, sim. Da mesma forma que acredito nisto... — E, com a mente clara como vidro transparente, fechou a mão direita e a apertou de encontro à lâmina da espada, fazendo com que ela deslizasse pela palma de sua mão, fazendo brotar um sangue vivo que se misturou com o de Mac, ainda grudado em sua pele.

Junto do seu coração, o amuleto que Mac lhe dera começou a brilhar, emitindo luz e calor.

— O sangue dele — disse ela. — E o meu sangue. Misturados agora, como testemunho da verdade. — E apertou a mão até o sangue começar a gotejar sobre o corpo dele. E o homem no chão começou a gritar. Provavelmente de ódio, pensou ela, enquanto continuava a deixar os pingos caírem, experimentando um maravilhoso sentimento de raiva e vitória. — Pingando direto do nosso coração, estas gotas vão derrotar você. Este é o Poder que eu desencadeio agora. Que assim seja e assim se faça.

— Meretriz! Piranha! — Ele bramia, enquanto jogava o corpo mais para trás, tentava se levantar e atacá-la. E começou a rugir de dor e ódio quando viu que não conseguia mais nada.

A visão dela de repente se tornou maravilhosamente clara. A esperança, pensou naquele momento, era ofuscante, de tanto brilho. Ela fez com que as barras de luz desaparecessem e se virou para os outros.

— Não podemos largar Harding aqui, desse jeito. — E um sentimento de pena dele inundou-lhe o coração. — Pobre homem!

— Deixe que nós o esconjuramos — disse Mia.

E começaram a traçar um círculo em volta dele, com sal e prata. Dentro do círculo, Harding se debatia, babava e uivava como um animal ferido, e seus xingamentos foram ficando cada vez mais pesados; suas ameaças, mais terríveis.

Diversos rostos diferentes e desesperados começaram a aparecer em sua face, como se os ossos faciais se distorcessem, construíssem e reconstruíssem a cada momento.

Trovões rolavam explodindo nos céus, em ondas tão selvagens quanto as do mar em fúria. O vento assobiava, emitindo uma série de sons agudos e penetrantes.

As íris dos olhos de Harding, com as pupilas dilatadas, rolavam de um lado para o outro, de forma medonha, enquanto as três o rodeavam e seguravam suas mãos.

Mia focou um ponto distante, e um pequeno pentagrama branco apareceu no rosto de Harding, enquanto ela dizia:

Nós o expulsamos, de volta à escuridão
De onde você veio e para onde agora embarca
De hoje e eternamente terá a maldição
De agora e para sempre usar a nossa marca.

Ele uivou e se contorceu no chão como um lobo enfurecido. Nell se aproximou e continuou:

No vazio, rumo à noite, de volta ao seu capuz
Saia agora dessa alma e devolva a sua luz

— Helen, eu amo você. Você é a minha vida, é o meu mundo — disse ela, com a voz de Evan. — Tenha piedade.

E era realmente piedade o que ela sentia. Mas a lágrima solitária que escorreu do seu rosto era tudo o que podia oferecer a ele.

Agora, era a voz de Ripley que entoava:

Neste lugar, aqui e neste momento
Expulsamos você e esse tormento
Estando juntas, as três, não há ameaça
Que assim seja sempre, e assim se faça.

— Nós o expulsamos para sempre deste corpo, agora — repetiu Mia, e cada uma das três, agarrando a mão da que estava ao lado, repetiu essas palavras. E continuaram repetindo, até que as palavras se juntaram, formando uma única voz, poderosa.

A força começou a sair do corpo que estava no chão, causando um vento forte, um redemoinho gelado e fétido, que começou a rodar cada vez mais rápido, tomando a forma de um pequeno funil de furacão. A seguir, foi lançado para o ar, desaparecendo em direção ao mar, onde mergulhou como uma pedra e foi direto para o fundo.

Deitado na areia, estava Harding, com o rosto muito pálido, mas sem marcas. Gemia baixinho.

— Ele precisa de cuidados — disse Nell.

— Vá em frente, pode cuidar dele, então. — E Ripley deu um passo para trás. Imediatamente, sentiu as forças diminuírem em suas pernas e desabou.

— Tudo bem, querida, tudo bem. — Mac a agarrou antes que caísse, colocando-a gentilmente de joelhos. — Respire fundo, limpe a cabeça.

— Eu estou bem, apenas um pouco desorientada. — Conseguiu levantar a cabeça e olhou para o irmão. — Acho que você não vai precisar me prender por homicídio, afinal.

— É... parece que não. — Zack se ajoelhou ao lado dela e pegou o rosto da irmã entre as mãos, em concha. — Você me deixou apavorado, Rip.

— Sim, e pode crer, meu irmão: eu estava apavorada mesmo. — Ela apertou os lábios um contra o outro, para que eles não tremessem. — Vamos ter um bocado de trabalho amanhã, para cuidar dos danos provocados pelo temporal.

— Vamos tirar isso de letra. Os Todd sempre souberam, como ninguém, tomar conta da Ilha das Três Irmãs.

— Com certeza! — Ripley inspirou com força, expirou, e se sentiu livre. — Agora você vai ter que dar uma mãozinha para Nell, para ajudá-la a cuidar de Harding. Pobre e inocente crédulo! Pode deixar, que eu estou bem.

— Você sempre está. — Beijou-a dos dois lados do rosto. A seguir, ficou olhando para ela por mais alguns instantes. Logo depois, olhou para Mac, enquanto se colocava novamente de pé. — Cuide dela, para que esteja sempre bem.

Ripley respirou profundamente, mais uma vez, e pediu:

— Mac, será que você pode me dar um minuto?

— Posso dar até dois minutos. Mais do que isso vai ficar difícil.

— Tudo bem — concordou ela, enquanto agarrava a mão dele para se levantar.

Os joelhos dela pareciam gelatina, mas ela esperava que eles conseguissem mantê-la em pé; a seguir, tentou se equilibrar e se virou para Mia. Nesse momento se esqueceu da fraqueza, do choque, e até mesmo dos ecos do Poder. Mia estava ali, de pé, sorrindo ligeiramente, com a mão sobre a cabeça de Lucy. A cadela abanava a cauda de um lado para o outro, como um metrônomo doido.

— Lucy! — Dando um salto, Ripley enterrou o rosto nos pelos macios de sua velha companheira. — Pensei que a tínhamos perdido. Eu vi nitidamente quando... — Ela jogou a cabeça para trás, para ver melhor, procurando com cuidado entre os pelos de Lucy o lugar do corte da espada.

— Aquilo não era real — explicou Mia, baixinho. — A espada dele era apenas uma ilusão, um truque, uma amostra de violência, para testar você. Ele usou esse subterfúgio para obrigar você a cometer novamente o mesmo pecado de sua antepassada, o assassinato. Ele não queria a sua morte, pelo menos não naquela hora. Queria a sua alma, e o seu Poder.

Ripley apertou Lucy mais uma vez, depois ficou de pé, esticando o corpo e perguntando à Mia:

— Bem, ele perdeu, não foi?

— Perdeu mesmo.

— Você sabia de tudo, o tempo todo?

— Não, sabia apenas de algumas partes. — E Mia balançou a cabeça. — Não o suficiente para me dar certeza do que estava para acontecer, apenas o bastante para me trazer dúvidas e preocupações. — E estendeu a mão para Nell, que se aproximava. — No fundo do coração, sabia que você não iria fraquejar. Na minha cabeça, porém, não tinha tanta certeza. Você sempre foi um enigma difícil de decifrar.

— Eu bem que poderia ter feito o que ele queria. Estava com raiva e amedrontada o bastante para isso. Mas senti vocês duas aqui dentro. Eu jamais quis tudo isso queria apenas uma vida normal — disse, em um sussurro furioso. — Vocês sabem que eu jamais quis isso.

— A vida é dura — disse Mia, encolhendo os ombros. — Ou você joga com as cartas que tem; ou você cede.

— Pois eu sabia que você ia vencer. — Nell pegou na mão de Ripley, ainda ensanguentada, e com delicadeza abriu seus dedos. — Você precisa cuidar disso.

— Vou cuidar. Não foi nada. — Ela apertou os lábios. — Quero ficar com esta cicatriz — completou, pensativa. — *Preciso dela.*

— Então... — Lentamente, Nell fechou novamente os dedos de Ripley, até que o seu punho ficou fechado. — Zack e eu vamos levar o Sr. Harding lá para casa, para cuidar dele. Ele precisa de uma refeição saborosa e quente. Parece bastante abalado e muito confuso, mas, no final — ela olhou para o local onde Zack estava ajudando Harding a se levantar —, ele está admiravelmente intacto. E se lembra de muito pouco.

— Então, vamos mantê-lo assim — pediu Ripley. — Tudo bem, vamos voltar ao trabalho. Precisamos acabar de limpar tudo. — Levantou a cabeça, olhando para o céu. Viu as nuvens começarem a se dissolver, e o halo da lua que surgia por trás, pura e branca. — A tempestade já está passando — murmurou.

— Por enquanto — concordou Mia, enigmática.

Ripley abriu a boca e olhou na direção de Harding mais uma vez.

— Talvez os rapazes pudessem levar Harding de volta, para nos deixar mais um minuto aqui, sozinhas.

— Tudo bem, vou falar com Zack — concordou Nell.

O vento forte se transformara em uma brisa leve, e a brisa tinha o cheiro de mar e noite. Ripley ficou ali até que os homens e a cadela saltitante se virassem e seguissem em direção à casa.

Depois, formou o trio em companhia de Mia e Nell, e juntas selaram o círculo que tinham invocado. Ripley pegou sua espada ritual — aquela tinha sido real — e a limpou cuidadosamente na beira do mar. As ondas subiram, e uma espuma suave, domesticada e adorável molhou levemente as suas botas.

— Quando levantei a espada — começou ela, sabendo que as amigas estavam ouvindo, logo atrás —, eu queria sangue. Era como uma espécie de fome, uma urgência. Baixá-la me pareceu demorar horas. — E deslocou o peso do corpo de um pé para o outro. — Não sou muito boa nesse negócio de visão. Essa é a sua praia, Mia. Normalmente. Mas naquele momento vi algumas imagens com nitidez. Vi Mac... Mac e eu. Vi meus pais, vi o meu irmão. Vi nós três na floresta, como no último outono. E vi Nell. Você estava com um bebê nos braços.

— Um bebê! — A voz de Nell se derreteu, sonhadora, enquanto apertava a mão sobre a barriga. — Mas eu não estou...

— Não está... Ainda não.

— Puxa vida! — Nell soltou uma gargalhada abafada, de pura empolgação. — Puxa vida, puxa vida!...

— Enfim — continuou Ripley —, vi todas essas coisas e mais. As três irmãs, em uma floresta escura, dentro de um círculo de luz. Vi a que se chamava Terra, nesta mesma praia, durante uma tempestade. Eram tantas visões, chegando tão depressa, tão depressa, que uma se sobrepunha à outra, mas cada uma era perfeitamente clara.

"E vi você também, Mia. De pé diante dos seus penhascos, bem na beirinha. Sozinha e chorando. Havia escuridão à sua volta, daquele mesmo tipo que estava em volta de Harding, esta noite. As trevas queriam abraçar você. De algum modo, eu acho que... sempre foi você o alvo principal, mais do que nós."

— Está me aconselhando a... tomar cuidado? — quis saber Mia, enquanto sentia um calafrio na espinha.

— Muito cuidado. E vi uma última coisa, antes de parar a espada. Um último clarão com uma imagem forte. Novamente estávamos nós três, em um círculo. E eu sabia que estava tudo bem. O que eu quero dizer é que eu sei que tudo *pode* acabar bem. Se cada uma de nós fizer o que deve fazer e fizer as escolhas certas na hora certa.

— Você fez a sua escolha hoje à noite — lembrou Mia a ela. — Tenha confiança, porque vou saber fazer a minha.

— Você é a mais forte.

— Ora, ora, foi um elogio, isso que acabei de ouvir?

— Não espalhe por aí, está legal? Na Magia, você é realmente a mais forte. Mas o que vier atacar você vai ser mais forte, também.

— Nenhuma de nós está sozinha, agora. — Nell pegou a mão de Mia, e depois a de Ripley. — Nós somos três.

Ripley pegou a mão de Mia para fechar a corrente e completou:

— É isso aí! As Bruxas, Somos Nós!

Ripley disse a si mesma que estava fazendo tudo o que devia, mas isso não queria dizer que gostava daquilo. Ficou olhando enquanto Nell acalmava Harding e tratava dele. Cuidou dele com sopa e chá. Deixou que Mia tratasse de sua mão e a enfaixasse. Evitou ficar sozinha com Mac, até que eles foram caminhando juntos em direção ao chalé amarelo.

— Podemos pegar todo o equipamento esta noite mesmo, se você quiser.

— Não, deixe que eu pego tudo amanhã — respondeu ele. Mac não a tocou. Não sabia dizer o porquê, mas sentiu que talvez ela ainda não estivesse pronta para aquilo.

— Acho que Harding vai escrever o livro, afinal.

— Não é exatamente o livro que ele tinha em mente — comentou Mac. — Mas, sim, acho que Nell gosta da ideia de um livro que possa oferecer esperança a pessoas vítimas de abuso. Eu poderia fazer, agora que foi...

— Exorcizado?

— De um certo modo, sim. Posso fazer uma pergunta técnica, Ripley?

— Claro. — Estava uma linda noite. Sem vento, fresca e clara. Não havia mais razão para estar tão nervosa, agora.

— Como é que você sabia que o sangue iria dar conta dele?

— Não sei, exatamente.

— Conhecimento hereditário? — tentou Mac, recebendo de volta um encolher de ombros.

— Talvez. Esse tipo de coisa é da sua área. A Magia corre no sangue. No meu, no caso — disse ela, levantando a mão. — No seu também, ainda que esteja mais diluído. — E olhou para ele, que caiu na risada. — É assim mesmo — completou, com impaciência. — O sangue é um transmissor, representa um sacrifício ou algo assim. É vida.

— Não discordo. — Ele parou ao chegar à beira do bosque, onde as sombras eram mais suaves e o luar penetrava através de galhos desfolhados e pretos. — Isso é tudo?

— Existe uma ligação, também. É emocional, além de ser intelectual ou lógica ou até mesmo ritual. Eu acredito nisso.

— Amor. — Ele esperou um segundo. — Por que você não é capaz de dizer a palavra, Ripley, nem mesmo agora, depois do que aconteceu?

— É que você nunca tinha me visto assim antes — disse, bem rápido. — Tudo o que houve antes foi brinquedo de criança, comparado ao combate desta noite.

— Você esteve magnífica! — Ele viu quando os olhos dela se arregalaram. Ia ser divertido, pensou ele, deixá-la atônita com declarações como essa pelos próximos cinquenta ou sessenta anos. — Você pensou que o que eu vi hoje poderia mudar o que sinto por você?

— Não. Quer dizer, não sei. Mac, eu quase fui seduzida. Talvez, no momento em que fugi de casa, sozinha, estivesse com a ideia de que poderia sacrificar a mim mesma, e não venha me dizer que isso é uma desculpa capenga. Já pensei muito a respeito.

— Então não vou emitir a minha opinião.

— Bom. O fato, porém, é que quanto mais eu me afastava da casa, de todos vocês, mais tinha sede de sangue. Houve um momento, mais de um momento até, em que eu senti que poderia ter sido convencida, poderia ter agarrado o que me estava sendo oferecido. O poder era estarrecedor. Imenso, sedutor e desconcertante.

— Mas você não o aceitou.

— Não.

— Por quê?

— Queria mais manter a mim mesma. Queria mais você. E também... isso vai parecer meio sentimental demais ou falso.

— Diga, mesmo assim.

— Queria justiça.

Ele colocou as mãos sobre os ombros dela e a beijou acima de sua sobrancelha. A seguir, levantou-lhe a mão enfaixada e a beijou também.

— Agora há pouco eu disse que você esteve magnífica. Isso tem um sentido literal, também. Havia uma luz intensa que explodia de dentro de você. Nada poderia ter diminuído a sua intensidade. E agora... você é apenas a minha garota.

— Sua "garota"? — Ela fez um ar de deboche. — Ora, por favor.

— Toda minha — confirmou ele, e fez o que estava com vontade de fazer desde o momento em que a tinha visto com uma espada luminosa nas mãos. Pegou-a pelos quadris, levantando-a do chão e quase a esmagando com um abraço apertado, enquanto a boca procurava ansiosamente pela dela. — Case-se comigo. Venha morar comigo na casa à beira do mar.

— Ah, meu Deus, Mac, eu amo você. Isso é melhor do que tudo, é mais do que tudo. Puxa, Mac. — Ela jogou a cabeça para trás. — Isso *é* tudo.

— E nós estamos apenas começando.

Ela pousou a cabeça sobre o ombro dele, enquanto ele acariciava o cabelo dela. Uma mente brilhante, um corpo atlético, um coração generoso. Os lábios se curvaram para cima com o pensamento. E é todo meu.

— Quando o Poder estava em mim, eu me senti invencível, tremendamente forte. É como ter ouro líquido correndo pelas veias. E você sabe como é que eu me sinto agora?

— Como?

— Melhor ainda.

Ela levantou o rosto para ele mais uma vez, e seus lábios se encontraram de novo. O som do mar ao longe era como o bater compassado de um coração, e a lua velejava acima, toda branca. Em volta deles, a noite cintilou com os ecos da Magia.

E era o bastante.

Impresso no Brasil pelo
Sistema Cameron da Divisão Gráfica da
DISTRIBUIDORA RECORD DE SERVIÇOS DE IMPRENSA S.A.
Rua Argentina, 171 – Rio de Janeiro, RJ – 20921-380 – Tel.: (21)2585-2000